Roman 1995

Louise Lafrance
7080 Arthur-Halley
Saint-Hubert, Qué.
J3Y 8P9

Tranquille et Modeste

Du même auteur
Chez le même éditeur

Clovis, Chroniques d'Acadie, tome 1, roman 1992.
Oscar, Chroniques d'Acadie, tome 2, roman 1994, Prix Champlain 1995.

À paraître

S'en vont chassant, Chroniques d'Acadie, tome 4.

Jacques Gauthier

Chroniques d'Acadie
Tome 3

Tranquille et Modeste

roman

Éditions Pierre Tisseyre
5757, rue Cypihot — Saint-Laurent (Québec) H4S 1X4

Dépôt légal 3e trimestre 1995
Bibliothèque nationale du Canada
Bibliothèque nationale du Québec

Données de catalogage avant publication (Canada)

Gauthier, Jacques

Tranquille et Modeste (Chroniques d'Acadie, tome III)

L'ouvrage complet comprendra 4 volumes.

Sommaire : t. 1. Clovis. - t. 2. Oscar t. 3. Tranquille et Modeste

ISBN 2-89051-481-1 (Série) - ISBN 2-89051-594-X (v. 3)

I. Titre.

PS8563.A8595C47 1992 C843' .54 C92-096500-8
PS9563.A8595C47 1992
PQ3919.2.G38C47 1992

Illustration de la couverture :
Photo d'archives (circa 1887)
Peabody Essex Museum

1234567890 IML 98765
10787

Copyright © Ottawa, Canada, 1995
Éditions Pierre Tisseyre
ISBN 2-89051-594-X

À la mémoire de Dodette Cazaux,
À Yves Cazaux,
À Paule Leroy.

Remerciements

L'auteur désire remercier:

Le Conseil des Arts de l'Ontario pour son aide financière;

Le Peabody & Essex Museum, de Salem, Massachusetts qui m'a permis d'avoir accès aux documents nécessaires à la connaissance de Salem au XIXe siècle;

Les archives publiques de la municipalité de Salem, pour l'histoire géographique et politique de la ville;

Les paroisses *Immaculate Conception* et Saint-Joseph de Salem;

Mme Claire Quintal, directrice de l'Institut français du Collège de l'Assomption, Worcester, Mass., pour ses encouragements et ses précieux conseils.

PROLOGUE

Après l'éclatement de la société acadienne, en 1755, et son éparpillement sur toute la côte orientale de l'Amérique du Nord et même au-delà, les déportés et leurs descendants continuèrent de se dire Acadiens.

Cependant, les souvenirs des douloureux événements qui les avaient conduits vers l'exil s'estompèrent graduellement au fil des années et des générations, soit qu'on les ait rendus stériles, par la douleur que leur rappel causait aux descendants, soit que le temps, qui finit par venir à bout de tout, ait simplement fait son travail.

Dans certaines familles, ces souvenirs sont enfouis pour toujours et ne remonteront plus à la surface, laissant en leur lieu une colère contenue et jamais exprimée. Chez d'autres, ils ont créé une plaie béante jamais cicatrisée.

Le simple rappel de cet événement est la cause de nombreux malaises sociaux qui ne prendront fin que lorsque tous les partis en cause, les descendants des déportés comme ceux de leurs bourreaux, affronteront la réalité historique avec la volonté avouée d'accepter le passé.

Au milieu du XIXe siècle, plus de cent ans après ce douloureux événement, les descendants des familles éparpillées de Clovis de Pons et d'Oscar Doucet prennent conscience, chacun de leur côté, de leur bagage historique et se débattent à l'intérieur des drames de leur vie quotidienne, à la recherche de leur identité.

1

La première fois que Cédulie Doiron prend conscience de son étrange pouvoir, elle vient tout juste d'avoir dix-neuf ans.

C'est un dimanche matin du début de septembre, pendant la grand-messe. Le soleil réchauffe l'air comme en plein été, bien que la saison tire à sa fin. Il fait si beau que les portes de l'église Saint Mary de Salem[1] sont toutes grandes ouvertes à l'arrière, laissant pénétrer dans le temple un air calme et doux, venu du large, mélange entêtant et généreux d'air salin, de parfum de moisson et d'odeur de crottin. À l'époque de ces événements, l'abbé Matthew Harkins, résident ordinaire de la paroisse *Immaculate Conception*, et qui parle français, célèbre le saint sacrifice de la messe.

Pendant qu'il officie dans une rutilante chasuble or, la chorale chante avec élan, d'abord le *Kyrie... le Gloria*. Puis, après l'évangile et le sermon, elle exécute le credo, avec autant de vigueur et d'enthousiasme, accompagnée des paroissiens magnifiquement endimanchés.

Dans le banc des Doiron, situé le long du mur extérieur, Mme veuve Isidore Doiron est assise tout au fond.

---

1. Salem est une petite ville du Massachusetts, à une vingtaine de milles au nord de Boston.

À sa droite se tiennent ses deux jeunes garçons âgés de treize et quatorze ans, leurs sœurs Cédulie et l'aînée, Marguerite, enceinte de huit mois. Au bord de l'allée, fier comme un paon dans son beau costume couleur taupe, la tête relevée, le teint rougeaud, l'œil allumé, se tient son mari, Ben Laverdure.

Les deux familles, occupant le même banc, forment un ensemble fort disparate. La future maman, le visage souriant, porte une robe joliment fleurie et un chapeau dans les mêmes tons. Pour ne pas être en reste, Ben se donne des airs d'importance, avec une élégance qui lui vient de son récent succès en affaires. L'allure du jeune couple détonne de façon frappante à côté de la simplicité du costume des femmes Doiron et la tristesse de leur visage.

Cédulie, tout comme sa mère, est vêtue sobrement d'une robe de coton noir qui la couvre depuis le cou jusqu'aux poignets et aux chevilles. La sévérité de son costume est à peine allégée par d'étroites bandes de dentelle blanche apposées aux ourlets du bas de la robe et des manches. Sur sa tête, elle porte une coiffe de ton et de confection aussi austères que le reste. Quant aux garçons, leurs habits sombres et étriqués conviennent parfaitement à leur mine renfrognée et à leur comportement ludique. Mme Doiron ne cesse de les rappeler à l'ordre d'un regard sévère.

Autant Marguerite respire la joie et la détente, par son maintien décontracté et naturel, autant sa sœur fait figure de sainte nitouche. Elle se tient le corps droit, sans jamais s'appuyer au dossier du banc, sans doute par goût du sacrifice, tandis que ses yeux sont pudiquement baissés, son chapelet entrelacé autour de ses doigts effilés et maigres. Elle est l'image même de la piété et de l'abnégation. Ses longs cils noirs tranchent, comme des pattes d'araignée, sur l'albâtre de ses joues lisses et satinées.

Cédulie est pieuse, prude et réservée. Contrairement à Marguerite, qui a eu plusieurs cavaliers avant de jeter son dévolu, un an plus tôt, sur le beau Ben Laverdure, elle n'en a jamais accepté aucun. Plusieurs garçons, pourtant, ont tenté de lui faire la cour, attirés sans doute par son air à la fois mystique et déconcertant. Très indépendante d'esprit et d'un tempérament solitaire, elle les a tous repoussés avec la dernière fermeté. En dépit de son remarquable teint laiteux, la nature ne l'a pas avantagée autant que sa sœur Marguerite. Elle est affectée d'un léger boitillement à la jambe gauche qu'elle a plus courte que l'autre. Tant par son costume que par son comportement avec ses semblables, elle donne à tous l'impression qu'elle entrera au couvent. À cette époque, c'est là que finissaient les inclassables, parmi lesquelles la jeune Doiron n'éprouve aucune difficulté à se ranger.

Si l'opinion des gens la dérange, elle n'en laisse rien paraître. Elle n'essaie même pas d'expliquer sa conduite, se renfermant dans un mutisme désarmant. Elle n'a pas d'amies ou de confidentes et ne cherche pas la compagnie de ses semblables. En dehors de l'aide qu'elle apporte à sa mère pour les travaux domestiques et l'éducation de ses deux frères plus jeunes, elle s'occupe, avec les religieuses de Notre-Dame[2], de remettre tout en ordre après le service dominical. Pendant la semaine, c'est à elle et à d'autres paroissiennes que reviennent les plus humbles tâches: laver les parquets de l'église et faire la lessive des linges sacrés.

Au cours des derniers six mois, comme Cédulie a fait sa première communion[3], elle a charge de la décoration de l'église les dimanches et jours de fêtes. Puis,

2. Congrégation religieuse, récemment arrivée à Salem où elle a ouvert une école.
3. Première communion: à cette époque, les catholiques faisaient leur première communion à un âge beaucoup plus avancé qu'aujourd'hui.

comme une insigne faveur, elle a reçu la permission de toucher les vases sacrés lorsqu'ils sont vides et qu'il faut les ranger.

Maintenant debout, dans le banc, les yeux fermés, les mains jointes, elle écoute avec ferveur le chant de la préface que le prêtre, à la voix juste et grave, rend fort agréablement. C'est l'air de la messe qu'elle préfère à tous les autres. Elle a appris par cœur, rien qu'à les entendre, sans jamais les avoir vues écrites, les trois ou quatre premières lignes, qui varient rarement d'un dimanche à l'autre. Pendant que le prêtre les chante, elle remue les lèvres en même temps que lui. Elle n'a aucune idée du sens des mots latins qu'elle articule et ne cherche pas à le connaître. Elle les accepte tels quels, comme des paroles magiques et incantatoires qui ne peuvent qu'être sanctifiantes, puisqu'elles s'adressent à Dieu et dans sa propre langue encore: «Vere *dignum et justum est æquum et salutare, nos tibi semper et ubique gracias agere*[4]*...*» Comme elle parle l'anglais aussi bien que le français, dans sa tête cela devient: «Very dig numb et youstou messe...» Pendant le reste de la préface, toujours aussi recueillie, elle fredonne pour elle-même l'air grégorien qui l'enchante tellement.

Mais un murmure qui monte de la foule, à l'entour d'elle, la tire peu à peu de sa rêverie. Elle ouvre les yeux, déconcertée par ce tapage qui trouble un moment aussi solennel de la messe. Fortement irritée par un tel manque de respect, elle lève la tête et suit le regard des fidèles vers un point de la voûte, au-dessus du chœur. En haut, tout là-haut, virevolte un oiseau qui vient juste d'entrer par les portes arrière. Désorienté par la foule, la musique et l'encens, il s'est réfugié le plus loin pos-

4. «Il est vraiment juste et nécessaire, c'est un devoir et notre salut, de Vous rendre grâce toujours et partout...»

sible du bruit et du désordre. La chose est si inusitée, du jamais vu, pour dire vrai, que la foule est dans un état de grande agitation. Voici que sont mélangés le sacré et le profane de la manière la plus inattendue.

Cédulie regarde l'intrus avec angoisse, puis le fixe durement, sans battre des cils. Comment cette créature ose-t-elle interrompre le saint sacrifice de la messe et troubler les paroissiens dans leurs dévotions dominicales? Cela ne devrait pas être permis. Elle en est fortement outrée.

C'est alors que se produit dans sa tête un événement déterminant pour elle. En effet, pour la première fois de sa vie, elle entend distinctement une voix qui lui parle en l'appelant par son nom. Plus tard elle se rappellera les mots exacts de cette injonction mystérieuse: «Cédulie, il est de ton devoir d'agir pour arrêter cette profanation.»

La jeune fille reste interdite par cet ordre surnaturel. Cependant, au lieu d'avoir peur, comme ce serait le cas pour la plupart des gens, elle se sent, au contraire, plus forte, invincible même. Elle est convaincue que le commandement lui vient de Dieu lui-même. Par la suite, elle n'entretiendra jamais aucun doute sur le fait qu'elle a été choisie pour être l'instrument du Très-Haut. Il lui commande, cette fois, de mettre rapidement fin à une intrusion sacrilège.

Pendant que les fidèles se sont agenouillés à la fin de la préface, dans le jubé, la chorale, imperturbable et bien disciplinée, chante «*Sanctus, Sanctus, Sanctus*». Sous la voûte, l'hirondelle, car c'en est bien une, continue son tournoiement infernal. Enfin, les voix se sont tues et dans le silence qui règne maintenant, les paroissiens n'entendent plus que le bruit des ailes de l'oiseau qui heurtent le plafond et les marmonnements du prêtre. Tout à ses dévotions, celui-ci ignore le volatile pendant qu'il prononce les paroles de la consécration du pain. Il fait ensuite sa génuflexion, se redresse et élève l'hostie au-dessus de sa tête pour la faire voir au peuple avant de la déposer sur la patène et de se prosterner à nouveau.

La respiration de Cédulie s'est alors subitement arrêtée; sa tête est devenue lucide comme jamais auparavant. Le mot *Sanctus*, qu'elle prononce «Sang tue», y retentit, tel un leitmotiv incantatoire qu'elle ne peut arrêter.

Le prêtre se redresse après sa génuflexion puis, penché sur l'autel, énonce lentement et à voix basse, au-dessus du vin, les mots de la transsubstantiation. Il fait à nouveau une génuflexion, prend le calice de ses deux mains et l'élève, bras tendus, pour le montrer à l'assistance.

En même temps, Cédulie répète, dans sa tête, «Sang tue, Sang tue». Au lieu de s'incliner par respect, comme elle le fait chaque fois au moment de l'élévation, elle tient son front levé et regarde l'oiseau avec toute la haine, toute l'hostilité dont elle est capable. Au troisième «Sang tue», comme sur un commandement, l'hirondelle tombe en chute libre, droit dans le calice que le prêtre tient toujours élevé pour l'adoration des fidèles. Surpris, il redresse la tête lorsque le vin, fraîchement changé en sang du Christ, éclabousse ses vêtements, son crâne dégarni, son visage et la nappe de l'autel.

Cédulie en a le souffle coupé. Comme les autres paroissiens, elle a observé avec effarement la chute de l'oiseau. Cependant, elle ne croit pas un instant qu'il s'agit d'un hasard. Au contraire, elle est persuadée d'avoir été l'instrument de Dieu.

Comme s'il avait déjà eu l'occasion de faire face à un pareil incident, le curé agit avec rapidité et décision. Il se relève de sa génuflexion avec majesté et circonspection en dépit des circonstances plutôt insolites.

Pour se donner le temps de réfléchir, il examine attentivement ce qui vient de se passer. Au fond du calice, dans le vin qui reste, l'hirondelle, morte, gît sur le dos, bec et pattes tournés vers le ciel. Tout autour, des éclaboussures tachent la fine toile blanche de la nappe. Il y en a aussi sur sa tête, sur sa chasuble, sur les parties exposées de l'amict et de l'aube qui se rejoignent au cou. Il prend le manuterge avec lequel il essuie soigneusement son crâne chauve et tente, mais avec un succès mitigé, d'éponger les autres taches qui maculent la nappe et ses vêtements. Après un moment d'hésitation, il prend l'oiseau par les pattes entre le pouce et l'index de sa main droite, enveloppés du manuterge. Sans le secouer au-dessus du calice, il dépose l'oiseau sur le retable, du côté de l'épître.

Pendant un moment, le vieux prêtre hésite sur la conduite à tenir ensuite, tout en épongeant ici et là le liquide répandu.

Une fois les dégâts sommairement réparés, le célébrant reprend le saint sacrifice de la messe, comme si rien ne s'était passé. Mais, le moment le plus difficile pour lui reste encore à venir, celui de la communion. Ses moindres gestes sont épiés par la foule, curieuse de savoir s'il va y avoir consommation du vin. Sans aucune hésitation apparente, mais avec un haut-le-cœur qu'il parvient à maîtriser, le prêtre porte le calice à ses lèvres et, de la façon la plus naturelle possible, en fait couler le contenu dans son gosier. On entend alors, dans l'assistance, un soupir qui tient autant du soulagement que de l'admiration.

Puis, c'est la communion des fidèles, que le curé distribue en plus grand nombre que d'habitude. En effet, une curiosité bien naturelle tenaille les paroissiens, surtout les hommes. Ils veulent voir de plus près celui qui a eu le cran de boire du vin dans lequel a trempé un oiseau mort, ce qui a pour effet d'irriter le prêtre qui doute de la pureté de leurs motifs pour s'approcher de la sainte table. La communion fréquente n'est pas encore à la mode à cette époque [5] et seules les âmes bien préparées y ont droit. Il termine, comme à l'habitude, par sa bénédiction, l'*Ite missa est* et la lecture du dernier évangile. Bien habile celui qui aurait pu discerner, dans les gestes du célébrant, la moindre différence d'avec ceux qu'il exécute tous les jours depuis plus de quarante ans.

Immédiatement après l'office, Cédulie Doiron se rend à la sacristie, comme elle le fait chaque dimanche, pour aider les religieuses de Notre-Dame à ranger les ornements. Elle les retrouve en compagnie du curé contemplant, dans un silence respectueux, le tas formé par les vêtements et les linges tachés, déposés sur une table. Comme d'habitude, son arrivée est à peine remarquée. Personne ne prête attention à la jeune fille, une *french* qui sait tenir sa place.

— Il faut tout brûler, ma sœur.

— Y compris la belle chasuble en or, monsieur le curé?

— Oui, oui, absolument tout. Je sais, je sais, ajoute-t-il lorsque la religieuse veut protester contre un tel gaspillage. Mais le Christ est tout entier dans chacune de ces gouttes de vin, changées en son sang. Nous ne pouvons pas prendre de risque.

Les religieuses baissent leur cornette et regardent la chasuble, l'étole, l'amict, l'aube, la pale, la nappe d'autel et le manuterge, le plus taché des linges, au milieu duquel repose l'oiseau mort.

— Tenez, mettez-y aussi le manipule. On ne sait jamais. De toute façon, il serait dépareillé.

---

5. Il faudra attendre le règne de Pie X (1903-1914) qui en répandra l'habitude.

Ce disant, il jette sur le tas le bel ornement brodé de fils d'or. Les deux religieuses hésitent encore devant un tel gaspillage.

— Je vais m'en charger, monsieur le curé, intervient Cédulie, lorsque les sœurs de Notre-Dame se tournent vers elle.

Sans attendre leur consentement, la jeune fille s'empare d'un grand linge dans lequel elle enveloppe tout ce qui doit être purifié.

— C'est bien, Cédulie, dit le prêtre. Mais attention, en manipulant les objets, de ne toucher à rien les mains nues.

Celle-ci acquiesce et se dirige vers le fond de la sacristie où se trouve le petit poêle qui sert à la chauffer en hiver. Pendant ce temps, les religieuses retournent dans l'église même où elles s'affairent, sous la direction du curé, à la décoration de l'autel, complètement dégarni par suite de l'incident. Compétente et efficace, Cédulie prépare un feu avec du papier et quelques fagots. Puis, constatant qu'elle est seule, elle fait fi des instructions du prêtre et, à mains nues, fourre dans le poêle, une à une, les pièces de linge pour les brûler. Toutes sauf une: le manuterge. Comme il n'y a aucun témoin, elle glisse, dans une large poche pratiquée dans sa robe, ce carré de toile entaché du sang du Christ, dont le prêtre s'est servi plus tôt pour essuyer le vin éclaboussé. Rapidement, et avant le retour des autres, elle frotte une allumette et met le feu aux débris qui s'enflamment rapidement.

Au moment où le brasier achève de se consumer, Cédulie ferme la clef d'aération de la cheminée et va se placer rapidement près de l'une des deux portes qui donnent dans le chœur. Elle n'a pas à attendre longtemps, avant que la sacristie se remplisse d'une fumée âcre et épaisse qui, peu à peu, commence à s'infiltrer dans l'église. En quelques minutes, elle entend les cris du curé et des religieuses qui accourent vers la sacristie en criant «Au feu! Au feu!». Pendant qu'ils cherchent à se diriger dans cet aveuglant nuage, Cédulie sort vivement de la sacristie, entre dans l'église vide et monte rapidement à l'autel. Puis, avec un minimum de gestes, comme si elle les avait maintes fois répétés, elle pousse le rideau devant le tabernacle, en ouvre la porte et tire vers elle le ciboire qui a servi à la communion des fidèles. Sans les compter, elle prend une poignée d'hosties qui vont rejoindre le manuterge dans sa grande poche. Les choses remises en place, elle retourne dans la sacristie où elle entend le curé qui l'appelle par son nom.

— Je suis ici, monsieur le curé. J'essaie d'ouvrir une fenêtre, crie-t-elle depuis la porte du chœur.

— Laisse les fenêtres, le feu est pris.

Cédulie, comme si l'épais nuage ne la gênait pas le moins du monde, se dirige vers le poêle où, sans être vue, elle ouvre à nouveau la clef d'aération et retourne se placer près d'une fenêtre pour donner le change. Lorsque la fumée se dissipe, c'est là que les autres l'aperçoivent, faisant de grands efforts pour lever le carreau.

— Que s'est-il passé? demande le prêtre avec une certaine irritation dans la voix.

La jeune fille, comme elle le fait souvent, ne répond pas; le regard vide, elle fixe le curé qui, excédé par ce qu'il croit être de la stupidité, soupire et secoue la tête avec exaspération, tout en se dirigeant vers le poêle dont il ouvre la porte.

— Ah bien! dit-il après avoir examiné l'intérieur, tout a déjà brûlé. Il ne reste plus que des fils de métal ici et là.

Comme le travail de Cédulie est terminé, elle quitte l'église sans que le curé où les religieuses lui prêtent la moindre attention. Songeuse, elle se met en route vers

Mill Hill, ou «la Pointe» comme ses habitants appellent familièrement leur petit Canada. C'est une modeste colline, dans South Salem, qui s'avance en pointe dans le port. Cette enclave est adossée aux bâtiments de la Naumkeag Steam Cotton Company, le principal employeur des ouvriers de la Pointe. Le soir, dès la sortie de l'usine, la vie des résidents du petit Canada se déroule en français, dans les rues comme dans les maisons.

La jeune Doiron met une bonne quinzaine de minutes avant d'arriver au 5 de la rue Naumkeag où elle habite avec sa mère et ses deux frères. Tout en marchant, elle réfléchit aux incroyables événements de la matinée. Les deux larcins qu'elle vient de commettre lui font presque oublier l'incident de l'oiseau. N'est-elle pas en possession du sang et du corps du Christ? Elle en est certaine, ces dons lui ont été accordés par Dieu, comme une suite logique à l'incroyable pouvoir qu'Il vient de lui révéler. Elle est persuadée que tous les gestes qu'elle vient de poser font partie du même commandement divin qu'elle a reçu plus tôt. La «voix», comme elle l'appelle maintenant, s'est incontestablement fait entendre avec une grande clarté.

Une fois rentrée chez elle, quel n'est pas son étonnement d'y retrouver sa sœur et son beau-frère. Depuis un an qu'elle a épousé Ben Laverdure, Marguerite ne visite sa famille qu'en de rares occasions en compagnie de son mari. Pourtant, ils habitent tous des maisons appartenant à la Steam Cotton Company, les Doiron rue Naumkeag, et les Laverdure, rue Harbord. Mais, comme Mme Doiron n'approuve pas le style un peu trop fanfaron de son gendre, celui-ci se tient éloigné autant que possible de la rue Naumkeag.

Pour que sa sœur et son beau-frère se soient arrêtés chez eux après la messe, il doit y avoir une raison majeure. En effet, Marguerite, pendant l'office, au cours de l'élévation justement, s'était trouvée mal. Mais, grâce à la distraction causée par l'entrée de l'hirondelle dans l'église, elle avait réussi à dissimuler son indisposition jusqu'après la sortie de la messe. Dès lors, Mme Doiron, alarmée par ce soudain malaise de sa fille, avait jugé plus sage, vu l'état avancé de sa grossesse, de l'amener rue Naumkeag où elle pourrait plus aisément prendre soin d'elle. Elle l'avait installée dans sa propre chambre qu'elle n'occupe plus depuis la mort de son mari. Ben, impuissant devant ces nouveaux développements, avait tout de suite accepté les arrangements de sa belle-mère.

Le soir de cette remarquable journée, Cédulie Doiron s'agenouille près de son lit, comme d'habitude, pour faire ses dévotions. Elle a étendu devant elle le manuterge maculé de grandes taches rouges, sur lequel elle a posé les huit hosties consacrées qu'elle a dérobées plus tôt. Puis, elle joint les mains, tout en regardant avec intensité ces objets précieux et entourés de mystère. Elle reste étonnée de la facilité avec laquelle elle a réussi à s'en emparer, chose que, même dans ses rêves les plus fous, elle n'avait jamais osé espérer.

— Mon Dieu, je vous remercie de m'avoir choisie pour être votre instrument.

Dans sa tête, la Voix lui répond: «Tu as bien fait, mon enfant.» Il lui semble que la voix de Dieu, qui est pourtant grave, a quand même des intonations qui ressemblent à celles de l'abbé Harkins.

Elle s'arrête ici, rassurée et l'âme remplie d'une émotion qu'elle n'a jamais connue auparavant. Ce qui lui est arrivé l'enivre et l'inquiète tout à la fois. En dépit du fait qu'elle se croit l'élue du Seigneur, elle se demande si elle est vraiment digne de cette confiance. Car la jeune fille est une grande tourmentée. «Oui, se dit-elle, je dois l'être puisque Dieu, qui voit tout et sait tout, l'a permis.» Tantôt elle se gonfle de sa propre importance, tantôt elle bat sa coulpe pour son péché d'orgueil. Elle est consciente de détenir un grand pouvoir et cela la fait exulter. Puis, tout de suite après, une vague d'humilité l'envahit et elle se reproche sa superbe.

Déjà fort discrète, de par son naturel solitaire, elle n'a aucune peine à dissimuler ses sentiments, à se taire et à ne partager avec personne un secret aussi important.

Ses prières terminées, elle tire de sous son matelas un cahier d'écolière qu'elle garde précieusement depuis sa sixième année scolaire, la dernière où elle a fréquenté l'école. De temps à autre, Cédulie y écrit les événements importants de sa vie. Le dernier noté date du 6 mai précédent, le jour où elle a fait sa première communion: «Le bon Dieu est en moi, mais je ne sant rien de différant. Tout est semblable à avant. Quoi faire? Esse qu'on m'a trompé?» Cédulie prend alors son crayon et, avec une application soutenue, elle trace lentement les mots suivants: «dimanche, 6 sept. 1857. Au jourdui j'ai tuer un oiseau qui était entrez dans l'église. Sais par l'ordre de Dieu lui même que j'ai agi. Jai entendu sa voix pour la première foi et je me rapelle ses paroles exactes il ma dit «Cédulie, il est de ton devoir d'agir pour arrêter cette profanation.» En priant Dieu de le faire mourir, j'ai répéter «Sang tue», trois fois de suite, comme le prêtre faisait. L'oiseau est tombé red mort. J'ai pensé je peux faire n'importe quoi, le bon Dieu est avec moi. J'ai aussi 8 hosti consacré et un linge taché du sang du Christ. Esse que je peu tuer comme je veu, ou bien s'il faut que j'attende un ordre de La Voix?».

Ce soir-là, la jeune Doiron se couche et dort d'un sommeil fort agité. Elle s'éveille en pleine nuit, à la suite d'un cauchemar où elle se voit poursuivie par une bande d'individus dont elle n'arrive pas à voir les visages. Lorsqu'ils sont tout près, elle ouvre la bouche et ses poursuivants sont immédiatement foudroyés. Une fois éveillée, elle est fort troublée par ce songe. Les événements de la veille, qui lui reviennent aussitôt en mémoire, lui paraissent maintenant effrayants. Elle est étonnée de sa conduite dans l'église, au point qu'elle se demande si elle n'a pas rêvé. Elle reprend le cahier sous son matelas. Après avoir relu les phrases de la veille, elle ajoute: «Je sais plus.» Puis, comme rassurée, elle se rendort jusqu'au matin d'un sommeil sans histoire.

Le lendemain, lundi, Marguerite, qui ne va pas mieux, est toujours chez les Doiron, avec son mari. Pendant ce temps, l'incident de l'oiseau est déjà connu de toute la population de la Pointe et même au-delà. Tout de suite après avoir quitté l'église, les religieuses se sont chargées de répandre le récit de la purification des linges sacrés et du début d'incendie, ce qui frappe beaucoup les esprits. Sans que le prêtre ait eu à l'exprimer à haute voix, les bonnes sœurs ont compris que la tentative de cet oiseau d'empêcher que ne se produise la transsubstantiation est l'œuvre de Satan. Cet effort même a été mis en échec par la chronologie des événements. En effet, le vin ayant été changé en sang du Christ, une fraction de seconde seulement avant la chute de l'oiseau, la nature du liquide de la Nouvelle Alliance ne pouvait donc plus être altérée.

La plupart des paroissiens sont très favorables au curé. Ils admirent son courage et sa discrétion. Celui-ci, cependant, ne se cache pas que les subtilités du mystère de l'Eucharistie échappent à la compréhension de ses ouailles. De cela il est bien aise. Les paroles du rituel romain sont dites dans une langue qui leur est étrangère; toutefois, la magie du latin opère chaque fois. La plupart des fidèles savent par cœur les mots dont ils ne connaissent pas le sens, mais ils sont persuadés qu'ils entendent la langue que parlait Jésus-Christ, donc celle de Dieu. Peuvent-ils être plus près de Lui? Peuvent-ils L'honorer davantage?

Rarissimes sont les sceptiques qui osent exprimer des doutes sur la vaillance de leur curé. Un seul a eu l'audace, à la suite de l'incident de l'oiseau, de suggérer que la consommation du vin par le célébrant avait été motivée par autre chose que son devoir sacré. Cet homme, c'est Ben Laverdure. Au sortir de la messe, devant plusieurs personnes, il a minimisé le geste du prêtre, disant qu'il ne s'agissait pas là d'un acte très courageux. N'a-t-il pas lui-même, adolescent, mangé une souris vivante, après l'avoir coupée en deux avec ses dents?

— Fais-tu ça souvent Ben? est-on censé lui avoir demandé.

— Non, c'est la première fois...

Silence respectueux de l'auditoire, pendant qu'une lueur malicieuse éclaire l'œil de Laverdure.

— D'habitude, je mets du beurre.

C'est de l'histoire ancienne mais, comme on peut le voir, devenue légende en quelques années. Plusieurs témoins de l'incident peuvent encore en attester. Comme les ragots, avec le temps, ont évolué à l'avantage de Ben, il bénéficie toujours, dans le petit Canada du prestige que cet événement lui a conféré autrefois. Aussi, pour conserver intacte sa réputation, il se doit de rabaisser le geste du prêtre, un acte courageux certes, mais sûrement pas comparable à ses propres exploits.

— Ça prend pas beaucoup de nerfs pour boire du vin, commence Ben, lorsqu'ils sont tous réunis au chevet de Marguerite.

Celle-ci, affaiblie et pâle, après une nuit agitée, passée à côté de son mari qui n'a pas cessé de ronfler bruyamment, repose dans le lit de ses parents. Sa famille ne paraît pas inquiète, croyant à une indisposition passagère.

— Oui, mais quand un oiseau mort y a trempé... continue la belle-mère.

— Bah, vous l'savez ben, j'peux faire mieux que ça.

Marguerite n'aime pas ces vantardises de son mari. En général, elles indiquent qu'il a un verre dans le nez.

— C'est tenter le diable, hasarde-t-elle timidement, lorsque tu déprécies le geste du curé.

— Toi, la femme, mêle-toi de ce qui te regarde.

Mme Doiron pousse un grand soupir, tandis que Cédulie baisse les yeux. Marguerite est maintenant habituée à ces sautes d'humeur qui ont commencé dès leur mariage. Elle aime beaucoup son homme, mais elle le craint encore plus. Son propre père à elle, mort alcoolique, violentait sa femme et ses enfants. Elle a gardé, de sa brutalité, des séquelles indélébiles. La découverte que son mari boit autant que son propre père lui paraît tout à fait normale. Même s'il n'a encore jamais levé la main sur elle, ce n'est qu'une question de temps, croit-elle. En même temps, cela la paralyse et l'empêche de protester davantage.

La réaction des femmes rappelle à Ben qu'il n'est pas chez lui; avec prudence, il n'ose aller plus loin dans la discussion. Il quitte la chambre, en compagnie de ses deux jeunes beaux-frères pour qui Laverdure est une sorte de héros, pendant que Cédulie et sa mère restent au chevet de Marguerite.

Elles ne sont pas plutôt seules que des crampes saisissent brusquement la jeune femme avec une violence qui les effraie toutes deux. Lorsque, vers midi, les choses semblent s'aggraver, Cédulie dépêche Ben à la recherche du prêtre et du médecin. Le docteur Tancrède LeBlanc et l'abbé Harkins arrivent en même temps, moins d'une demi-heure plus tard.

Il est temps car, après un examen sommaire, le médecin annonce que l'enfant ne va pas tarder à naître. Aussitôt, dans la maison, l'activité devient fébrile. Le docteur, avant toutes choses, bannit les hommes de la chambre de la malade. Seules Cédulie et sa mère, à qui il donne aussitôt des ordres, sont priées de rester. Un peu plus tard, quand elle se rend à la cuisine pour chercher des serviettes et faire chauffer une grande bassine d'eau, Cédulie ne fait aucun effort pour rassurer le mari sur le sort de sa femme. Lorsque, de la chambre, proviennent des cris et des hurlements, tous se regardent atterrés. Le mangeur de souris, sur le point de perdre l'éther, paraît le plus affecté. Cédulie, qui n'éprouve que peu de sympathie pour son beau-frère, l'ignore complètement avant de retourner auprès de sa sœur.

Après cela, la jeune fille n'a plus un seul moment pour elle. Le médecin, qui a pourtant de l'expérience, paraît débordé par les événements.

— Je crains fort que nous ne recevions bien plus que ce à quoi nous nous attendions, dit-il énigmatique, mais sur un ton qu'il veut rassurant.

Cependant, comme par instinct, ces quelque paroles ne trompent ni Cédulie ni la veuve Doiron.

Pendant que la future mère continue de gémir et de pousser des cris, sa sœur se tient à ses côtés et l'observe, le regard tranquille et apparemment détaché. Le visage de Marguerite, blanc comme neige, est contorsionné par la douleur. La chemise de nuit qui l'enveloppe est tellement imprégnée de sueur qu'elle lui colle au corps, révélant ses énormes seins, déjà gonflés de lait. La robe est remontée sur son ventre distendu et dégage les cuisses. Entre les jambes, pliées aux genoux et largement écartées, s'affaire le docteur LeBlanc, complètement absorbé par l'opération.

— Chrisse! Ça se présente par le siège.

Cédulie ne bouge pas, continuant d'observer sa sœur. Ses cheveux sont collés à son front et tout autour de son cou. Elle geint doucement, les yeux fermés, et semble ne pas avoir entendu. Dans un grand cri, Marguerite s'empare de la main de Cédulie et la porte à sa bouche. Avant que cette dernière ait eu le temps de réagir, l'accouchée l'a mordue jusqu'au sang.

Tout de suite, les mots «Sang tue» viennent à l'esprit de la jeune fille et elle frissonne lorsqu'elle voit la couleur vermeille apparaître sur la paume de sa main.

— Il me faut le retourner, continue LeBlanc.

L'air est déchiré par un autre grand cri, suivi d'un long silence, pendant lequel on n'entend que les respirations haletantes de la femme et les grommellements impatients du médecin qui fait d'immenses efforts pour mettre l'enfant dans une bonne position. De la main gauche, il masse le ventre de Marguerite, pendant qu'avec l'autre, plongée dans l'utérus, il réussit à ramener en avant la tête du bébé.

— Pousse! ordonne-t-il avec brusquerie.

Marguerite, avec toute l'énergie dont elle est capable, tente de faire ce que le médecin lui commande, mais sans résultat.

— Chie! Fais comme si t'allais chier.

Cette fois, l'accouchée reprend son souffle et lorsqu'elle le relâche, fait entendre un rugissement qui fait frémir Cédulie. En même temps, l'accoucheur relève la tête, un sourire sur son visage dégoulinant.

— C'est une fille! dit-il après avoir tiré l'enfant par la tête et les épaules hors du sein maternel.

Mais personne n'a le temps de se réjouir car un flot de sang et de plasma, causé par une rupture utérine, sans doute le résultat des manœuvres destinées à retourner le bébé, inonde la nouveau-née.

— Des serviettes, beaucoup de serviettes. Ça n'est pas fini, commande LeBlanc avec autorité.

Cédulie et sa mère répondent rapidement aux ordres et mettent des serviettes entre les cuisses de l'accouchée pour absorber le liquide rouge qui s'échappe par à-coups. En même temps, Marguerite lance un grand cri, se tend à nouveau et, pendant qu'elle retombe épuisée sur sa couche, le docteur procède à la sortie d'un deuxième bébé.

— Encore une fille!

À partir de ce moment, tout se passe très vite. Ni le médecin ni la jeune femme ne remarquent l'entrée soudaine de Ben Laverdure et de l'abbé Harkins. Le mari, alarmé par les cris de plus en plus rapprochés et stridents de sa femme, n'a pu, cette fois, être retenu par le prêtre. Ils se tiennent, pâles et hésitants, sur le seuil de la porte. Il fait une grande chaleur dans la pièce où règne une odeur douceâtre et écœurante de médicaments, d'éther, d'urine et de sang.

Ben fait un pas en direction de sa femme, mais Cédulie l'arrête net d'un regard péremptoire. Marguerite est étendue sur le dos, la tête renversée sur le côté, les yeux fermés et la bouche grande ouverte, comme si elle allait encore hurler. Ses genoux sont relevés, et entre ses jambes, où sont occupés le médecin et sa belle-sœur, il peut apercevoir une mare rouge écarlate avec, par-ci par-là, les taches plus sombres du plasma qui imbibe complètement les serviettes et déborde sur les draps, puis commence à dégouliner par terre. Ben est sur le point de se trouver mal à son tour.

— Ne reste pas là comme un imbécile. Apporte cette bassine, crie le médecin qui vient d'apercevoir le mari.

Celui-ci, saisi par cet ordre impérieux, se remet aussitôt et obéit rapidement. Il s'approche du lit et voit, pour la première fois, sidéré, deux petites formes hideuses, couvertes de sang, qui bougent les jambes et les bras. Le médecin, avec l'aide de Cédulie, soulève Marguerite aux hanches et place deux oreillers sous ses fesses. Puis il saisit la cuvette des mains du mari et l'ayant placée sous l'accouchée, il regarde le sang qui continue de s'y écouler lentement. Sans perdre un seul instant, il s'affaire ensuite à couper le cordon ombilical des jumelles et les soulève l'une après l'autre par les pieds avant de leur donner une bonne tape sur les fesses. Aussitôt, elles se mettent à pleurer, première manifestation de leurs poumons tout neufs.

— Nettoie-les, ordonne LeBlanc à Cédulie de sa voix brusque, tout en regardant les bébés en souriant.

La jeune fille s'exécute, pendant que le praticien tente désespérément d'arrêter l'hémorragie. Ben s'est déplacé craintivement vers la tête du lit, où il regarde sa femme sans dire un mot. Les paupières de celle-ci sont baissées, son visage cireux. Pourtant, sa poitrine se soulève à un rythme de plus en plus rapide. De toute sa vie, le pauvre mari ne s'est jamais senti si désemparé. Ses yeux rencontrent ceux de sa belle-sœur et il y lit les plus grands reproches. «C'est ma faute», se dit-il. Il n'est pas sûr de quoi il est responsable au juste, mais il accepte sa culpabilité comme allant de soi.

Pendant que Cédulie finit de nettoyer sommairement les deux bébés, celles-ci ont arrêté leurs pleurs. Dans leur visage rougeaud et plissé, leurs yeux se sont ouverts et regardent de tous côtés. Puis, déjà pleines de vie, elles se mettent à bouger la tête, les bras et les jambes. Comme on peut s'y attendre, ces mouvements amènent un sourire timide sur le visage du père. Marguerite ouvre doucement les yeux et veut tendre les bras lorsque sa sœur lui présente les nouveau-nées. Mais elle est trop faible pour achever son geste et ses mains retombent, inertes et blanches, sur les draps maculés de sang. Cédulie dépose alors les nourrissons sur la poitrine de la mère et lui place les bras autour de leurs frêles épaules.

Sur un signe de tête du médecin, l'abbé Harkins s'approche et, tout en murmurant des formules latines, commence à tracer des signes de croix avec le pouce, sur le front, la bouche, les mains, le ventre et les pieds de la mère. Il a assez d'expérience de ce genre d'événements pour prévoir le dénouement du drame.

C'est ainsi que Marguerite, au bout de son sang, s'éteint doucement, pressant sur sa poitrine les deux jeunes vies qu'elle vient de donner contre la sienne. Le médecin se tient au pied du lit, le chef branlant. Ben, qui s'est emparé d'une main de sa femme, regarde la scène sans comprendre. Des larmes roulent en silence sur ses joues creuses.

Le visage de Cédulie Doiron s'est durci, ses lèvres remuent doucement, pendant que, dans sa tête, résonnent les mots «Sang tue, Sang tue, Sang tue». Prière ou exorcisme? Elle seule le sait.

Le jour qui suit ces tristes événements, Marguerite est enterrée le matin et les jumelles sont baptisées dans l'après-midi. Elles reçoivent les prénoms de Marie-Dolorosa-Modeste et Marie-Dolorosa-Mélodie. C'est le curé qui a insisté pour qu'elles portent le deuxième prénom.

— Elles sont nées dans la douleur, commente-t-il en guise d'explication.

Puis, après la cérémonie du baptême, le prêtre invite la famille au presbytère.

— Avez-vous pensé à une solution au veuvage de Ben? commence l'abbé Harkins, dès qu'ils sont assis dans son bureau. Il faut une mère pour s'occuper des bessonnes[6].

---

6. Besson, bessonne, jumeau, jumelle: Littré. «Le mot jumeau n'est pas connu des Acadiens; c'est besson que nous disons toujours.» Pascal Poirier, *Le Glossaire acadien*.

Personne ne dit mot. On se regarde l'un l'autre pour savoir qui va répondre. Il aurait été convenable que Ben Laverdure prenne la parole en premier, puisqu'il est le grand perdant, mais avec la présence de sa belle-mère, il s'attend à ce que celle-ci s'exprime d'abord. Ce qui ne manque d'ailleurs pas de se produire.

— On en a parlé hier au soir, monsieur le curé...

La veuve Doiron fait une pause, marque de respect à l'égard du prêtre.

— Et alors?

— Ben, on n'a pas cinquante-six solutions.

— Ça, je peux m'en douter, mais encore?

— Tous mes enfants sont mariés et ils ont tous une famille à eux. Les plus jeunes, on n'en parle même pas.

— Sauf Cédulie.

— Sauf Cédulie, reprend la mère Doiron.

— Alors? demande le prêtre en se tournant vers la jeune fille.

Celle-ci baisse la tête. Est-ce un signe d'acquiescement ou l'effet de sa timidité? Harkins, quant à lui, n'y voit pas d'équivoque.

— Vous allez laisser aller votre bâton de vieillesse? demande-t-il à la veuve en se tournant vers elle.

Si Cédulie n'a pas la vocation religieuse, il est entendu que c'est à elle que reviendra la charge, le temps venu, de prendre soin de sa vieille mère. Mme Doiron hausse les épaules comme pour signifier qu'elle n'a pas le choix.

— Et toi, Cédulie, t'es prête?

— Oui, monsieur le curé.

— Tu sais que c'est très dur ce qu'on te demande.

La jeune femme reste silencieuse, mais hoche la tête légèrement pour montrer qu'elle comprend.

— Bien, dans ce cas, tout cela me paraît résolu.

Là-dessus, ils se lèvent tous ensemble, pour prendre congé.

— Oh! À propos, Ben, dit le prêtre au moment où ils vont quitter la pièce, Cédulie est ta belle-sœur, souviens-t-en, lorsque les tentations seront trop fortes...

Laverdure rougit comme un gamin pris en faute. Mme Doiron fait oui de la tête avec conviction, comme pour approuver les paroles du prêtre.

— Et puis, la bouteille, ne t'y adonne pas trop, ajoute-t-il avec une sorte de rictus qui pourrait passer pour un sourire.

Ben branle du chef en signe d'assentiment, avec un petit sourire de connivence que seul le prêtre reconnaît.

Le curé, depuis des années, s'endort tous les soirs, dans la stupeur que lui cause ce vin trop sucré que, le lendemain matin, à l'autel, il transformera en sang du Christ, avant de le boire. Mais le soir, tout seul dans sa chambre, ce n'est encore que le jus de la vigne. Heureusement qu'il a cette échappatoire. Jusqu'ici, l'alcool l'a empêché de lutiner certaines de ses paroissiennes. Seule sa servante, laide comme un poux, connaissait son secret, croyait-il jusque-là. Mais la réaction de Ben lui fait comprendre que, vraisemblablement, il se trompe. Une consolation, cependant, si c'en est une, se dit-il, seul un autre ivrogne peut l'avoir deviné.

Le jour même, Cédulie Doiron emménage au 42 de la rue Harbord, chez son beau-frère, avec les jumelles. La transition se fait rapidement et en douceur, en dépit de l'animosité naturelle de Cédulie pour Ben Laverdure. Tout s'est passé si rapidement que celui-ci n'a même pas le temps de mesurer sa détresse. Sa belle-sœur, de toute façon, ne lui en laisse ni le temps ni l'occasion. Dès son entrée dans la maison de Ben, elle lui fait comprendre qu'il est un homme et que l'éducation des enfants, surtout celle des filles, est une affaire de femmes. Et, parmi ces femmes, c'est à elle, et à elle seule, que revient le soin d'élever ses nièces.

Aucune voix ne lui en a donné l'ordre, cette fois, mais ce n'est pas nécessaire, car Cédulie se reconnaît un droit naturel de succession à la maternité de sa sœur. À part le fait que c'est dans le sein de Marguerite qu'elles ont été formées, n'est-elle pas celle qui a partagé la vie terrestre des petites, dès le premier moment où leurs yeux se sont ouverts sur le monde? C'est ainsi qu'elle franchit allègrement et sans vertige aucun l'abîme qui sépare le rêve de la réalité.

Le premier soir, après avoir fait la toilette des jumelles et les avoir mises dans leur berceau, elle tire son cahier d'écolière de sous son matelas et s'assoit à une petite table. À la lueur fumeuse de la lampe à huile, elle relit, avec une émotion respectueuse, les mots qu'elle avait tracés la veille: «Le 7 sept. 1857. Aujourdui, Marguerite a eu des bessonnes. Elle en est morte. Maintenant, c'est moi leur mère.» Puis, avec application, elle reprend le crayon et se met à écrire: «8 sept. 1857 J'ai eu raison hier. C'est aujourdui le mardi et je reste chez Ben. Les petites m'appartienne. Mais il faut oublier pour toujours comment je les ai eu.».

Dès les premiers instants de sa vie, rue Harbord, Cédulie Doiron prend donc la décision de garder pour elle-même et pour toujours le souvenir des événements du fameux dimanche à l'église Saint Mary. Ce n'est pas tant à l'incident de l'oiseau qu'elle songe, qu'à ses deux vols commis la même journée et dont le souvenir est enseveli à jamais au plus profond de sa mémoire. Elle ne s'en départit pas cependant, précieux et rattachés qu'ils sont à ce nouveau pouvoir dont elle est maintenant investie. D'ailleurs, elle ne saurait pas comment disposer, avec discrétion, du corps et du sang du Christ. Comme elle en avait fait le plan dans sa tête la veille, elle les range soigneusement dans un coffret en cèdre de petite dimension qu'elle place ensuite dans une cassette en métal noir, scellée hermétiquement.

Ben est déjà couché sur le canapé du salon qui, à partir de maintenant, est devenu sa chambre. Cédulie, renfermée avec ses nièces dans la seule pièce de l'étage, l'entend qui ronfle bruyamment. Ayant bu plus que de coutume, son deuil lui en fournissant prétexte, il s'est endormi très tôt après souper. Les jumelles une fois couchées, elle éteint la lampe et, sans faire de bruit, même si personne ne risque de l'entendre, elle descend au rez-de-chaussée, passe devant son beau-frère qui n'en a pas connaissance. La cassette de métal sous le bras, elle sort dans le jardin à peine éclairé par le premier quartier de lune.

Avec un minimum de bruit, elle creuse un trou dans la terre, au pied du bouleau, tout au fond, près de la clôture qui sépare leur propriété de celle du voisin, Emil Godfrey. Elle y dépose ensuite la boîte qu'elle recouvre aussitôt de terre, puis de feuilles mortes. Ainsi, se dit-elle, le secret de ces étranges événements qui ont accompagné la naissance de ses nièces est protégé. Elle se relève ensuite et au moment où elle va se diriger vers la maison, une voix, derrière elle, la fait sursauter.

— Cédulie, c'est toi?

Interdite et légèrement effrayée, elle laisse échapper sa pelle qui, heureusement, tombe sans bruit par terre. Elle a reconnu la voix de Emil Godfrey. C'est un Anglais dans la vingtaine, marié à une Canadienne[7]. Ils ont un fils âgé de seize mois, Joseph-Tranquille, mais que tout le monde appelle Tran.

— Oh! Emil, tu m'as fait peur.

Godfrey, qui est à peine plus âgé que Ben, lui fait part de la peine que lui et sa femme ont éprouvée en

7. À cette époque, quand on disait Canadien, on voulait dire francophone.

apprenant la nouvelle du décès de Marguerite. Après quelques échanges et la promesse de se revoir le lendemain autour des jumelles, chacun rentre chez soi.

Avant de se glisser sous les draps, à côté de ces petits êtres dont elle a la charge, la jeune femme songe qu'elle commence une nouvelle vie. Elle sent, près d'elle, la chaleur de ces deux jeunes corps, étendus sur le ventre et qui respirent doucement, leurs petits poings serrés de chaque côté de leur tête. Cédulie Doiron éprouve alors un bref moment d'intense émotion, un sentiment qui contient à la fois de l'épouvante et de l'enchantement.

2

À la fin d'une journée chaude et humide du mois d'août de l'année 1871, un soleil rougeoyant descend paresseusement à l'horizon. Deux garçons âgés de quatorze ans, vêtus seulement d'une mince culotte de toile d'un bleu délavé, sautent, pieds devant, dans la rivière South qui coule derrière la Naumkeag Steam Cotton Company, sise en plein cœur du petit Canada. Tran Godfrey et Jos Poirier sont amis depuis leur plus tendre enfance. Ils habitent des rues voisines et sont dans la même classe à l'école de la vieille église Saint Mary.

Même à un âge aussi tendre, les deux garçons travaillent pendant l'été à la filature de coton qui leur procure, à presque tous, et l'emploi et le logement. En dépit des nombreuses protestations publiques, les journées de travail se prolongent souvent, selon les humeurs des patrons et des contremaîtres, jusqu'à douze ou seize heures. La pétition qui demande à l'État de réduire à dix heures la journée de travail n'est pas pour demain, car son approbation vient tout juste d'être rejetée par sa législature.

Ce soir, à cause de la chaleur accablante qui règne à l'intérieur de l'usine, les contremaîtres, eux-mêmes épuisés, ont renvoyé les ouvriers à six heures. C'est la fin d'une longue et dure journée, commencée à cinq heures du matin. Avant de rentrer à la maison pour souper, les deux amis ont décidé, pour se rafraîchir, de sauter dans l'eau de la rivière South qui borne le petit Canada à l'est. Elle forme un bassin, juste à la rencontre des rues Peabody et Ward. Encore si près de la manufacture, l'eau n'y est pas très propre, mais ils n'en ont cure tant l'onde est rafraîchissante. Leurs cris et leurs rires, mêlés aux bruits de leurs plongeons, ont attiré une trentaine d'autres gamins qui, comme eux, recherchent le soulagement que leur procure la baignade.

La vie est en français sur la Pointe, peuplée presque exclusivement de Canadiens qui ont commencé de s'y établir à partir de 1830 environ. Dès cette époque, des familles, à la recherche d'un meilleur sort économique, émigrent en grand nombre dans les villes industrielles de la Nouvelle-Angleterre.

Tran et Jos sont remontés sur la rive et se préparent à se jeter à nouveau dans l'eau. Le premier, déjà grand pour son âge, mesure près de six pieds. Ses traits sont fins et délicats, sa peau très blanche. Des yeux bleus et éveillés brillent dans des orbites profondes. Son compagnon, quant à lui, annonce déjà l'adulte vigoureux qu'il deviendra. Il est costaud, musclé, le corps trapu, les épaules carrées. Des cheveux noirs et fortement crépus lui donnent l'allure d'un petit bélier.

Ils se tiraillent pour savoir qui réussira à pousser l'autre dans le bassin. Un garçon plus jeune qu'eux accourt et les interrompt brusquement, tout en leur désignant du doigt un point, à quelques pas du rivage.

— J'vous dis, y'est monté à la surface, y'a crié «Au secours!» puis y'a coulé à pic.

— Où ça, exactement?

— Là, à dix pieds à peu près.

Jos et Tran ne prennent même pas la peine de se consulter. Ils sautent promptement dans le bassin et se précipitent vers l'endroit que vient de leur désigner leur compagnon. Comme celui-ci continue de lancer son cri d'alarme, d'autres plongeurs se joignent aussitôt à eux. Quelques instants plus tard tout le monde s'est mis de la partie et la surface bouillonne du mouvement spontané de cette trentaine de jeunes corps lancés dans une action commune et urgente. Tout ce brassage de l'eau trop sombre les empêche de repérer celui qui vient de couler pour la deuxième fois. Tran revient à la surface pour aspirer de l'oxygène avant de repartir vers les profondeurs. Juste au moment où il va replonger, son ami Jos surgit soudainement à ses côtés.

— T'as rien vu? lui demande celui-ci, la voix haletante.

L'autre va lui répondre, lorsqu'il sent deux mains entourer sa cheville droite. Il a tout juste le temps de lever les bras en l'air et de lancer un cri. Au même moment, une poigne vigoureuse le tire dangereusement vers le fond. Voyant son ami disparaître aussi brusquement, Jos plonge aussitôt à sa rescousse, non sans avoir lancé auparavant un appel à l'aide. Il a agi si rapidement qu'il réussit, en compagnie d'un autre camarade, à se saisir de la main gauche de Tran. Durant une seconde, la force qui tire son ami vers le fond est si grande qu'il ne parvient qu'à freiner la descente, sans réussir à le hisser vers la surface. Deux autres nageurs survenus au même moment tentent de l'aider dans ses efforts: la tête de Tran émerge alors rapidement.

Voyant son ami hors de danger, Jos plonge à nouveau pour rejoindre celui qui l'entraîne vers le fond. À tâtons, il suit la jambe de Tran et rencontre deux mains cramponnées solidement autour de sa cheville. Voyant l'inutilité de tout effort pour desserrer les doigts, le jeune garçon continue sa descente jusqu'à ce qu'il atteigne une autre tête, un autre corps.

Comme par instinct, car il ne s'est jamais trouvé en pareille situation, Jos sait tout de suite ce qu'il faut faire. Il glisse ses bras sous les aisselles de celui qui est en train de se noyer et tente de le tirer vers la surface. Les autres nageurs ne restent pas inactifs et tirent Tran vers eux: une deuxième tête émerge bientôt à l'air libre.

C'est celle d'un autre jeune garçon que les deux amis n'ont pas remarqué jusqu'ici. Son visage est blême, il halète et tousse bruyamment. Ses yeux reflètent encore la frayeur qu'il vient de connaître. Sans attendre davantage, Tran et Jos ramènent le jeune rescapé vers la berge. Ils y grimpent avec quelques-uns de leurs compagnons de jeux qui ont aidé au sauvetage. Pendant que le jeune garçon reprend son souffle et que ses couleurs reviennent à ses joues, les autres parlent de l'incident avec animation. Sans doute à cause de leur âge si tendre, les tragédies manquées ne les accaparent pas bien longtemps. Comme si rien de bien sérieux ne venait de se passer, la plupart des gamins, sans plus de façon, retournent à leurs ébats.

Quant à Tran et Jos, ils restent sur la berge auprès de leur nouveau compagnon afin de le connaître davantage. Ils ne l'ont jamais vu auparavant et ne savent pas s'il habite la Pointe ou non. C'est un garçon de leur âge, aux cheveux courts et blonds. Son visage est rond, ses joues pleines, son nez parsemé de taches de rousseur. Le souffle toujours court, il les regarde maintenant en souriant de ses grands yeux vairons, une particularité qu'ils n'ont jamais rencontrée auparavant. Le gauche est marron et pétille lorsqu'il plaisante, tandis que le droit est d'un bleu d'aigue-marine. Lorsqu'il a repris son souffle, l'adolescent prononce quelques mots qu'ils ne comprennent pas. Ils reconnaissent bien un accent français, mais ils le trouvent différent de celui qui domine à la Pointe. Le ton est presque chantant, avec, ici et là, des mots curieux dont ils ne connaissent pas le sens.

— D'oùsque tu viens?

La question de Jos Poirier fait se retourner vers lui le visage du jeune rescapé.

— Je v'nions d'la Louisiane, dit-il au bout d'un moment, encore légèrement essoufflé.

Les deux amis se regardent sans comprendre. Est-ce à cause du mot qui leur est inconnu, ou à cause de son parler si différent?

— J'm'appelions Josse.

Il prononce son nom comme s'il s'écrivait en commençant par un «d». Cette façon d'ajouter une désinence en «ion» à ses verbes favorise l'incompréhension[1]. N'était du vaste sourire dont leur nouveau camarade accompagne ses réponses, les deux amis se seraient probablement désintéressés de lui pour retourner, insouciants, à leurs jeux. Mais comme tout dans son visage paraît chaleureux et bien avenant, ils restent auprès de lui.

— Moi je m'appelle Jos et lui, c'est Tran.

Ils se sourient, mais ne se serrent pas la main, comme font habituellement les garçons de leur âge: ils n'ont pas besoin d'explications supplémentaires pour faire connaissance. Sans plus, ils entraînent leur nouvel ami dans l'eau et recommencent à se poursuivre, à se taquiner, à se bousculer, à remonter sur la berge, puis à sauter dans le bassin, tout en jetant des cris stridents, suivis de rires joyeux et clairs. Ils s'ébrouent comme s'ils n'étaient pas conscients d'avoir, un peu plus tôt, frôlé un drame qui aurait pu être fatal.

Plus tard, à la brunante, lorsqu'ils rentrent chacun chez eux, Tran et Jos poursuivent, avec leur nouveau compagnon, la conversation abandonnée après la présentation. Comme la maison de Josse, rue Gardner,

1. Par la suite, afin de ne pas alourdir le récit, l'auteur ignorera cette particularité de langage.

n'est qu'à quatre coins de la leur, ils le raccompagnent jusque chez lui. Ils apprennent que son nom de famille est Thibodeau et qu'il est Acadien.

— Moi aussi, je suis Acadien, dit Jos avec fierté.

Pendant un moment, ils restent silencieux, soupesant le sens à donner à la nouvelle information. Jos sait qu'il est Acadien, qu'il est content de le dire, mais il n'est pas certain de ce que cela signifie, si ce n'est qu'il se sent différent des autres.

— Mais, la Louisiane[2] c'est où, au juste? continue le jeune garçon, dont la géographie et autres connaissances n'ont guère d'attrait pour lui.

— C'est par là, dit Josse en pointant en direction du sud. C'est loin.

Il est bien évident que les deux amis cherchent à comprendre comment leur compagnon est venu jusqu'à Salem. Mais, ils ne savent pas quelle question lui poser.

— Mon père était à la guerre et il a perdu, continue ce dernier en guise d'explication.

Tran semble comprendre, mais Jos que rien en dehors des jeux, de la chasse et de la pêche n'intéresse vraiment, fixe leur nouveau compagnon avec un regard vide.

— Quand ma mère l'a su, on s'est mis en route avec mes trois sœurs et mes deux frères pour venir icitte.

— Pourquoi à Salem?

— Parce qu'on savait qu'il était dans ce coin-citte.

— Vous irez plus en Louisiane?

— Non, ma mère dit qu'icitte on est plus proche de l'Acadie.

— Vas-tu à l'école?

— Ma mère dit que j'irai à Saint Mary, à partir du mois prochain.

---

2. Depuis 1803, la Louisiane est devenue américaine, lorsque les États-Unis l'ont acheté de la France, pour la somme de vingt-sept millions de dollars. En 1812, elle a acquis le statut d'État.

Les garçons paraissent heureux d'apprendre que leur nouvel ami fréquentera la même école qu'eux. Avant de se séparer, ils promettent de se retrouver le lendemain au même endroit, au bord du bassin de la rivière South.

Hélas, le jour d'après il pleut et la baignade n'a pas lieu. Les trois amis se rencontrent alors à la sortie de l'usine. Josse est en compagnie de son père qui travaille dans le même atelier que lui. Il le présente à ses compagnons qui le trouvent aussitôt sympathique. Siméon Thibodeau et son fils se ressemblent beaucoup. Ils ont le même air rond et jovial et passeraient aisément pour des frères, tant M. Thibodeau paraît jeune. À la suggestion de Tran, ils quittent l'usine ensemble et s'arrêtent chez les Godfrey, rue Harbord. À la Pointe, c'est la plus grande artère. Elle traverse tout le petit Canada en longeant la rivière. D'un côté, s'élèvent les deux imposantes tours du moulin numéro un et de l'autre, des habitations, propriétés de la Steam Company où logent la plupart de ses employés.

Les Godfrey habitent une résidence beaucoup plus spacieuse que celle des Poirier et des Thibodeau, qui sont de simples ouvriers. À Salem, comme partout dans l'est de l'Amérique du Nord, pendant les débuts de la révolution industrielle, les cadres sont anglais, les contre-maîtres irlandais et les ouvriers canadiens. Le père, Emil Godfrey, travaille comme comptable dans les bureaux de la Naumkeag. Né à Salem, dans le petit Canada, il parle couramment français; de plus, il a épousé Jeanne Macdonald, une Canadienne originaire de Saint-Hyacinthe, le village d'où étaient venus les Godfrey eux-mêmes, une génération plus tôt.

Josse et son père sont fort impressionnés par la résidence des Godfrey, où ils pénètrent pour la première fois. Au rez-de-chaussée, en plus d'un grand salon, il y a une chambre à coucher, attenante à un petit bureau, une salle à manger séparée de la cuisine, qui est immense et où tout le monde se retrouve.

La maisonnée de la rue Harbord, avec Jeanne à sa tête, est accueillante et chaleureuse. Josse et Siméon sont reçus avec la cordialité et la générosité propres aux familles canadiennes. On fête leur présence, on pose mille questions au père qui, liant de nature, ne se fait pas prier pour raconter son histoire.

Quatre ans plus tôt, Siméon Thibodeau avait été recruté contre son gré dans l'armée de Robert E. Lee, le général sudiste dont les troupes avaient été complètement anéanties par celles du commandant suprême des forces de l'Union, Ulysses S. Grant, le 9 avril, à Appomattox en Virginie. Au cours de la bataille, voyant la victoire leur échapper, Siméon et deux camarades avaient mis à exécution un plan qu'ils avaient conçu depuis leur conscription dans les rangs du général Lee: déserter ensemble, dès la première occasion qui s'offrirait de se diriger vers le nord.

Comme le dernier poste de Galveston s'était rendu et que la guerre était terminée, ils avaient trouvé l'occasion idéale pour abandonner enfin cette vie militaire qui ne leur plaisait pas. Après avoir échangé leur uniforme sudiste contre des vêtements civils, ils avaient gagné, en toute sécurité, d'abord la Pennsylvanie, puis New-York, et enfin le Massachusetts. Rendus à Salem, Siméon, qui y avait trouvé un travail à sa convenance, avait décidé d'y jeter l'ancre, pendant que ses deux compagnons, Acadiens comme lui, avaient continué leur route vers le Canada atlantique où ils étaient certains de retrouver le paradis d'où leurs ancêtres avaient été arrachés, un siècle plus tôt.

— Puis, lorsque la Louisiane est revenue dans l'Union, cette année, j'ai fait venir ma famille qui est arrivée au mois de juin.

Pendant que, pour la première fois devant des personnes étrangères à la famille, son père raconte son histoire, le jeune garçon le regarde avec fascination. Il éprouve pour lui une fierté qu'il n'a jamais connue jusqu'ici. Siméon Thibodeau, pendant toute la durée de la guerre, avait penché beaucoup plus du côté yankee que du côté sudiste. À part ses deux compagnons de voyage, il n'avait jamais partagé ses sentiments avec personne. Comme il avait été forcé de se joindre aux confédérés, il ne s'était pas senti partie liée avec eux.

— D'ailleurs, toute ma famille, on est du nord, de l'Acadie. J'ai joué mon rôle de soldat sudiste jusqu'au bout sans jamais trahir mon commandant. Mais, quand la guerre a été finie et que je me suis retrouvé dans ces parages, je savais que c'était la Providence qui m'avait conduit jusqu'ici. C'est pour ça que ma femme et mes enfants sont venus me trouver dès mon premier signal.

— La prochaine fois, vous emmènerez Mme Thibodeau, lui recommande Jeanne Godfrey. J'aimerais beaucoup la connaître.

— Beau dommage, madame.

— Appelez-moi Jeanne. Sauf les enfants, c'est comme ça que tout le monde m'appelle à la Pointe.

Siméon paraît ravi du tour que prend la conversation. Il ne peut répondre car un frappement discret se fait entendre à la porte de la cuisine où tout le monde est réuni.

— Entrez.

L'un des garçons qui se trouve tout près, ouvre aussitôt et deux jeunes filles de douze à treize ans paraissent dans l'embrasure. En apercevant une si nombreuse compagnie, les nouvelles venues hésitent un moment. Jeanne leur sourit et leur fait un signe de la tête.

— C'est les petites Laverdure, dit-elle en présentant les jumelles aux Thibodeau.

Tran, qui les connaît depuis toujours, se tourne vers elles en entendant leur nom. Dans sa tête, à ce moment-là, se produit quelque chose qu'il ne comprend pas tout de suite. Plus tard, il tentera de se rappeler ses sentiments, ses émotions, ses moindres pensées à ce moment précis de son existence. Il n'y parviendra jamais complètement. Tout ce dont il se souviendra, c'est d'une sorte de coup au cœur, un choc brutal qui avait fait se déchirer un voile devant ses yeux. Tout en regardant les jumelles, il lui avait alors semblé qu'il les voyait pour la première fois. En même temps, sa tête lui était apparue plus légère que d'habitude, vide de toute pensée, de toute préoccupation; la place avait été envahie par la vision des deux jeunes filles de treize ans, presque des enfants encore, qui se tenaient toutes droites et timides à l'entrée de la cuisine.

Ce qu'il y a de plus étonnant, peut-être, c'est que, pour la première fois aussi, il lui semble distinguer clairement qui est Modeste et qui est Mélodie. Il n'est pas étonné, alors qu'il contemple les deux jeunes filles avec une égale admiration, de voir que c'est vers Modeste et vers elle seule que son cœur se porte.

Pour les autres personnes présentes, qui n'ont pas éprouvé les mêmes émotions que Tran, les jumelles sont, comme d'habitude, vêtues de façon identique, jusque dans le moindre détail, comme Matante[3] les habille toujours. Ce soir, elles portent une longue robe de cretonne à fleurs noires et grises sur fond mauve. Serré à la taille, le vêtement leur donne une allure mince et élancée. Il fait aussi ressortir leur teint mat, leurs yeux

---

3. Matante: Depuis qu'elles sont toute petites, les jumelles n'ont jamais appelé Cédulie Doiron autrement que Matante. Les Anglais, croyant que c'était son nom, l'appellent aussi de cette façon, comme si ce vocable s'écrivait en un seul mot. Au point que la vieille fille n'est connue, dans le petit Canada et dans tout Salem, que sous ce sobriquet.

sombres et leurs longs cheveux noirs et droits, retenus sur les côtés par des barrettes en écaille de tortue. Leur air pensif, empreint de timidité lorsqu'elles contemplent l'auditoire à travers de longs cils de soie donnent un petit air de mystère à leurs ravissantes personnes.

Tran Godfrey, donc, est profondément troublé par l'arrivée de ses jeunes voisines. Il ne sait si c'est causé par la vue de leur nouvelle toilette, leur façon de se tenir ou, plus simplement, par la présence des Thibodeau. Mais, le visage du jeune garçon, en d'autres temps impassible, s'empourpre rapidement, pendant que ses mains montent vers ses joues en feu. Heureusement, personne ne remarque son trouble. En effet, l'attention est encore détournée, lorsque Cédulie Doiron pénètre à son tour derrière ses nièces et que les présentations recommencent.

Profitant de la diversion, Tran se glisse furtivement hors de la pièce, puis de la maison, pour se retrouver dans la cour arrière d'où un passage mène vers la rue. Il est bientôt suivi de Jos et peu après de Josse. Les habitudes de la maisonnée sont telles que leur départ passe inaperçu.

— Qu'est-ce qu'on fait, les gars? s'enquiert le fils Thibodeau d'un air joyeux.

Ses compagnons le regardent, comme si l'idée de faire quelque chose était leur dernière préoccupation. Comme ils restent silencieux, Josse les observe l'un après l'autre sans comprendre.

— On pourrait jouer à frapper la balle, suggère l'Acadien de la Louisiane, qui aime toutes les activités sportives de plein air.

— On commence le travail à six heures demain matin, lui dit Jos Poirier. On va pas se coucher bien tard. Il faut que je rentre à la maison.

Josse, qui ne paraît jamais contrarié, les regarde en souriant.

— T'as rien vu? demande Tran hors de propos.

— Vu quoi?

— Ben! l'arrivée des bessonnes, maudit. Tu pouvais pas manquer ça.

— Des filles. C'est rien que des filles, dit Josse, le ton incrédule.

Comment peut-on être préoccupé par un sujet qui en vaut si peu la peine. Il est bien évident que les trois garçons ne sont pas sur la même longueur d'ondes.

Ils n'ont pas le temps de prendre une décision que la porte de la cuisine s'ouvre pour livrer passage à Modeste et Mélodie Laverdure. Les garçons, figés sur place comme s'ils avaient été pris en faute, regardent s'approcher les jumelles. Réservées et timides, comme d'habitude, elles gardent les yeux baissés, un sourire à peine esquissé. Lorsqu'elles arrivent près d'eux, les bessonnes posent un geste qu'elles n'ont jamais fait auparavant. Avec une certaine douceur, mais aussi avec fermeté, Mélodie passe son bras sous celui de Jos et Modeste fait de même avec Tran. Le pauvre Josse, que les filles ne semblent pas encore intéresser, regarde ses nouveaux amis avec un sourire entendu, comme s'il voulait dire qu'ils perdent bien leur temps avec ces deux filles. Il ne les connaît que trop bien.

Les deux couples se mettent en marche vers le fond du jardin. Une porte de bois, pratiquée dans la clôture, donne dans la cour arrière des Laverdure. Tran la pousse et débouche, avec sa compagne, derrière un bouleau encadré de pins et de cèdres. Il est bientôt suivi de Jos et de Mélodie.

— Où c'est-t'y que vous allez? demande Josse qui s'est arrêté avant de franchir la barrière entre les deux propriétés.

Comme il n'obtient pas de réponse, il comprend qu'il est de trop et décide de rentrer chez lui. Mais il n'est pas blessé. D'un naturel optimiste, sa bonne humeur reprend vite le dessus. C'est donc en sifflant et en sautillant joyeusement qu'il se dirige vers la rue Gardner.

Pendant ce temps, les deux couples, toujours bras dessus bras dessous, se sont assis sur un banc de bois dissimulé par le feuillage du bouleau. Jos est assis entre les jumelles, et Tran à une extrémité du banc. Les filles gardent leur bras passé dans celui de leur compagnon. Les garçons, étonnés d'abord par ce geste familier, éprouvent maintenant une grande fierté qu'elles aient ainsi bravé leur propre timidité, voire leur manque d'expérience.

En apparence, il se passe bien peu de choses sur ce banc au fond du jardin de Ben Laverdure. Tout ce qui compte vraiment se déroule à l'intérieur des esprits, où les pensées de chacun, beaucoup trop neuves, trop vives, sont incapables de se manifester vraiment, encore moins de s'exprimer. Tran pense que c'est à lui que revient de poser le prochain geste. Plus tôt, il a été non seulement décontenancé par l'initiative de Modeste, mais il s'est senti blessé dans son amour-propre masculin. «Ce n'est pas aux filles de faire les premiers pas», se dit-il. Quant à Jos, il jette un bref coup d'œil du côté de Tran. Les deux garçons se sont compris. S'ils osent entreprendre quoi que ce soit, il faut que cela ait lieu ici et maintenant.

Les deux amis ont déjà parlé, à plusieurs reprises de ce premier baiser. Chaque fois, avant ce moment tant espéré, ils avaient convenu qu'il leur fallait poser délicatement les lèvres sur celles de leurs compagnes qui, surprises, ne leur résisteraient pas. Ils s'imaginaient alors interminablement abandonnés dans cette effusion.

Ils ont autrefois âprement discuté de ce moment pour savoir ce qu'ils devaient faire, une fois achevée la rencontre des lèvres. Contrairement à son ami, le jeune

Godfrey sait instinctivement qu'il se passera quelque chose, et que ce quelque chose sera causé par le simple contact des bouches.

— Je te le dis, ça va arriver tout seul. T'auras rien à faire.

Tout en se remémorant cette remarque, Jos se laisse conduire par les événements. Lorsqu'il voit la tête du garçon se pencher vers le visage de Modeste, il comprend que le grand moment est venu. Tout en s'en voulant de ne pas avoir fait le premier pas, il est ravi de pouvoir enfin réaliser un rêve qui le hante depuis plusieurs mois. À son tour, donc, il se tourne légèrement vers sa compagne, jusqu'à ce que son visage soit face au sien. Au même moment, elle relève la tête, mais ses longs cils restent baissés, comme si elle l'invitait d'une main, mais le ralentissait de l'autre.

Légèrement troublé par cette ambiguïté, Jos a un moment d'hésitation, puis il s'approche avec courage et ferveur du visage tant désiré. C'est sans doute à cause de ses sentiments confus et de sa fébrilité qu'il pose doucement ses lèvres, non pas directement sur celles de Mélodie, mais à la commissure, embrassant ainsi la joue plutôt que les lèvres. Les deux jeunes gens sont un peu décontenancés par cette gaucherie. Jos est déçu, car il ne connaîtra pas encore le vertige auquel il rêve depuis si longtemps.

Un coup d'œil furtif du côté de l'autre couple lui révèle que Tran, sans hésitation apparente, a posé ses lèvres directement sur celles de sa compagne. Puis, comme son ami le lui avait déjà annoncé si souvent, il semble qu'il sait quoi faire en pareilles circonstances. En effet, contrairement à ce qu'il avait imaginé auparavant, les lèvres des deux jeunes gens ne restent pas immobiles une fois soudées les unes aux autres. Bien au contraire. Tran, avec un instinct qui laisse à penser qu'il n'en est peut-être pas à ses premières armes, s'active passionnément contre la bouche de sa compagne. En même temps, il fait entendre de petits gémissements qui troublent profondément son ami. Qui plus est, le baiser dure très longtemps. Alors que lui et Mélodie ont déjà éloigné leur visage l'un de l'autre, Jos éprouve une certaine jalousie à voir le succès de son ami. Cette envie s'accroît lorsqu'il se rend compte, une fois de plus, combien Modeste ressemble à Mélodie; c'est comme s'il assistait, impuissant, à une infidélité.

C'est donc avec un désir de vengeance et une certaine brusquerie que Jos décide de se reprendre. Encore plein de désir, il prend Mélodie par les épaules pour ramener son visage vers le sien et l'embrasser correctement cette fois-ci comme il aurait dû le faire la première fois.

— Qu'est-ce que tu fais là, voyou?

C'est la voix de Matante qui, ayant quitté les Godfrey par la porte arrière, est arrivée sans bruit derrière le banc où sont assis les jeunes gens.

Inutile d'ajouter que la voix sèche et tranchante de la vieille fille a interrompu Jos dans son élan, mais qu'elle n'a pas eu le même effet sur Tran et Modeste qui, inconscients du monde extérieur, continuent de s'embrasser passionnément.

Le jeune Poirier et sa compagne regardent le couple qui, à côté d'eux, très absorbé, ne semble pas près de s'arrêter. Matante s'approche alors derrière eux.

— Modeste! dit-elle sur un ton quelque peu radouci, en lui touchant légèrement l'épaule.

Cette fois, les amoureux se séparent vivement, comme mus par un ressort invisible. La voix si reconnaissable de Cédulie Doiron produit sur Tran Godfrey l'effet d'un coup de cravache.

— Rentrez à la maison immédiatement toutes les deux. Toi aussi, Tran, va-t'en chez vous. Quant à toi, vaurien, va-t'en retrouver tes pareils, ajoute-t-elle à l'intention du jeune Poirier qu'elle ne peut pas sentir.

— Mais, Matante... commence Mélodie.
— Y'a pas de «mais Matante». J'ai dit que vous rentrez à la maison tout de suite et sans rouspéter.
— On faisait rien de mal, mademoiselle Doiron, intervient Jos qui, les rares fois où il lui adresse la parole, l'appelle toujours par son nom de famille.
— Jos Poirier, la morale, c'est pas ton fort. Je t'ai vu dévoyer ma nièce qui, j'en suis sûre, a été forcée d'agir contre son gré.
Le jeune garçon, qui trouve bien injuste les paroles de la tante, regarde sa compagne pour voir si elle va le soutenir, mais elle reste silencieuse. Sans baisser la tête cependant car, les yeux levés vers Cédulie, elle la regarde avec ce qui pourrait passer pour du défi. Jos, qui l'a remarqué, se sent vengé. Avec ostentation, il se penche à nouveau sur le visage de sa compagne et l'embrasse rapidement sur les lèvres. Puis aussi vivement qu'il a posé ce geste, il se lève et serre les deux mains de Mélodie dans les siennes et, avec une lenteur délibérée, tourne les talons et se dirige vers le passage qui conduit entre les maisons jusqu'à la rue.
— C'est ça, déguerpis, sacripant, avant que j'appelle M. Laverdure, glapit la vieille fille indignée par tant d'outrecuidance. Quant à vous deux, restez pas là, plantées comme des niaiseuses. Toi aussi, Tran, rentre chez vous.
À cet ordre de Cédulie Doiron, le jeune garçon abandonne la main de Modeste qu'il tient encore dans la sienne, puis il part lentement et, sans dire un mot, va rejoindre son ami qui l'attend dans la rue Harbord.
— La vieille, elle commence à m'énerver, dit Jos à l'approche de son ami.
— Pas trop fort, dit ce dernier, elle pourrait nous entendre.
— Bah! ça me fait rien qu'a m'entende, c'est une maudite chipie.

— J'te dis, tu fais mieux de te taire. Vaut mieux pas l'étriver.

— Qu'est-ce que tu veux qu'a me fasse? Qu'a raconte ça à Ben? Ça y fera rien. C'est un bon gars, Ben Laverdure. Puis, d'ailleurs, y'est plus intéressé par la bouteille que par la conduite de ses filles.

— C'est pas Ben qui me fait peur, c'est Matante qui me donne la frousse.

— La vieille te donne la frousse? Ben voyons donc. Une carcasse desséchée que je serais capable de casser en deux d'un p'tit coup sec de la main gauche.

Tran trouve les propos de son ami encore trop bruyants, car il continue toujours à baisser le ton lorsqu'il lui répond.

— En tout cas, moi je me la mets jamais à dos. J'ai trop peur de ce qu'a pourrait faire.

— Là, j'te comprends pas. On n'est pu à l'époque des sorcières[4] dit Poirier sur un ton rassurant. D'ailleurs, si c'était le cas, ça serait trop beau. On la ferait brûler, comme dans le temps.

— Y'ont pas brûlé les sorcières, dans l'temps. Y les ont pendues.

— Pendues? Ben, c'est encore mieux.

Tran, qui n'est pas du même avis, hoche la tête comme pour calmer l'autre. Tout en marchant, ils arrivent devant la résidence des Godfrey, dont la cour arrière est attenante à celle des Laverdure. Ils se saluent et se séparent pour rentrer chacun chez eux.

S'ils s'étaient attardés seulement quelques minutes de plus aux environs de la maison des jumelles, Tran et Jos n'auraient pas manqué d'entendre le bruit étrange qui en était sorti. Ils auraient été fort étonnés s'ils avaient pu pénétrer dans la demeure de leurs chères bessonnes pour être témoins de la cause de ce bruit.

---

4. Sorcières: allusion aux célèbres procès de 1692.

Après avoir fait entrer ses nièces dans la maison, Matante les fixe d'un œil sévère, une façon d'agir avec elles qui ne lui est pas coutumière.

— Montez vous coucher tout de suite.

Sa voix est sèche et froide, contrairement à son habitude. Ses pupilles sont les seules personnes avec lesquelles elle utilise un ton chaleureux lorsqu'elle s'adresse à elles. Aussi sont-elles fort étonnées de l'entendre leur parler de la sorte. À cause de cela, elles hésitent avant d'obéir. Mais le regard dur de la vieille fille les ayant rappelées à l'ordre, elles enfilent l'escalier et se retirent dans leur chambre, en face de celle de Cédulie. Il y a deux ans, la vieille fille, à la demande de ses nièces, qui avaient intercédé auprès de leur père, avait fait diviser sa chambre en deux, afin d'accorder aux jeunes filles leur propre espace et une plus grande intimité.

Une fois étendues dans le grand lit, dont le matelas trop mou fait un creux en son milieu, les bessonnes tendent l'oreille pour identifier des bruits venus du rez-de-chaussée. Des voix leur parviennent, quelquefois aiguës, quelquefois graves. La vieille fille a donc cherché querelle à leur père qui dormait pourtant déjà du sommeil de l'ivrogne, ainsi qu'il le fait maintenant presque chaque soir. Elles sont habituées aux remontrances que Cédulie Doiron fait presque quotidiennement à son beau-frère. La chose leur est si coutumière qu'elles s'endorment ordinairement dès que commence le sermon de Matante. Ce soir, cependant, elles restent éveillées, car les sons qu'elles entendent sont différents. Des bruits de coups se mélangent maintenant aux voix, qui sont devenues stridentes. Mais les fillettes ne parviennent pas à saisir clairement les paroles de l'altercation.

Avec hésitation, elles se lèvent et, pieds nus sur le plancher, elles plaquent l'oreille contre la porte pour mieux entendre. Mais les voix sont devenues méconnaissables. Elles ne savent plus si c'est leur tante ou leur père qui parle. Un bruit sourd qui entrecoupe les paroles à intervalles irréguliers ajoute encore à la confusion. Tout en retenant leur souffle, elles entrebâillent doucement la porte pour mieux comprendre ce qui se passe. Au même moment, elles entendent le bruit sourd et mat d'un objet mou qui heurte brusquement le plancher de la cuisine. Les petites se regardent, interloquées.

À ce moment-là, elles prennent peur. Quelqu'un, en bas, vient de s'effondrer sur le plancher. Est-ce Ben ou Cédulie? Prises entre ces deux êtres qui se haïssent, Modeste et Mélodie sont déchirées entre l'amour tendre et chaud qu'elles vouent à leur père, et celui, craintif qu'elles ressentent pour leur tante. Dans le premier cas, ce sentiment est léger, joyeux, sans arrière-pensée. Dans l'autre, elles le subissent comme si elles n'avaient pas la liberté de le choisir ou de le rejeter. Car, pour ces fillettes de treize ans, Cédulie Doiron représente leur lien avec l'existence, sans lequel elles cesseraient d'être. En leur père, elles ont déposé leur âme; en leur tante, elles ont placé leurs personnes physiques.

Leur attention est attirée par le glissement d'une chaise sur le plancher, suivi du bruit des pas de Matante qui s'approche des marches conduisant à l'étage. C'est donc Cédulie qui a gagné la bataille. Avant de refermer la porte de leur chambre, elles ont le temps de distinguer la lumière de la lampe à huile qui fait se profiler des ombres mouvantes sur les murs de la cage de l'escalier.

Tremblantes et le cœur serré par la crainte d'un danger qu'elles appréhendent, elles se tiennent coites derrière la porte. Les pas de la vieille fille leur semblent plus lourds que d'habitude. La voilà qui monte lentement, s'avance le long du corridor qui sépare les deux chambres et s'arrête devant celle des jumelles, comme si elle avait l'intention d'y pénétrer.

Les petites retiennent leur souffle, de peur que Cédulie ne devine leur présence derrière la porte. Elles entendent sa respiration un peu rauque, sans doute à cause de l'effort qu'elle vient de fournir, au cours de sa confrontation avec Ben. Pendant de longs moments, durant lesquels les fillettes restent immobiles comme des statues, rien ne se produit de l'autre côté de la mince paroi de bois. Puis, comme si Matante avait pris une résolution, elles l'entendent qui se remet en marche en direction de sa chambre. Peu après, l'huis s'ouvre, suivi de bruits de pas, puis se referme. La vieille fille se prépare à se mettre au lit. Enfin, le craquement du sommier et le silence qui suit leur apprennent qu'elle est couchée pour la nuit.

Les jumelles sont toujours blotties derrière la porte de leur chambre, comme si elles craignaient, même en bougeant légèrement, que leur tante ne s'aperçoive qu'elles sont éveillées. Elles restent dans cette position, jusqu'à ce qu'elles entendent le ronflement régulier qui accompagne presque toujours le sommeil de celle qu'elles ont appris à considérer comme leur mère.

Elles enfilent des chaussettes, afin d'étouffer le bruit de leurs pas. Puis, en silence, elles entrouvrent la porte de leur chambre. Dans le corridor et en direction de l'escalier, tout est sombre et silencieux. Mélodie devant, tirant sa sœur par la main, elles avancent avec d'infinies précautions, pour ne pas faire gémir le plancher. Les petites sont si légères qu'elles arrivent au rez-de-chaussée sans avoir fait le moindre bruit ni causé la moindre alerte.

C'est Modeste qui, la première, atteint le buffet, à gauche, près de l'entrée de la cuisine. Sur la tablette, de la main, elle repère la chandelle et les allumettes qui y sont toujours placées pour les cas d'urgence. Après avoir fait de la lumière, elles tendent l'oreille vers l'étage, pour s'assurer que Matante dort toujours profondément. N'ayant que le silence comme réponse, elles cherchent des yeux, dans la demi-obscurité, la présence de leur père. Habituées depuis leur tendre enfance à ses saouleries presque quotidiennes, elles ne sont pas étonnées lorsqu'elles découvrent, sur le plancher, à l'autre extrémité de la pièce, une forme allongée, dont les pieds, déjà déchaussés, sont étendus jusque sous la table.

Ce n'est pas la première fois qu'elles sont témoins d'une scène pareille. Elles ont souvent vu, le soir, leur père s'écrouler par terre, ivre mort, avant de céder au sommeil qui le conduira jusqu'au lendemain. Comme, le matin, il ne reste plus trace des excès de la veille et que Ben leur paraît dans son état normal, elles croient qu'il s'agit d'un phénomène naturel. Aidées en cela par Matante, elles sont également persuadées qu'il se comporte comme tous les hommes et que les femmes, par quelque grâce inexplicable, sont épargnées par ce fléau.

Il faut dire aussi que Ben Laverdure, qui possède une constitution robuste, n'a jamais, de toute sa vie, même après les cuites les plus sévères, eu à souffrir de la gueule de bois. Il semble que l'alcool passe à travers son organisme en y laissant fort peu de traces. À part des traits légèrement bouffis et un nez plus rouge que la moyenne, il ressemble aux hommes de son âge, dont un bon nombre boivent d'ailleurs autant que lui.

Depuis qu'il a quitté la Naumkeag pour acheter une épicerie-boucherie quelques années plus tôt, sa consommation d'alcool a pris un tour plus solitaire et plus régulier. Auparavant, il retrouvait ses compagnons de travail pour boire, les fins de semaines seulement. Ses nouvelles obligations, un horaire différent avec l'achat du commerce, l'ont éloigné de ses anciens camarades de beuverie. Cédulie n'avait pas vu d'un bon œil la fréquentation par son beau-frère d'une classe de gens si différente de la leur. Sa boucherie, rue Essex, est éloignée du petit Canada de plusieurs rues et jouxte la commune de Salem. C'est là qu'habite l'élite de la ville, dont les familles s'approvisionnent presque toutes chez lui.

Ayant ainsi acquis une réputation enviable, Ben, qui a de l'entregent, est devenu un familier de la plupart d'entre elles. Il va souvent porter lui-même des commandes chez ses clients les plus importants. Quelquefois, il s'attarde aux cuisines avec les domestiques, ou encore, lorsque l'occasion se présente, il bavarde avec les maîtres, dont certains, plus démocrates que d'autres, le traitent presque comme un égal. Ce comportement ne manque jamais d'irriter Cédulie, qui met cette manifestation de civilité de son beau-frère sur le compte de son tempérament fanfaron et vantard. Mais, comme pour donner tort à sa belle-sœur, Ben a toujours continué d'habiter la Pointe, où il n'a jamais manqué de revenir tous les soirs pour se retrouver parmi les siens.

Pendant les premiers mois de ce nouveau commerce, Cédulie avait été prête à fermer les yeux sur cet écart social et à cacher son agacement. Elle avait cru, à l'époque, que cette habitude allait prendre fin, mais elle s'était leurrée. C'est à cette époque que Ben avait commencé à boire seul. Puis, peu à peu, peut-être pour échapper à la hargne et aux reproches de la vieille fille, il s'était mis à boire tous les soirs, à la boutique d'abord, pour continuer ensuite à la maison.

Les jumelles se sont approchées, une chandelle à la main, du corps étendu de tout son long, face contre terre. Sa tête repose dans le creux de son bras droit replié devant lui. Elles n'ont pas peur, car cette image leur est familière, mais elles s'inquiètent lorsqu'elles se rendent compte que les vêtements de leur père sont dans un grand désordre: sa chemise est en partie enlevée; ses pantalons, baissés à mi-jambe, laissent voir ses sous-vêtements en laine. Un sentiment qu'elles sont incapables d'identifier leur fait craindre le pire.

Leur trouble grandit encore lorsque Modeste dépose le bougeoir sur le plancher, près de la tête de Ben et qu'elles s'agenouillent toutes deux à ses côtés. Une petite mare de sang s'est formée devant son visage caché par son bras replié. Elles se regardent avec un étonnement qui se transforme bientôt en appréhension. Ayant retourné la tête de leur père, elles découvrent qu'elle repose, en partie, sur un carré de toile couvert de taches sombres. Une plaie au front est la cause de ce saignement maintenant arrêté.

Lors de décès dans la famille, elles ont déjà eu l'occasion d'observer des cadavres et de les toucher. Elles sont quelque peu rassurées lorsqu'elles constatent que la peau de Ben est toujours chaude, presque fiévreuse.

À part les vêtements débraillés, le carré de toile et la petite mare de sang, rien n'est différent des autres soirs, quand il a bu. Rassurées, les jumelles se relèvent et tout en s'éclairant avec la chandelle, elles cherchent autour d'elles des signes qui pourraient expliquer ce qui s'est passé. C'est alors que les bessonnes aperçoivent, en même temps, à quelques pouces des genoux de leur père, un petit cercle rond et blanc qui ressemble étrangement à une hostie. Bouleversées par cette découverte, elles n'osent toucher du doigt cet objet avec lequel, elles ne le savent que trop, seule la langue a le droit d'entrer en contact au moment de la communion.

Une fois passée la surprise, elles éprouvent un sentiment confus, mélange de craintes superstitieuses et d'incompréhension. Comme elles voient qu'elles ne peuvent rien faire pour aider leur père, elles regagnent leur chambre avec la même circonspection avec laquelle elles étaient venues. Une fois couchées, elles ont beaucoup de mal à trouver le sommeil. Lorsqu'elles s'endorment enfin, elles sont troublées par des cauchemars effrayants le reste de la nuit.

Le lendemain matin, lorsqu'elles descendent à la cuisine, les jumelles sont soulagées de trouver tout en ordre et chaque chose à sa place. Même leur père qui, déjà prêt à partir au travail, est assis à l'extrémité de la table, selon son habitude. À part une coupure au milieu d'une ecchymose au front, du côté droit, il ne paraît pas avoir gardé trace des incidents de la veille. Matante, comme toujours, s'affaire, sans un mot, à préparer et servir le petit déjeuner. Modeste et Mélodie s'assoient à table, l'une en face de l'autre et commencent à manger en silence, comme cela se fait à chaque repas, sauf pour les interventions de Ben qui sont, en général, des propos légers, destinés à amuser ses filles. Dans ces cas-là, Cédulie lui jette un regard sévère, qui coupe court à ses bavardages. Ce matin, cependant, comme elle n'en fait rien, les jumelles l'observent à la dérobée. Mais la vieille fille, assise à l'extrémité de la table, garde le nez dans son assiette et ne paraît prêter aucune attention aux autres.

Après que le père eut embrassé affectueusement les jumelles sur le front, au moment de son départ, la vie reprend son cours, comme si rien ne s'était passé. Cependant, elles ne regardent plus leur tante de la même façon qu'avant. Quelque chose, en elles, a changé.

3

Tout en se promenant entre les pupitres, mère Saint-Lazare surveille les élèves des classes de la septième à la dixième années. Les quatre divisions, qui sont réunies en une seule salle, comprennent vingt-quatre élèves. C'est tout ce que le petit Canada compte d'étudiants au niveau secondaire.

En effet, dès la fin de la sixième année, les enfants, pour la plupart, entrent sur le marché du travail, pour augmenter le revenu de la famille. Les garçons de ces divisions sont trois fois plus nombreux que les filles car, à l'époque, on ne croyait pas faites pour les études, mais destinées uniquement au mariage et à la procréation.

C'est bien là le seul point sur lequel Cédulie Doiron et Ben, son beau-frère, ont quelque affinité: les bessonnes vont faire des études. C'est sur leur durée qu'ils ne s'entendent pas. Alors que le père veut que ses filles aillent à l'école aussi longtemps qu'elles le désirent, leur mère adoptive croit que la sixième année suffit largement. N'est-ce pas le bagage scolaire que sa sœur Marguerite et elle ont accumulé? Cela ne les a-t-il pas toujours bien servies? À l'issue d'une bataille épique, Matante a cédé et, aujourd'hui, les bessonnes sont en neuvième année, pendant que Tran Godfrey et ses amis Jos Poirier et Josse Thibodeau se retrouvent en dixième.

Depuis deux ans, mère Saint-Lazare est le professeur titulaire des bessonnes et de leurs amis. À tous ceux qui veulent bien l'écouter, elle répète qu'il sortira des citoyens exceptionnels de ces deux classes qui ont été les meilleures de toute sa carrière.

Ce matin-là, ils sont en train d'écrire leur dernier examen de fin d'année, celui de composition française. Le sujet: «Décrivez un ou plusieurs élèves de votre classe.» Penchés sur leurs cahiers, ils s'appliquent, avec bonheur pour certains et moins heureusement pour d'autres, à tracer chaque ligne de leur texte.

La surveillante a les yeux posés sur son livre d'heures et ne semble pas se soucier le moins du monde de ce qui se passe autour d'elle. En dépit de son regard, en apparence si bien vissé sur les textes sacrés, elle est capable de se diriger sans heurts à travers les pupitres pourtant disposés de façon désordonnée à travers la pièce. Cet arrangement inhabituel des places devrait, croit-elle, dissuader les élèves de toute tricherie au cours des examens.

Aujourd'hui, la précaution est peut-être inutile, étant donné la nature même de l'examen. Pourtant, si l'un d'entre eux tentait de jeter, ne serait-ce qu'un bref coup d'œil sur la copie de son voisin, il aurait à faire de telles contorsions que la sœur ne manquerait pas de le repérer. Forte de cette assurance, elle n'a pas besoin de quitter son texte des yeux pour détecter, du coin de l'œil, la moindre tentative de tricherie. À cause de cette faculté de tout voir sans avoir à bouger la tête, ses élèves lui ont donné le surnom de mère Saint-Lézard.

La religieuse, qui est la bonté même, est au courant du sobriquet qu'on lui attribue. Elle en fait souvent état devant ses élèves, sans jamais en paraître blessée.

— Mère Saint-Lézard s'approche, dit-elle souvent en surveillant un examen ou en donnant une dictée.

Sa façon d'agir a non seulement désamorcé l'ironie ou la méchanceté qui aurait pu se glisser dans le surnom, mais elle l'a fait grandir en stature dans l'esprit de ses étudiants. Presque tous, sans exception, lui vouent une admiration et un respect sans borne. Ce résultat n'est pas sans susciter quelque jalousie auprès de certaines religieuses qui n'ont pas autant de succès auprès de leurs élèves. Mais, ce qui est encore plus surprenant, c'est que mère Saint-Lazare est aussi populaire chez la plupart de ses compagnes religieuses que dans le milieu étudiant. Elle a le don de se faire aimer par tous ceux qui la côtoient. Ainsi, l'envie que certaines compagnes éprouvent pour elle reste-t-elle sous-entendue.

Pendant que la religieuse surveille l'examen de composition de ses élèves, une de ses consœurs, mère Sainte-Angèle, s'approche d'elle discrètement.

— Notre Mère veut vous voir, ma sœur. Je vous remplacerai à la surveillance de l'examen.

Mère Saint-Lazare est étonnée par une telle requête, en plein examen de fin d'année. C'est la première fois que cela se produit. Comme il est dans sa nature de le faire, elle obéit sur-le-champ, sans demander d'explication.

En route, elle s'interroge sur la raison pour laquelle mère Sainte-Thérèse, la nouvelle Supérieure, l'a fait appeler. Est-ce à propos d'un de ses élèves ou de son enseignement? Elle s'y perd. Lorsqu'elle frappe à la porte de la Révérende Mère, elle est de plus en plus intriguée.

— Bonjour Saint Lazare[1], dit mère Sainte-Thérèse à l'entrée de sa compagne. Venez vous asseoir, je vous prie.

1. Les religieuses d'avant Vatican II portaient toutes des noms de saints ou de saintes. La coutume d'alors voulait qu'entre elles elles s'interpellent souvent par le nom du saint seulement.

Le ton de la Supérieure est posé, presque chaleureux. Il n'y a donc pas la catastrophe qu'elle s'était imaginée? La religieuse s'installe donc dans le fauteuil qui fait face au pupitre où l'autre est assise, apparemment occupée à lire une lettre.

— Je viens de recevoir ceci de l'intendant de nos écoles, dit-elle en montrant une feuille manuscrite, à l'entête de la ville de Salem. Il désire que nous soumettions à un juré la meilleure composition de nos classes réunies. Une seule par école sera retenue. Si j'en crois ce que vous me dites sur les résultats scolaires obtenus par vos élèves, c'est parmi eux, sans aucun doute, que nous devrions trouver l'heureux gagnant.

— Oh! ma Mère, je le voudrais bien et je suis certaine que mes élèves seraient heureux d'y figurer. Je n'oserais pourtant prétendre que le gagnant sera l'un d'entre eux.

— Tut! Tut! Tut! ma sœur, ne soyez pas trop humble. Nous reconnaissons toutes que vous avez, dans vos classes, un groupe d'exception. Je compte bien que l'un d'entre eux sera le gagnant qui figurera parmi les représentants de chacune des écoles de Salem.

Sœur Saint-Lazare, qui ne s'attendait pas à pareil dénouement, en rougit de plaisir.

— Je vois que la chose vous plaît, ma sœur, continue la Supérieure. Je vous ai prié, il y a un moment, de ne pas être trop humble. Je vous demande, par la même occasion, de ne pas pécher par orgueil. Comme vous êtes leur professeur titulaire, j'ai prié Sainte-Angèle de vous remplacer à la surveillance de vos élèves pendant qu'ils écrivent leur composition. C'est une condition exigée par les organisateurs de ce concours, que l'examen soit sous la surveillance d'une personne autre que le titulaire de la classe.

— Vous croyez vraiment, ma Mère, que nous avons une chance de remporter un prix?

— Je ne suis ici que depuis un mois, mais les résultats que vous obtenez avec vos étudiants sont fort prometteurs. Si j'en crois ce qu'en disent vos compagnes, la chose ne devrait pas manquer. Mais c'est plutôt à vous de me rassurer là-dessus, puisque vous êtes la titulaire des plus hautes classes.

— Ma Mère, cette chose est tellement nouvelle pour moi que je n'oserais prédire les résultats d'un concours auquel participent tous les étudiants de Salem.

— Cependant, nos élèves ne sont en compétition qu'avec les autres écoles de langue française. Cela réduit le nombre de beaucoup et augmente les chances des nôtres. Vous êtes avec les mêmes étudiants depuis quelques années, n'est-ce pas?

— En effet, Mère, depuis deux ans qu'ils ont affaire surtout à moi. Je les connais donc assez bien.

— Nous aurons l'occasion de reparler de tout cela lorsqu'il s'agira de choisir le gagnant.

— Ou la gagnante, ajoute Saint-Lazare.

— Vous pensez qu'une de vos étudiantes pourrait se mériter ce prix?

— En fait, je crois que trois ou quatre de mes étudiantes pourraient être de sérieuses candidates.

— À la bonne heure, ma sœur. Cela me plaît.

— Comme je ne puis retourner dans ma classe, me permettez-vous, Révérende Mère, d'aller à la chapelle pour prier Dieu de me pardonner les pensées d'orgueil qui m'assaillent depuis que vous m'avez parlé de ce concours.

— Faites, ma fille, lui répond la Supérieure. Puisse-t-il vous éclairer sur la conduite à suivre lors des tentations.

La religieuse, après un petit salut de la tête, se retire en silence.

Pendant que se déroule cette conversation, l'examen se poursuit dans la salle de classe. Pour bien marquer le changement de surveillante, mère Sainte-Angèle a fait remettre les pupitres en rangs ordonnés, selon la disposition habituelle. Le regard sévère, l'œil perçant, elle scrute chacune des têtes penchées sur son pupitre. Dès qu'un mouvement suspect se produit, elle accourt, persuadée qu'un des élèves tente de tricher. Il en a toujours été ainsi chez elle.

Les élèves, qui connaissent bien la sévérité et les préjugés de sœur Sainte-Angèle, sont particulièrement prudents depuis qu'elle a commencé de remplacer leur titulaire. Personne n'ose faire le moindre mouvement qui pourrait être interprété, par ce garde-chiourme, comme une tentative de tricherie.

Tout à coup, la voix tonitruante de la religieuse s'élève, du fond de la classe où elle trouve qu'il est plus facile de surveiller ces méchants gamins.

— Joseph Poirier! lance-t-elle d'une voix forte.

Toutes les têtes se lèvent en même temps et regardent la sœur, puis le pauvre Jos qui est devenu cramoisi. Ne vient-elle pas de l'apercevoir qui tentait de passer subrepticement un billet à son voisin, Tran Godfrey? Les deux garçons sont assis l'un à côté de l'autre, séparés seulement par une allée étroite. Vive comme l'éclair, elle fond sur eux avant qu'ils n'aient le temps d'agir. Sœur Sainte-Angèle est sûre d'avoir pris sur le fait deux élèves en train de tricher.

— Joseph, donne-moi ce billet que tu tentais de remettre à Tranquille, ordonne-t-elle, la main tendue, sur un ton qui n'admet pas de réplique.

Il y a de l'électricité dans l'air. Tran Godfrey est un premier de classe et Jos Poirier, un élève moyen. Tous savent que ce sont des amis. Il n'est pas invraisemblable que le plus fort cherche à aider le plus faible. Pourtant, si la chose ne répugnait pas à Jos Poirier, il n'est pas certain que Tran Godfrey s'y prêterait. Quarante-huit oreilles sont aux aguets, autant d'yeux sont rivés sur la religieuse qui se tient debout, entre les pupitres, le visage pourpre, le souffle court. Le pauvre Jos, un habitué des interpellations, garde l'air renfrogné, selon son habitude, mais ne fait aucun mouvement qui montre son intention d'obéir au commandement de la surveillante. S'il est une chose que mère Sainte-Angèle déteste par-dessus tout, chez un élève, c'est bien la résistance à son autorité.

Mais celle que lui oppose Jos n'est pas de la même nature que celle qu'elle rencontre habituellement. Il suffit de regarder le visage renfermé du jeune garçon, son front plissé, ses yeux perçants et noirs, pour savoir qu'il n'est pas prêt à rendre le bout de papier sans livrer au préalable une lutte serrée.

La religieuse est indécise, habitée par un violent conflit intérieur. Doit-elle utiliser la force ou envoyer le rebelle chez la Supérieure? Ce garçon n'a peut être que quatorze ans, mais il est déjà si costaud pour son âge qu'elle pourrait bien ne pas avoir le dessus dans une confrontation où elle devrait utiliser la force physique.

Pendant qu'elle hésite ainsi, une guêpe, entrée par une fenêtre ouverte, accompagne de son bourdonnement le tic-tac de la pendule, seuls bruits dans la pièce, avec la respiration haletante de la religieuse. Pendant un moment, rien ne se produit et l'atmosphère dans la classe, à chaque instant qui passe, devient de plus en plus lourde, presque palpable.

Sœur Sainte-Angèle est une enseignante d'expérience. Elle en a vu d'autres. Elle sait fort bien qu'en pareilles circonstances il lui faut, dans un premier temps, contrôler ses impulsions et ne pas s'emporter, comme elle serait tentée de le faire et, dans un deuxième temps, créer un élément nouveau qui détourne l'attention et détend quelque peu l'atmosphère. L'occasion lui en est donnée lorsque le gros insecte vient se poser sur sa guimpe[2]. Il semble y trouver de quoi butiner, car il se promène lentement sur la toile blanche, s'arrêtant de temps à autre comme pour en tirer quelque suc.

Le regard des élèves est maintenant fixé sur la religieuse dont les yeux suivent les moindres mouvements de la guêpe. Lorsque celle-ci s'approche près de son cou, tous retiennent leur souffle, et le drame d'il y a quelques instants est complètement rejeté aux oubliettes. Pour un temps, du moins.

Mère Sainte-Angèle, qui a été élevée sur une ferme, est habituée à ce genre de bestiole. Lentement, pour ne pas l'effrayer, elle se dirige vers une fenêtre ouverte, dans l'espoir que l'air extérieur va l'attirer. Hélas, il n'en est rien. Voyant cela, la religieuse glisse sa main sur sa guimpe en direction de l'insecte. Lorsque ses doigts sont tout près, elle s'arrête et attend. Avec méfiance, la guêpe s'approche de l'index puis, après une brève attente, elle y monte et se promène sur la main ridée de la nonne. Cette dernière, et avec elle tous ses élèves, sait bien que si elle fait un mouvement trop brusque, l'hyménoptère se défendra en utilisant son dard.

Lentement et sans heurts, la religieuse déplace son bras vers la fenêtre ouverte pour inciter la guêpe à prendre le large. Mais plutôt que de s'envoler, cette dernière se rapproche du poignet de la nonne. Les élèves retiennent à peine un petit cri d'angoisse. En même temps, l'insecte s'immobilise. Mère Sainte-Angèle, cette fois, étend largement son bras par la fenêtre. Au même moment, un coup de vent souffle assez fort pour inciter le gros insecte à s'envoler. Spontanément, Jos applaudit, entraînant ainsi les autres élèves dans un hommage à la présence d'esprit de la religieuse.

2. Guimpe: morceau de toile qui couvre la tête et encadre le visage des religieuses.

Après une réaction si spontanée de ses élèves, il lui est impossible de retourner à l'atmosphère tendue qui avait précédé l'entrée de la guêpe dans la salle de classe. Elle n'y tient d'ailleurs pas, préférant oublier momentanément l'incident.

— Tranquille et Joseph, je veux vous voir au bureau de Mère supérieure après que vous aurez remis votre copie d'examen.

— Oui, Mère! répondent en chœur les deux garçons, ravis de s'en tirer de cette façon, pour l'instant.

Il y a maintenant près de deux heures qu'ils ont commencé leur composition. Le temps qui leur est alloué pour ce concours tire à sa fin. Tran, pour sa part, a déjà terminé la rédaction proprement dite depuis une demi-heure. Il a employé le temps qui lui reste à revoir son texte et à le corriger. Quand il dépose sa copie sur le pupitre de la maîtresse, elle comprend une seule feuille, couverte des deux côtés d'une belle écriture fine, droite, et sans rature. La composition de Jos Poirier qui, par le passé, n'a pourtant jamais manifesté de talent pour l'écriture, prend, comme pour Tran, les deux côtés de la feuille. Celle de Josse Thibodeau ne remplit même pas un côté. De plus, on y remarque plusieurs ratures et quatre taches d'encre faites avec les doigts. Les jumelles remettent leur copie en même temps. Comme d'habitude, leur travail est proprement écrit à l'encre verte, d'une belle main régulière, aux lettres bien formées. Si un numéro différent d'identification n'apparaissait pas au haut de la page, les organisateurs du concours pourraient croire que les deux compositions ont été écrites par la même main.

L'examen terminé, la classe se disperse lentement. Une fois leurs affaires rangées, et non sans une certaine appréhension, Tran et Jos montent au bureau de la Supérieure où ils trouvent sœur Sainte-Angèle qui les y a précédés.

— Entrez! N'ayez pas peur, dit mère Sainte-Thérèse, lorsqu'elle aperçoit les deux jeunes garçons qui se tiennent timidement devant la porte ouverte.

Ils obéissent et s'avancent vers le pupitre de la religieuse. Jusqu'à ce jour, Tran Godfrey, élève docile et studieux, n'a jamais eu l'occasion de se trouver dans pareille situation, ce qui n'est pas le cas de Jos qui, pour cause de mauvaise conduite, a déjà fait de fréquentes visites au bureau de la Supérieure; même chez cette dernière, qui n'est pourtant en place que depuis un mois.

Cette femme, il le sait, a le pouvoir de les soumettre aux pires punitions. Si la chose l'inquiète, il ne le manifeste en aucune façon. Il garde son air mécontent et renfrogné, alors que son camarade semble très inquiet. Ils sont maintenant debout, face à leur justicière. Tran est soucieux, Jos, un habitué du bureau, perçoit, au-delà de ce masque, une certaine chaleur, presque de la sympathie.

— Ma sœur Sainte-Angèle, voulez-vous nous raconter l'incident dont vous m'avez parlé?

En quelques phrases, la religieuse fait le récit de ce qui s'est passé dans la classe.

— Est-ce ainsi que les choses ont eu lieu? demande-t-elle aux deux gamins.

Ils font ensemble un oui de la tête.

— Dans ce cas, nous sommes tous d'accord sur les faits, conclut la Supérieure en regardant les deux garçons dans les yeux.

Tran abaisse ses longs cils blonds pour ne pas avoir à regarder la religieuse. Jos, quant à lui, la fixe avec assurance, une pointe de défi dans les yeux. Cette façon que le jeune garçon a de vous dévisager rend toujours sœur Sainte-Angèle très mal à l'aise. Elle va le reprendre, lorsque la Supérieure intervient.

— Chose curieuse, dit-elle, c'est Joseph, un élève de calibre moyen, qui faisait parvenir une information à Tranquille, presque toujours premier. Vous devez bien comprendre que cela m'intrigue.

Un brin de méfiance se glisse dans la tête de Jos. Tout se passe trop bien, la religieuse sourit beaucoup trop.

— Je lis dans tes yeux, dit-elle au jeune garçon, avec un sourire amusé, que tu as quelque chose à me dire.

Cette fois, Poirier ne comprend plus rien. Ordinairement, il n'est pas dans la place depuis trente secondes que la courroie de cuir fait son apparition et qu'il est forcé de tendre la main pour recevoir quelques coups.

— Allons, parle, mon enfant, dit la religieuse, encourageante.

— Je voulais dire que mère Sainte-Angèle a bien rapporté ce qui s'était passé sauf qu'elle a oublié un détail.

— Ah? Lequel?

— Je rendais à Tran un billet qu'il m'avait prêté.

Les deux religieuses se regardent d'un air entendu, comme si cette explication leur paraissait beaucoup plus vraisemblable.

— Quand avais-tu remis ce billet à Joseph? demande la Supérieure au jeune Godfrey.

— Avant l'examen, Mère, répond-il les yeux toujours baissés.

— Avant l'examen?

— Oui, juste avant qu'on entre dans la salle de classe, intervient Poirier, pour venir au secours de son ami.

— Eh bien! maintenant, mes enfants, nous en savons assez tous les trois pour que vous puissiez me confier ce billet sans crainte.

Les deux gamins sont surpris d'entendre la Supérieure leur parler comme si la sœur Sainte-Angèle n'était même pas là. La Mère a bien dit «tous les trois» et non pas «tous les quatre», excluant ainsi la garde-chiourme. Jos a le temps de jeter un coup d'œil de son côté pour la voir encaisser le coup par un redressement du torse et un léger battement des paupières.

— Je veux tout de suite vous rassurer sur mon interprétation des événements que vient de me rapporter sœur Sainte-Angèle.

C'est au tour de Jos d'être cette fois fort intrigué.

— Ma sœur, continue la Supérieure en se tournant vers sa compagne, vous avez agi très adroitement, en interceptant ce billet, même si nous n'en connaissons pas encore la teneur. Je saurai, un jour, vous en marquer ma satisfaction. Maintenant, retournez, je vous prie, aux occupations dont vous avez déjà été trop longtemps éloignée.

Mère Sainte-Angèle, touchée par la flatterie, se prépare à obéir, mais elle le fait avec lenteur, tant elle aurait voulu connaître la suite des événements. C'est à regret, mais avec un petit sourire figé sur le visage, qu'elle se retire et ferme la porte derrière elle.

— Je sais fort bien qu'en composition française il est fort difficile de tricher, reprend la Supérieure dès qu'ils sont seuls. Je n'y vois que la correction des fautes de français par un autre, ce qui expliquerait le passage d'une feuille de Jos à Tranquille. Mais j'ai en main vos deux compositions. Je suis capable de voir que vous n'avez pas triché à cet examen.

Les deux garçons se regardent en souriant, soulagés par les paroles de la religieuse.

— Je suis persuadée, Joseph, que le billet que tu allais rendre à Tranquille est d'une tout autre nature.

Cette fois, les adolescents rougissent à l'unisson. J'ai visé juste, pense la Révérende Mère.

— Alors, va-t-on enfin me remettre ce mystérieux billet? demande-t-elle en tendant la main.

Jos et Tran se regardent quelques instants.

— À moins qu'il ne contienne quelque renseignement contraire à nos lois, je ne vois pas de raison qui vous empêche de me le montrer.

À ces paroles, Tran fait un signe de tête en direction de son ami. Lentement, Jos plonge sa main dans la poche de sa culotte et en retire un petit billet froissé qu'il tend à la religieuse. Celle-ci, aussi délibérément que l'élève, le prend, le défroisse lentement tout en observant la réaction des garçons. Dans leurs yeux, elle ne lit plus maintenant que de la curiosité.

Puis, avec la même lenteur avec laquelle elle a scruté le visage des deux élèves, elle déplace son regard vers le papier qu'elle tient dans les mains. Elle doit le retourner, car elle se rend compte qu'il est à l'envers, ce qui la fait sourire. La petite feuille carrée ne contient que quatre lignes surmontées d'un titre. Elle les parcourt attentivement, pendant que Jos et Tran épient son visage pour connaître ses réactions. Ils n'y lisent absolument rien.

— Avais-tu l'intention de faire voir ce poème à quelqu'un d'autre que ton ami Joseph?

Comme à son habitude, dans pareilles circonstances, l'adolescent ne répond pas. Plutôt, il baisse la tête, au désespoir de voir son secret connu de la religieuse. Pourtant, elle ne paraît pas mécontente, mais il n'est pas rassuré pour autant.

— Non, Mère, il a comme une doutance.

C'est Jos qui a répondu à la place de son ami.

— Une doutance? demande la religieuse, une légère surprise dans la voix.

— Ben, dans ces affaires-là, poursuit le garçon, tu sais jamais comment ça va être pris.

Cette fois, Tran jette un regard de reproche à son ami. Il trouve qu'il en a trop dit.

La religieuse hésite pendant un moment, tout en se demandant si elle va prier Jos d'expliquer ce qu'il veut dire par «ces affaires-là». Elle n'en fait pourtant rien.

— C'est un très joli poème, dit-elle enfin.

Là-dessus, la religieuse place le papier dans sa manche et se tourne à nouveau vers les deux élèves. La déception se lit sur le visage de Tran qui croyait récupérer son bien.

— Je te le rendrai plus tard, sois sans crainte, dit-elle à celui-ci pour le rassurer. Allez en paix et ne péchez plus, ajoute-t-elle en souriant.

Le soir même de cette dernière journée d'examens, la Mère Supérieure a fait venir auprès d'elle les sœurs Saint-Lazare et Sainte-Angèle pour former un jury, chargé de déterminer le gagnant du concours de composition. Des vingt-quatre, elles n'en ont retenu que trois.

— Vous savez toutes deux de quels élèves il s'agit, dit la Supérieure à ses compagnes. Vous avez reconnu leur écriture, évidemment.

— Oui, ma Mère, répond Saint-Lazare. Je sais tout de suite leur identité, sauf une.

Mère Sainte-Thérèse paraît surprise.

— Je ne suis là que depuis un mois. J'arrive tout juste à connaître le nom de nos élèves. Mais vous qui êtes là depuis plusieurs années, vous ne devriez avoir aucune difficulté à les identifier par la main d'écriture.

— C'est vrai, ma Mère, sauf que vous oubliez le mystère Laverdure.

— Le mystère Laverdure? demande la Supérieure intriguée.

— Oui, Révérende Mère, reprend Sainte-Angèle en riant, c'est ainsi que nous appelons, entre nous, les jumelles Laverdure. Elles sont si complètement identiques que c'est un mystère pour nous que nous n'ayons jamais réussi à les distinguer l'une de l'autre. Il en va de même de leur écriture. Aucune d'entre nous n'est capable de dire laquelle des bessonnes a écrit telle ou telle chose.

— Parmi ces trois compositions, il y en a donc une dont vous ne pouvez identifier l'auteur correctement?

— C'est juste, ma Mère. Nous savons que les trois compositions retenues en demi-finales ont été écrites par Tranquille Godfrey, Joseph Poirier et une jumelle Laverdure, mais nous ne savons pas encore laquelle. Nous pouvons connaître son identité grâce au numéro que porte chaque composition.

— Auraient-elles pu s'échanger leur numéro d'identification? demande la Supérieure,

— Évidemment. Tout le monde connaît le numéro des autres. Si elles le faisaient, nous ne nous en rendrions jamais compte. Nous ne possédons aucun moyen physique de distinguer une bessonne d'une autre.

— En dépit de ce mystère, c'est parmi l'une d'entre elles que nous devons choisir la composition gagnante, dit enfin la Supérieure, pour ramener ses sœurs à la tâche qui les attend.

Chacune a en main une feuille qu'elles lisent lentement et attentivement. Puis, lorsqu'elles ont terminé, elles échangent leur copie avec celle de leur voisine. Au bout d'un certain temps, elles ont lu et relu ces trois feuilles, au point de les savoir presque par cœur. Longuement, elles discutent des mérites de l'une et de l'autre. La Supérieure et sœur Saint-Lazare sont du même avis et favorisent la même copie. Il s'agit, pour elles, de convaincre la sœur Sainte-Angèle de se ranger à leur avis. Finalement, elles tombent d'accord.

— Ma sœur Sainte-Angèle, dit la Supérieure en lui tendant la page couverte d'une écriture fine et serrée, lisez-nous à haute voix la composition gagnante.

La religieuse prend la feuille qu'on lui tend, ajuste ses lunettes et s'éclaircit la voix avant de commencer sa lecture. Elle lit sur un ton chantant, s'efforçant de prononcer chaque syllabe, ainsi qu'elle tente de l'inculquer à ses élèves.

«DES ACADIENS

Dans ma classe, il y a des Acadiens. J'en connais quatre. Ils s'appellent Jos Poirier, Josse Thibodeau, Modeste et Mélodie Laverdure. Ce sont mes amis.

À part Josse, je connais les autres depuis très longtemps. Josse est venu de la Louisiane il y a deux ans seulement. Au commencement, il ne parlait pas comme nous. Mais nous le comprenons quand même et il nous comprend. Il dit que les Acadiens ont beaucoup souffert.

Pourtant, ils s'amusent et rient autant que nous. Dans les fêtes, ils chantent et dansent comme des démons. Surtout Josse qui s'appelle vraiment Jossiô. Il sait stepper si vite qu'on ne lui voit plus les pieds. C'est vraiment le meilleur. Quand il le fait, tout le monde applaudit et Josse rit. Mais Josse rit toujours.

Eux autres, ils savent qu'ils sont des Acadiens. Moi, je ne sais pas ce qu'on est. Mon père dit qu'on vient du Canada. Le monde dit qu'on est des Anglais. Mais ici il n'y a plus d'Anglais. Il y a seulement des Américains.

Prenez mon meilleur ami, Jos Poirier. Dans le petit Canada, il dit qu'il est Acadien. C'est vrai, j'ai même vu des papiers anciens, qui viennent de la France, et que sa famille garde dans un sac en cuir, comme un bien précieux. Ils sont ici depuis six générations. Il connaît même le nom de son ancêtre, venu de France en Acadie. Il s'appelait Oscar Doucet[3] et il a été déporté ici sur les côtes du Massachusetts, par les Anglais. En ville, il dit qu'il est Américain. Moi, quand on me le demande, je ne réponds pas.

Modeste et Mélodie Laverdure sont des bessonnes. Elles sont en tous points pareilles. Il y a peu de gens qui savent dis-

3. Voir Oscar, *Chroniques d'Acadie*, Tome 2.

tinguer entre Modeste et Mélodie. Moi je le sais. Mon ami, Jos Poirier, dit qu'il le sait lui aussi.

Elles sont en neuvième année, mais elles pourraient être dans ma classe. Elles sont très savantes, surtout Modeste. Elle connaît un grand nombre de choses. C'est elle qui nous a appris que les lézards ont des yeux qui voient partout. Quant à Mélodie, elle connaît le nom de toutes les plantes, des arbres et des fleurs. Elle pourrait même parler des propriétés particulières à chacune d'elles.

J'aime à m'amuser en compagnie de mes amis. Ils sont drôles, surtout Josse Thibodeau. Jos Poirier est plus sérieux. C'est aussi le plus populaire. C'est celui que toutes les filles préfèrent. Enfin presque toutes. Il est habile dans tous les jeux et pratique tous les sports. J'aime faire partie de son équipe. On est certains de gagner.

Le soir, dans mon lit, avant de m'endormir, je pense à mes amis Acadiens. J'aimerais pouvoir dire qui je suis. Mère Saint-Lazare dit que je suis Canadien français. Moi, je ne sais plus. Si j'aimerais être Acadien, c'est à cause des bessonnes. À cause de Modeste, surtout.

J'ai tout dit. »

— Évidemment, mes sœurs, commence la Supérieure, à la fin de la lecture, bien que la feuille soit identifiée par un numéro, nous ne sommes guère surprises par le fait que Tranquille Godfrey soit l'auteur de cette composition.

Les deux religieuses font oui de la cornette.

— Quelle note donneriez-vous à cet élève, Saint-Lazare?

— Quatre-vingt-dix sur cent, ma Mère.

— Et vous, Sainte-Angèle?

— Tranquille n'est pas mon élève, Révérende Mère, commence la religieuse.

La Supérieure balaie ses scrupules de la main.

— Eh bien, je lui donnerais quatre-vingts sur cent.

— Ah! Et pourquoi pas la même note que Saint-Lazare?

— À cause du billet que vous savez, Révérende Mère.

— Vraiment? demande celle-ci, surprise par le jugement de sa compagne. Vous l'avez donc lu?

— Non. C'est ma sœur Saint-Lazare qui me l'a récité.

— Que lui trouvez-vous donc, à ce billet?

La religieuse paraît embarrassée par la question et reste silencieuse pendant un moment, alors que les autres attendent patiemment.

— C'est que... commence-t-elle pour s'interrompre aussitôt.

— Je crois que je vous comprends, ma sœur, reprend la Supérieure pour tirer sa compagne d'embarras. Vous trouvez que ces garçons sont bien jeunes pour s'exprimer sur des sujets aussi sérieux que l'amour?

L'autre fait signe que oui en secouant la tête à plusieurs reprises.

— Vous avez peut-être raison, Sainte-Angèle. Pourtant, ce billet n'a rien à voir avec cette composition. Pour cette raison, je ne puis me ranger à votre avis. Je crois que ce garçon a du talent et qu'il est de mon devoir de l'encourager autant que je le puis.

— Qu'allez-vous faire, ma Mère?

La Supérieure regarde en souriant les deux religieuses assises devant elle.

— J'ai une petite idée, mes sœurs. Je voudrais vous en faire part, afin que vous m'aidiez à la réaliser.

Là-dessus, la nonne se penche vers ses compagnes et, à voix basse, comme si elle avait peur d'être entendue par les personnes concernées, leur explique le plan qu'elle a conçu depuis qu'elle a pris connaissance de ce petit billet.

Un mois plus tard, Tran, qui a repris le travail d'été à la Naumkeag, rentre de l'usine vers les sept heures. Il est accueilli aussitôt par sa mère qui l'apostrophe joyeusement.

— Mon Dieu, que j'suis fière de toi, mon garçon, s'exclame-t-elle en apercevant son aîné et en brandissant un journal dans la main droite.

Son père est présent, ainsi que ses frères et sœurs qui le regardent avec admiration. Un peu décontenancé par cet accueil, le jeune garçon hésite, mais devant l'air heureux des gens qui l'entourent, il se détend. Il s'approche de sa mère qui lui donne la feuille qu'elle tient dans les mains.

— Regarde, lui dit-elle en lui mettant la première page du journal sous le nez.

Il s'agit de l'édition du jour même, le samedi 22 juillet 1871, de *L'Étendard national*, un hebdomadaire en français publié à Worcester[4]. Les Godfrey, comme un bon nombre de résidents du petit Canada y sont abonnés. Lorsqu'il l'a en main, Tran prend un moment avant de découvrir la raison qui cause tant d'émotions à sa famille. Tout à coup, il aperçoit, là, en première page, dans la colonne de gauche, sa composition, DES ACADIENS, qui s'étale devant ses yeux. Elle est coiffée d'un gros titre: «Le gagnant du concours de composition française: un petit gars de la Pointe.» Suivent ensuite quelques lignes de Ferdinand Gagnon, le rédacteur du journal. Il écrit: «Salem et le petit Canada de cette ville peuvent être fiers aujourd'hui de la

4. Petite ville du Massachusetts, à une cinquantaine de kilomètres à l'ouest de Boston.

réussite d'un des leurs. Il s'agit de Tranquille Godfrey, fils de M. et Mme Emil Godfrey de la rue Harbord, à Mill Hill, qui a remporté le premier prix de composition française de toute la ville. Nous reproduisons ici le texte gagnant.»

Évidemment, le jeune garçon rougit. On en est encore aux réjouissances, lorsque surviennent Josse Thibodeau et Jos Poirier, ce dernier tenant une copie de *L'Étendard national* à la main. Le jeune garçon n'est pas démonstratif et ne fait que quelques signes de tête, accompagnés d'un sourire, pour marquer son approbation. Josse, qui a moins de réserve, saisit la main de son ami et la secoue vigoureusement, tout en lui donnant des tapes dans le dos.

Les Godfrey gardent tout le monde à souper. Une fois le repas terminé, les trois amis, sur les instances de Jos et de Josse, sortent pour aller jouer. Ils ont à peine quitté la maison que le jeune Thibodeau, qui ne peut plus se retenir, sort une copie du journal qu'il gardait pliée dans la poche de son pantalon.

— T'as pas tout vu, lui dit-il en dépliant le journal et en l'ouvrant à la page centrale. C'est Jos qui l'a vu en premier.

Au bas de la page de droite, dans un petit carré, est imprimé le poème, non signé, écrit sur le fameux billet saisi, quelques semaines plus tôt par la sœur Sainte-Angèle. Tran est dépassé par une telle avalanche d'événements heureux. Après la publication de sa composition française, voici un autre écrit de sa main. Celui-là lui cause la plus grande surprise et la plus forte émotion. Il n'en croit pas ses yeux lorsqu'il lit, imprimé noir sur blanc, ces mots qu'il n'aurait jamais osé prononcer à voix haute, et qu'il n'avait osé confier qu'à Jos Poirier, son meilleur ami.

TIMIDE
Tu es celle que j'aime,
Mais tu ne le sais pas.
Si tu restes la même,
Je suis à toi.

Tran regarde, incrédule, le poème qu'il destinait à Modeste, mais qu'il n'avait pas eu l'audace de lui faire voir, encore moins de lui donner.

— C'te fois, t'auras pas besoin de lui dire, commente Jos Poirier. Je sais qu'a l'a déjà vu.

Tran paraît troublé par cette révélation. Ses yeux s'agrandissent d'étonnement. Il n'a pas pensé, en voyant le poème imprimé, que Modeste en prendrait connaissance.

— Mais comment qu'a sait? demande Josse, qui n'est pas dans tous les secrets de Tran.

— Ben, parce qu'a va se r'connaître dans le titre.

Thibodeau regarde ses amis sans comprendre.

— C'est vrai que tu sais pas ça, toi. Tran l'appelle toujours Tim, lorsqu'ils sont ensemble.

— Tim? Comme un garçon?

— Oui, c'est ça, Tim, comme un garçon. Mais c'est pas ça que ça veut dire. Il l'a surnommée comme ça parce qu'il trouve qu'elle est encore plus timide que lui.

— Timide? demande encore Josse, peu familier avec le mot.

— Ben oui, timide, gênée. Tu comprenais pas?

Il fait signe que non.

— Allons nous j'ter dans la South River, propose le jeune garçon que son ignorance laisse complètement indifférent.

Sur ces paroles, les trois amis acquiescent et se dirigent aussitôt vers la Naumkeag. Lorsqu'ils approchent de la rivière, les cris de ceux qui s'y baignent déjà leur parviennent avant même qu'ils soient arrivés sur les lieux.

4

Tran Godfrey, le visage dégoulinant de sueur et de sang, plante avec force son couteau dans la carcasse qui repose sur l'étal devant lui. En même temps, son compagnon, Josse Thibodeau lève les yeux, l'œil interrogateur. Il tient le bœuf par les pattes, pendant que l'autre découpe la pièce de viande.

Dans l'arrière boutique de Ben Laverdure, épicier-boucher prospère et à la mode, dont le commerce est situé au coin des rues Essex et Newberry[1] les deux jeunes employés bavardent tout en travaillant.

— Moi pis Poirier, on va à la pêche dimanche, dit tout à coup Thibodeau.

Godfrey regarde son compagnon, l'air surpris.

— Ben quoi? C'est pas permis? demande Thibodeau, l'œil amusé comme toujours.

Pour lui, rien n'existe d'assez sérieux pour qu'il s'en fasse. Il prend la vie comme elle vient. Elle lui paraît d'ailleurs toujours amusante. Si elle ne l'est pas assez, Josse Thibodeau trouvera bien le moyen d'y voir.

— Y'en as-tu parlé?

---

1. Newberry Street: s'appelle aujourd'hui, Hawthorne Boulevard, élargi depuis l'époque.

— Non, mais je sais bien qu'il aime trop la pêche pour dire non.

Tran hoche la tête d'un air entendu, mais ne dit plus rien.

— Toi, tu sais quelque chose, mais tu préfères garder ça pour toi, comme toujours.

Le ton de Josse reste enjoué, son sourire moqueur.

Tran ne répond pas tout de suite. De tempérament renfermé, il n'aime pas laisser deviner ses sentiments. Jos Poirier est son ami, mais pas autant celui de Thibodeau.

— C'est parce que, dimanche, j'avais pensé emmener Modeste à la Commune, pour voir la montgolfière.

La Naumkeag Steam Cotton Company a organisé un voyage en ballon. Des photographes vont faire des clichés des édifices de la compagnie, au moment où il survolera la manufacture.

— Mais y'a rien qui t'en empêche.

— Tu le sais bien, Modeste sortira pas sans Mélodie: Matante sera pas d'accord. Et puis, Mélodie voudra venir avec Jos, alors...

— Ah! dit enfin Thibodeau, dont le visage s'éclaire d'un grand sourire, j'comprends. Tu veux me dire que toi pis Jos vous avez déjà fait des plans pour dimanche avec les bessonnes?

Godfrey fait signe que oui.

— C'est pas ben compliqué. Dans c'cas-là, moi aussi je vas y aller.

Son ami, qui aurait dû se réjouir à la proposition de Thibodeau, reste perplexe.

— Ben quoi? C'est pas ça que tu voulais?

Jos Poirier, le meilleur ami de Tran, travaille toujours à la Naumkeag. Lorsque, deux ans plus tôt, le commerce de Ben Laverdure avait pris de l'expansion, il avait décidé de s'offrir des employés pour faire ce qu'il appelait «le travail malpropre» à sa place. Il avait alors cherché à embaucher Tran et Jos, parce qu'il les aimait bien et que c'étaient des amis. Mais Matante, qui ne peut pas sentir Poirier, s'y était opposée avec la plus grande fermeté. Comme pour nombre d'autres choses, Ben avait cédé aux pressions de sa belle-sœur et Josse avait été choisi à sa place.

— C'est que, tu connais Matante, a voudra pas... commence Tran qui s'arrête en regardant Josse, comme s'il attendait qu'il continue la phrase à sa place.

— Ah! C'est ça, la vieille laissera pas sortir les bessonnes toutes seules. Tu veux que je m'en occupe?

Pour ces deux adolescents de seize ans, la belle-sœur de Ben Laverdure n'est qu'une vieille peau, avec son air rabougri et ses vêtements de deuil, bien qu'elle n'ait que trente-trois ans. De plus, elle n'aime pas voir Jos Poirier rôder à l'entour de Mélodie. Sans que personne ne sache pourquoi, elle tolère que Modeste et Tran sortent ensemble, mais elle ne veut même pas entretenir l'idée que Mélodie soit la petite amie de Jos Poirier. Évidemment, les quatre jeunes gens ignorent ces caprices de la tante et n'en font qu'à leur tête. La vieille fille soupçonne bien que ses nièces ne lui obéissent plus en tout, surtout lorsqu'elles sont hors de sa vue. Les relations de la tante et des bessonnes, fort chaleureuses au début, avaient commencé de se refroidir lorsque s'était glissé en elles le soupçon que l'intérêt de Matante était beaucoup plus motivé par l'égoïsme que par l'amour.

Depuis qu'elles ont douze ans, les jumelles lorgnent les garçons. Cédulie et Ben ont de constantes disputes à ce sujet. Ce dernier trouve que sa belle-sœur est une mère poule qui couve toujours les jeunes filles comme si elles étaient encore des poussins. Mais comme, depuis les débuts, Matante a toujours eu le dernier mot en matière d'éducation, dans ce cas-ci les choses ne sont pas différentes.

— C'est moi qui les accompagnerai à la Commune. J'pense pas qu'a fasse de difficultés.

— Je suis pas sûr de ça pantoute, rétorque Tran.

La conversation des deux jeunes bouchers est interrompue par l'entrée de Ben Laverdure dans l'arrière-boutique. Parce qu'il reçoit maintenant la clientèle et qu'il est à la caisse, il n'endosse plus jamais le tablier blanc de son métier. Maintenant qu'il a des employés pour faire le travail malpropre, il ne porte plus que de beaux costumes, comme si chaque jour était dimanche.

— Vous êtes toujours ben chic, monsieur Laverdure, commente Thibodeau, le ton engageant. Vous avez pas peur de vous salir?

— Ma clientèle aime ça, quand je porte du beau butin. La rue Essex, c'est pas le petit Canada. C'est des gens en moyens, pas des gratte-la-cenne comme ceux-là qui travaillent à la Naumkeag.

Les deux garçons ne se vexent pas à la remarque de leur patron. Celui-ci, comme eux, habite la Pointe, mais il s'est démarqué de ses congénères canadiens en quittant la Naumkeag pour établir un commerce lucratif auprès des Anglais. Grâce à cette situation, il côtoie ces derniers et leur parle presque d'égal à égal, tandis que ses anciens camarades de la Naumkeag, tels les parents de Jos et Josse, n'ont jamais l'occasion d'oublier qu'ils sont tout au bas de l'échelle sociale.

Il n'est que deux heures de l'après-midi et la démarche de Ben est déjà hésitante et son élocution un peu pâteuse. Il a fait plusieurs visites à son bureau, au fond de la boucherie. C'est en ce lieu discret qu'il garde sa réserve d'eau-de-vie de genièvre qu'il affectionne tout particulièrement.

— Faut dire que vous savez vous y prendre avec les femmes, monsieur Laverdure.

Ben se rengorge à la remarque de Josse. Ce genre de propos qui, chez d'autres, passerait pour de basses flatteries, prend, dans la bouche du jeune garçon, l'apparence du compliment sincère. En dépit de son âge tendre, Thibodeau a du charme, il en est conscient et sait s'en servir à bon escient.

— Pour ça, je dois dire que je m'en tire pas mal, répond le commerçant en plastronnant pour la galerie.

— Vous auriez beaucoup de succès à vous montrer, dimanche, sur la Commune, au lancement du ballon.

À ces mots, Tran se retourne vers son ami, curieux de connaître la suite. En même temps, Ben contemple son employé en se demandant où il veut en venir.

— Qu'est-ce que j'irais faire à la Commune? Y'a rien pour moi là-dedans, c'est pour les employés de la Naumkeag.

— Je sais, c'est pas tout de suite évident, mais avec votre réputation d'homme courageux déjà bien établie, vous pouvez l'étendre encore davantage.

Laverdure, intrigué, regarde les jeunes gens, ses yeux allant de l'un à l'autre, comme si la réponse à sa question muette pouvait venir d'eux. Tran se tourne vers son patron en haussant légèrement les épaules pour lui signifier qu'il n'en sait pas plus que lui.

— Qu'est-ce que tu veux dire par là? Je comprends pas.

— Je veux dire que, dimanche, vous auriez l'occasion de montrer votre bravoure devant un grand nombre de gens, vos clients pour la plupart, en montant en ballon.

Ben est estomaqué par cette suggestion. Pendant quelques secondes il observe Tran et Josse avec une certaine incrédulité.

— Oui, mais j'travaille pus à la manufacture.

— Ça fait rien, parce qu'y cherchent du monde assez brave pis qu'ont pas peur, mais y'en trouvent pas. Avec quelqu'un comme vous...

Puis, comme s'il en était venu à une conclusion, Ben émet un grognement et, d'un pas incertain, ouvre la porte de son bureau, y pénètre et referme aussitôt derrière lui.

Restés seuls, les deux apprentis boucher se regardent en souriant. Tran, au bout d'un moment, semble préoccupé.

— Si M. Laverdure monte en ballon, y'aura personne pour accompagner les jumelles. Alors, Matante...

— Fais-moi confiance, j'm'en occupe.

— Comment feras-tu? Matante est pas d'adon, tu le sais.

— Aïe! Tu me connais mal, Godfrey. Tu vas voir, j'vas t'surprendre.

Tran hausse les épaules et continue a dépecer le quartier de bœuf toujours étalé devant lui.

— Donc, t'es d'accord pour qu'on aille à la Commune dimanche? Si tu réussis à convaincre Matante...

En silence, ils continuent le dépeçage de la carcasse. Ils s'affairent depuis peu quand la porte du petit bureau s'ouvre à nouveau. Ben, qui n'a eu que le temps de prendre son petit gin, se tient dans l'entrée, l'œil allumé, goguenard. En l'apercevant, Josse sait que le poisson a mordu à l'hameçon et qu'il ne lui reste plus qu'à attendre encore un peu avant de le ferrer solidement.

— Oui, ben vous avez devant vous un monteux de ballon, mes enfants, prononce Ben, la voix un peu plus pâteuse, mais le regard plein de défi.

— Pas un monteux de ballon, monsieur Laverdure, intervient Tran. On dit «aéronaute».

— Bon, ben c'est ça que j'suis.

— Ah! monsieur Laverdure, vous voulez dire que vous avez décidé de monter en ballon dimanche? s'enquiert Josse avec un étonnement feint, pour faire croire à son patron que l'initiative vient de lui.

Celui-ci, déjà trop éméché, ne se rend pas compte qu'il vient de se faire bêtement manipuler.

— Oui mon garçon, répond le patron en bombant le torse, dimanche, je monterai en ballon.

— Devant toute votre clientèle assemblée pour vous applaudir? insiste Thibodeau, pour fixer plus fermement encore l'hameçon.

— Ben oui, devant toute ma clientèle, ronronne l'épicier-boucher.

— Ça monsieur Laverdure, ça va faire monter vos parts. Votre commerce va certainement s'en ressentir.

Tout à coup, Ben se rembrunit. Il comprend qu'il s'est mis dans cette situation que, à la réflexion, il trouve fort embarrassante car, dans son for intérieur, il sait qu'il n'a pas envie de faire cette expérience. Il est aussi certain d'une autre chose: il ne peut plus reculer et il faudra bien qu'il s'exécute.

— Vous allez être là, vous autres? demande-il à ses employés.

— Oui, naturellement, maintenant qu'on sait que vous allez vous-même monter en ballon, prononce Thibodeau qui se veut rassurant.

Le patron se tourne vers son autre employé qui n'a pas encore dit un mot.

— Moi aussi, monsieur Laverdure, j'ai bien l'intention d'y monter.

Pris de court par cette nouvelle, Ben dévisage le jeune apprenti.

— Oui, c'est vrai, Jos Poirier et moi, on va vous accompagner dans la montgolfière.

À ces paroles, Laverdure se sent rassuré et ses traits se détendent peu à peu. Cependant, Josse, pas plus que Ben, ne s'attendait à ce développement.

— Tu veux aller en ballon toi aussi? s'étonne Thibodeau.

Tran fait signe que oui et regarde son camarade en souriant.

— Oui monsieur, reprend Josse qui, revenu de sa surprise, ne manque pas d'aplomb. Tran est comme vous, il est courageux. Les jumelles vont venir vous voir, j'imagine?

— Ça, c'est certain. Elles sont fières de leur père, achève le boucher-épicier, sûr de lui.

Là-dessus, sans doute ému par ce qui vient de se produire, Ben tourne les talons et se dirige vers l'avant de la boutique où la cloche vient d'indiquer l'arrivée d'une cliente.

— Eh bien, pour une surprise, c'en est toute une! s'exclame Josse après le départ du patron.

Tran ne répond pas, continuant son travail avec un sourire mystérieux aux lèvres.

— Tout ce temps-là, je gage que t'avais déjà décidé toute ton affaire.

L'autre fait signe que oui.

— Tu fais pas ça pour l'impressionner, j'espère, continue Thibodeau, parce que ce que font les autres ne l'épate pas.

— Non. Je fais ça pour moi-même. Mais c'est une bonne idée que t'as eue de lui suggérer de faire le voyage. Comme ça, on pourra être tous ensemble.

— Je comprends toujours pas pourquoi tu veux monter en ballon. Je croyais que tu voulais seulement assister à l'événement. Tu m'avais rien dit de tes intentions.

Le jeune Godfrey reste silencieux. Son ami continue de le regarder avec insistance afin d'obtenir une réponse.

— Tu penses encore à ton affaire de journal? s'enquiert Thibodeau pour relancer la conversation.

L'autre hoche la tête en signe d'assentiment. Deux mois plus tôt, en juillet, un hebdomadaire, intitulé

L'Écho du Canada, dirigé par Honoré Beaugrand, publiait son premier numéro à Fall River[2]. Comme beaucoup de familles du petit Canada, les Godfrey s'y étaient aussitôt abonnés. La lecture de cette feuille de quatre pages, chaque samedi, paraissait enchanter le jeune garçon. Ce rite hebdomadaire avait fini par déclencher en lui le désir d'écrire. Le souvenir de son premier prix de composition française, publié trois ans plus tôt, y était aussi pour quelque chose.

Tran, d'ordinaire peu bavard, avait surmonté sa timidité et fait part à Jos Poirier, son meilleur ami, et à ses parents de son désir de devenir journaliste. Jos ne pensait pas que c'était un métier sérieux, mais il avait quand même encouragé son ami à suivre son idée. Quant à ses parents, ils avaient été très enthousiastes dès le départ, surtout sa mère qui, depuis qu'il avait été publié dans le journal de Worcester, avait conçu pour son fils les plus hautes ambitions. De plus, Emil Godfrey trouvait que c'était une façon très honorable de gagner sa vie.

Dans le reste de la communauté, l'écriture est perçue de façon négative. Sur la Pointe, presque tout le monde trouve que c'est une activité de paresseux, que ce n'est pas un vrai travail, comme une activité physique, par exemple. Mais, comme le père est anglais, c'est ainsi qu'ils s'expliquent cette excentricité.

— T'as toujours aimé ça, écrire. T'aimes lire aussi. Moi j'aime ni l'un ni l'autre, avoue Thibodeau avec candeur.

Godfrey continue de regarder son ami sans mot dire.

— T'as toujours un crayon ou bien un livre à la main. Je ne vois pas où tu trouves le temps pour Modeste.

---

2. Fall River: petite ville du Massachusetts à une centaine de kilomètres au sud de Boston.

— Elle aime ça aussi, lire et écrire. On s'entend bien, tu sais.

— Mais tu ne pourrais plus rester à Salem, si tu travaillais pour *L'Écho du Canada*. Il faudrait que tu t'en ailles à Fall River.

— En attendant, j'ai l'intention d'envoyer un article au journal. J'ai pas l'intention de déménager.

— Un article? Sur quoi?

— Justement, sur le vol en montgolfière. Je veux décrire mon voyage en ballon pour le journal. J'ai déjà écrit à M. Beaugrand, l'éditeur, pour lui offrir mes services.

— Il a accepté?

— Il m'a demandé de lui proposer un sujet; j'ai suggéré le vol de dimanche et il a été d'accord.

Josse Thibodeau regarde son compagnon avec plus d'attention, cette fois, comme s'il le découvrait tout à coup.

— Ah! Je comprends tout maintenant, lui dit-il. Comme ça, la boucherie c'est pas pour toujours?

Tran secoue la tête de gauche à droite.

— T'aurais dû m'en parler avant. Mais t'es pas bavard. T'aimes tout garder en dedans.

Comme pour donner raison à son ami, Tran continue à lui sourire tout en le regardant en silence.

C'est à ce moment que Ben, libéré de sa cliente, revient dans l'arrière boutique.

— Ça va vous faire toute une réputation, monsieur Laverdure, lui rappelle Josse en l'apercevant. Tout le petit Canada va être fier de vous.

Ben contemple le jeune boucher avec un mélange de crainte et de plaisir. La peur de monter en ballon est adoucie par cette dernière remarque.

— Vous pouvez pas les décevoir, ajoute Thibodeau, presque démoniaque, ferrant encore davantage le beau Ben à l'hameçon de la gloire.

Laverdure prend une grande respiration, gonfle sa poitrine et regarde ses employés tour à tour, avant de jeter un coup d'œil dans la boutique. Ne voyant pas de client à l'horizon, il se redresse et d'un pas qui se veut assuré, il se dirige vers son petit bureau pour y faire une nouvelle visite. En dépit de ces paroles rassurantes, la bouteille, objet de consolation, devient alors pour Ben motif de célébration.

— Il faudra pas que tu pousses trop fort, Josse, lui suggère son ami. Sinon, il n'arrêtera pas de boire d'ici la montée en ballon. Comme on n'est que vendredi et que le vol c'est dimanche...

La voix du jeune homme reste suspendue, pendant que Josse, pas du tout troublé par cette perspective, sourit à son ami avec l'air de lui dire: «Ne t'en fais pas, tout va bien se passer.»

Le soir même, peu après être rentré du travail et avoir soupé, Tran, comme il le fait maintenant presque chaque soir, se rend à la résidence des Laverdure pour faire sa cour à Modeste. Il n'est pas surpris, en arrivant, de découvrir que Ben n'est pas encore rentré. Lorsqu'il l'a laissé, près de deux heures plus tôt, il était encore à la boucherie, enfermé dans la pièce arrière, sans doute en train de caresser la dive bouteille.

Matante reçoit le jeune homme comme elle le fait d'habitude, c'est-à-dire de façon ni encourageante ni rébarbative. Tran sait que Cédulie s'arrange toujours pour que les deux jeunes gens ne soient jamais seuls. Ou bien elle est présente elle-même, ou bien, comme elle le fait depuis quelque temps, elle délègue Mélodie pour chaperonner les amoureux. Ce qu'elle ne sait pas c'est que, les soirs où elle charge la jumelle de veiller sur les bonnes mœurs de sa sœur, celle-ci reçoit, en cachette, la visite de son propre amoureux, Jos Poirier. La chose est devenue récemment possible, depuis que

Tran et Modeste ont reçu la permission d'aller se promener au bord de l'eau, derrière la Naumkeag où se déverse la rivière South, ou encore sur les trottoirs ombragés par les grands arbres de la rue Lafayette.

La semaine d'avant, la vieille fille avait accepté que les tourtereaux aillent jusqu'à la Commune où la jeunesse de Salem va se montrer, dans ses plus élégants atours et ses plus impressionnants équipages. Cédulie avait d'abord été réticente.

— Ce n'est pas le genre d'endroit pour des gens comme nous, avait-elle déclaré lorsqu'ils lui en avaient parlé la première fois.

Pour Cédulie, discrète, effacée et qui n'aime pas les foules, la Commune de Salem où les gens vont pour voir et être vus n'est pas convenable.

— Il faut savoir garder sa place. La Commune, c'est celle des gens riches et des Anglais. Nous autres, on doit rester dans notre petit Canada.

Les amoureux connaissent la chanson et finissent par s'y prendre différemment. C'est Mélodie qui en a eu l'idée la première fois.

— Mais, Matante, je les accompagnerai. Comme vous savez, il nous faudra passer devant l'église Saint-Joseph, rue Herbert, pour atteindre la Commune.

L'argument est simpliste et n'a pas beaucoup de force, mais Cédulie l'accepte sans trop y regarder, puisque le nom de sa paroisse est mentionné. Elle aime beaucoup le nouveau curé, l'abbé George Talbot, qui lui assigne des tâches de plus en plus nombreuses à l'église.

— Dans ce cas-là, vous vous arrêterez pour une petite prière.

Sur ces propos pieux, l'affaire est réglée et les trois jeunes gens s'en vont, prennent Jos Poirier en passant et se dirigent aussitôt vers la Commune. Voilà bien une promenade qu'ils n'auraient jamais pu faire derrière la Naumkeag où, les beaux soirs, tout le petit Canada va prendre l'air. La présence de Poirier aurait vite été repérée et Cédulie en aurait été informée le jour même.

Pendant le trajet, Tran raconte à son ami et aux jumelles les événements de l'après-midi à la boucherie, le projet de Ben, Tran et Jos de monter en ballon dimanche. Modeste et Mélodie sont d'abord surprises par cette décision de leur père. Puis, à la réflexion, le projet semble les inquiéter.

— Papa aime tant faire le fanfaron, dit Modeste en se tournant vers Tran. Est-ce que ce n'est pas dangereux?

— Tu penses que le ballon peut tomber?

— Oui, bien sûr. Matante dit que si Dieu avait voulu que l'homme vole, il lui aurait donné des ailes.

Jos Poirier qui, jusque-là, a écouté les craintes de sa blonde en silence, intervient pour la première fois.

— Tran et moi, nous serons avec lui pendant tout le voyage. Nous veillerons sur lui.

— C'est mon père qui nous a obtenu les places ainsi que celle de M. Laverdure. La nacelle peut contenir une vingtaine de personnes, mais je crois qu'il y aura encore de la place. Y'a pas beaucoup d'employés de la Naumkeag qui ont le goût de faire le voyage.

— Mais, reprend encore Modeste, qui va rester avec nous pendant le vol? Matante ne permettra pas que nous restions seules sur la Commune.

— Oui, je sais, dit Jos. Dans ce cas, elle pourrait bien rester avec vous deux.

— Oh! Mais elle ne viendra sûrement pas ici. Elle n'aime pas les gens qui s'y promènent. Elle croit que ce n'est pas sa place.

— C'est tout arrangé, dit Tran. Josse s'est offert pour vous accompagner.

— Mais vous savez comme Josse est bavasseux. Il faudra pas qu'il dise nos plans à Matante, recommande Mélodie. Autrement, elle nous empêcherait d'y aller.

Tout en causant, les jeunes gens ont remonté la rue Union jusqu'à Essex, et débouchent près de l'épicerie-boucherie de Ben. Il y a encore de la lumière dans l'arrière-boutique, ce qui permet de penser que le patron est encore là.

— Vous voulez entrer voir? demande Jos aux jumelles.

Celles-ci ne vont plus guère au commerce de leur père depuis que Ben s'occupe de la caisse et qu'il n'a donc plus besoin de Cédulie. Les jeunes filles se regardent pendant quelques instants. Apparemment, elles semblent n'échanger aucun sentiment, aucune émotion. Pourtant, à leur façon, et sans que les autres aient pu le détecter, elles se sont comprises.

— Non, dit Modeste.

Les jeunes gens se remettent aussitôt en route et ils débouchent sur les terrains de la Commune où plusieurs centaines de personnes se promènent déjà, soit à pied, soit en voiture. La place est bordée, sur les quatre côtés, de maisons cossues. D'élégants attelages ouverts s'y arrêtent, déchargent des passagers ou en prennent. Ils contiennent surtout des jeunes gens élégants qui rient et s'amusent à s'interpeller d'une voiture à l'autre, puis repartent pour quelques virées autour du square. Tout ce qui compte à Salem habite sur les pourtours de cette place appelée aussi Washington Square. Tran et ses amis, qui habitent South Salem, viennent souvent ici, mais tout comme Cédulie, ils se rendent bien compte qu'ils ne font pas partie de cette classe sociale. La différence avec la tante c'est qu'ils ne se contentent pas de rester chez eux, seulement entre Canadiens. La nouvelle génération, celle des jumelles et de leurs compagnons, désire participer davantage à la vie de toute la ville.

Le jour est sur le point de tomber et plusieurs femmes qui, comme les jumelles, n'ont pas de chapeau, ont apporté avec elles un châle qu'elles glissent sur leur tête pour se préserver de la fraîcheur du soir. Ou bien peut-être par peur des chauves-souris qui, ce soir-là, virevoltent dans tous les sens au-dessus des promeneurs.

— Matante dit qu'elles s'accrochent à nos cheveux si on n'y fait pas attention, avertit Mélodie, pendant que les deux jeunes filles, simultanément, remontent leurs châles par-dessus leurs coiffures.

— C'est un signe de beau temps pour les jours à venir, dit Poirier en mettant son bras autour de la taille de Mélodie.

Celle-ci lève ses grands yeux noirs sur le visage juvénile de son ami où, déjà, commence à pousser une barbe qui promet d'être forte et noire, de la couleur de ses cheveux qui sont sombres comme la nuit. Depuis un an ou deux, ils ont commencé à perdre leur allure crépue et ondulent doucement comme les vagues de la mer.

Les quatre jeunes gens, après avoir fait plusieurs fois le tour de la place, se remettent en route vers la Pointe, pour rentrer chacun chez soi. Au moment où ils vont traverser la rue Essex, ils aperçoivent une silhouette, élégamment vêtue, qui se dirige en titubant vers la rue Union. C'est Ben Laverdure qui, ayant probablement vidé sa bouteille, a plié bagage et s'en va se mettre au lit. Les jumelles, l'ayant reconnu immédiatement et s'étant consultées du regard, s'en vont encadrer leur père, pour l'aider à marcher droit. Elles le tiennent chacune par un bras, pendant que Tran et Jos marchent, l'un à côté de Modeste, l'autre auprès de Mélodie. Tous les cinq, en dépit de l'ébriété de Ben, bavardent joyeusement, tout en descendant vers le petit Canada.

Cédulie ne dort pas lorsque les Laverdure entrent chez eux, après que les garçons les ont reconduits jusqu'à la porte. Vêtue de sa longue jaquette de flanelle bleue, ses cheveux prématurément gris remontés en un chignon, sur le dessus de la tête, elle descend au rez-de-chaussée, lorsqu'elle entend la porte se refermer. La vieille fille, comme elle le fait d'habitude, reste silencieuse, tout en laissant peser son regard lourd de reproches sur son beau-frère qui courbe l'échine comme un gamin pris en faute. Avec les années, il n'a jamais été capable de se débarrasser de cette vilaine habitude de se sentir diminué, inadéquat, fautif. Comme il couche dans le salon, il ne peut se réfugier dans sa chambre pour échapper au regard de sa belle-sœur.

— Il est déjà dix heures. Montez vous coucher, les petites. J'ai à parler à votre père.

Modeste et Mélodie obéissent aussitôt. Cependant, au lieu de se rendre dans leur chambre, elles restent au haut de l'escalier pour ne rien manquer des propos qui seront échangés.

— Ça te passera donc jamais, cette maudite boisson, prononce Cédulie, les dents serrées. Encore une fois, t'as fait le voyou devant les petites.

Laverdure, dont le bel habit couleur miel est passablement fripé avec, ici et là, des taches de graisse, se tient devant la vieille fille, tête baissée vers la pointe de ses souliers, dans l'espoir que l'orage passe rapidement.

Chaque fois que Cédulie commence une de ses scènes, Ben évoque immanquablement le souvenir de sa femme Marguerite. Elle était d'un tempérament si gai, si compatissant qu'il n'aurait jamais essuyé d'elle ces pénibles sermons que lui sert sa belle-sœur et qui ne visent qu'à le discréditer à ses propres yeux. Depuis quinze ans que sa femme est morte, le souvenir qu'il garde d'elle est aussi vif qu'aux premiers jours de leur mariage. Même en comptant les soirs où il se sent terriblement seul sur sa couche, il n'en est pas de plus pénibles pour lui que ceux où il doit entendre les tirades de sa belle-sœur. Elle en veut surtout à son alcoolisme; mais aussi au fait qu'il a abandonné son travail à la Naumkeag pour s'ouvrir un commerce chez les Anglais.

— On m'a dit, qu'en plus, tu te prépares à aller faire le bouffon devant des centaines de gens, dimanche à la Commune. Il n'en est pas question.

Ben lève les yeux vers sa belle-sœur. Il n'est pas surpris d'apprendre qu'elle est déjà au courant de son projet. Dans le petit Canada, tout se sait très rapidement. Il n'est même pas intéressé à connaître le nom de la personne qui a tout raconté à Cédulie. Cela ne servirait à rien.

— Ce qui est encore pire, c'est que tu veux aller nous faire honte le jour même de l'anniversaire des jumelles.

À ces paroles, Ben lève la tête, du défi dans les yeux. Les derniers mots de sa belle-sœur l'ont, en quelque sorte, tiré de sa torpeur.

— C'est aussi le jour anniversaire de la mort de ma femme. Je ne crois pas que tu aies assez de cœur pour t'en souvenir, Cédulie, mais chaque année, à la même date, je suis déchiré entre la joie et la tristesse. Je ne te demande pas de comprendre, ça demanderait de la compassion.

La vieille fille, qui n'a pas l'habitude d'entendre son beau-frère se rebeller ou la contredire, le toise d'un œil dur et méprisant.

— Pis, j'ai bien l'intention d'emmener les bessonnes me voir monter en ballon, dimanche. C'est pas toi qui vas m'en empêcher.

Cette fois, Cédulie Doiron se raidit devant ce défi à son autorité. Depuis qu'elle a la charge des jumelles, elle a gagné presque toutes ces joutes verbales avec Ben. Il plie toujours à la dernière minute. Elle est sûre que, cette fois, ce ne sera pas différent, mais elle se trompe. Aussi, c'est sur le ton qu'on prend avec un enfant têtu qu'elle poursuit la conversation.

— Je sais, Ben, t'as toujours aimé ça, faire ton jars. Cette fois, je ne peux pas te laisser faire. C'est nous toutes, les jumelles et moi, qui allons en souffrir.

— Comment ça, vous allez en souffrir? Les filles ne monteront pas avec moi dans le ballon. J'y vais avec Tran Godfrey et Jos Poirier.

À la mention de ce nom, la vieille fille marque le coup. Elle n'était pas au courant de ce détail. Elle regarde son beau-frère avec un peu plus d'attention, pour apprendre s'il ne lui cache rien d'autre. Mais celui-ci, comme s'il avait en lui une volonté toute nouvelle, la regarde avec bravade. Cédulie se rend compte qu'il lui faudra peut-être adopter une tactique différente mais, sur le moment, elle ne sait pas laquelle.

— Ah! Comme ça, on trame dans mon dos des plans pour me retirer mon autorité auprès des petites, reprend la belle-sœur, la voix plus agressive qu'elle ne le voudrait.

— Qui te parle de ça? On va juste faire une promenade dimanche. Rien de plus. Les jumelles resteront avec Josse Thibodeau, en attendant la fin du voyage.

— Et puis tu veux laisser la garde de mes filles à ce petit chenapan de rien du tout, un Cajun qui ne croit ni en Dieu ni au Diable. Il n'en est pas question.

— Comment? Mais j'croyais que t'aimais bien Josse. En tout cas, c'est toujours ce que tu nous a laissés croire.

La vieille fille reste muette, vexée de s'être laissé emporter par une émotion incontrôlable.

— Dans ce cas-là, tu n'as qu'à venir toi-même et te charger de la garde des jumelles.

— Et me mêler à cette foule qui n'est même pas de notre monde? Tu es devenu complètement fou, je crois bien.

— C'est toi, Cédulie, qui es devenue complètement folle. Les petites, comme tu les appelles, ne sont pas aussi petites que ça. Elles ont quinze ans, tout de même. Il faut qu'elles connaissent le monde un peu. Tu ne peux pas les garder sous tes jupes jusqu'à l'âge de trente ans.

La mère adoptive de Modeste et Mélodie n'en croit pas ses oreilles. Ben ne lui a jamais parlé sur ce ton. Comment ose-t-il? Lors des crises précédentes, elle n'a jamais eu besoin de sortir les gros canons.

— Pauvre imbécile, commence-t-elle d'une voix haut perchée et presque hystérique, où perce une colère mal contenue. Le jour même de la naissance des petites, je m'en souviens comme si c'était hier, tu empestais la boisson, pendant que ta femme saignait à mort pour donner naissance à ses filles. Non, Ben. Tu ne me reprendras pas les bessonnes pour les traîner dans ton monde d'Anglais et d'ivrognes. T'es même pas digne d'être leur père.

Ben Laverdure est brutalement secoué par les propos de sa belle-sœur. Il la regarde, l'air ahuri, ce qui le dégrise brusquement. Pas une seule fois, par le passé, Cédulie n'a rappelé cette journée qui, dans son esprit, a été la plus douloureuse de son existence. Lors des prises de bec précédentes, il avait deviné, dans ses yeux, les paroles qu'aujourd'hui elle vient de prononcer. Tant que ces choses n'étaient pas exprimées à haute voix, il pouvait douter de leur présence dans l'esprit de la vieille fille. Cette fois, elle ne laisse planer aucun doute sur ce qu'elle croit être la responsabilité de son beau-frère dans cette affaire.

— C'est pas tes filles, Cédulie, rappelle-toi-z'en. C'est moi leur père et tu n'es même pas leur mère.

Cette fois, la tante des jumelles est complètement atterrée par les paroles de son beau-frère, au point que des larmes, que Ben ne lui a jamais vu verser de sa vie, se mettent à couler silencieusement le long de ses joues pâles et parcheminées. Il la regarde sans comprendre, tout en se demandant s'il n'est pas allé un peu loin. Lorsqu'elle reprend la parole, la voix de Cédulie est rauque et basse, le ton plus menaçant que jamais auparavant.

— Ah! Tu crois ça, toi, Ben Laverdure, que je ne compte pas dans la vie de Modeste et de Mélodie. Eh bien, j'ai des petites nouvelles pour toi. D'abord, je t'interdis de faire cette montée en ballon. Et si, par hasard, tu n'en faisais encore qu'à ta tête, je peux t'assurer que tu n'emmèneras pas les petites avec toi. Elles resteront ici, avec moi, même si je dois les défendre au péril de ma vie.

Là-dessus, la vieille fille tourne les talons, ramasse le devant de sa jaquette avec sa main gauche et s'engouffre dans l'escalier, avant même que son beau-frère ait eu le temps de répondre à cette dernière attaque. Les bessonnes, voyant la fin du drame, se retirent dans leur chambre. Lorsque Cédulie entre chez elle à son tour, la respiration bruyante et saccadée, elle remarque que la porte de la chambre des filles est fermée et se dit qu'elles dorment probablement déjà profondément. Dans le noir, elle se déshabille et se glisse sous les draps.

Dans son petit lit simple, elle repose étendue sur le dos, les yeux grands ouverts, fixant au plafond un point qu'éclairent les pâles rayons de lune qui se reflètent sur le miroir de la commode. Dans la tête de Cédulie Doiron, la colère et la vengeance se sont emparées de son esprit. Elle a beaucoup de mal à se calmer et à réfléchir aux événements qu'elle vient de vivre.

Lorsqu'elle y parvient, vers six heures du matin, les premiers rayons du soleil commencent à paraître audessus de la rivière South. Lentement, la paix entre en elle, car elle vient de prendre une décision qui lui apporte calme et satisfaction.

5

Le matin du dimanche 7 septembre 1873, le soleil se lève, radieux. La journée s'annonce magnifique pour Tran Godfrey et Jos Poirier qui, ce jour-là, en compagnie d'une quinzaine d'hommes, dont Ben Laverdure, vont faire leur première ascension en ballon.

— On va échapper à l'attraction terrestre pour la première fois de notre vie, explique Tran à son ami.

Celui-ci ne connaît rien en physique et ne semble pas y attacher un grand intérêt. Pour Jos, le vol en montgolfière est une aventure excitante, rien d'autre.

À l'église Saint-Joseph, rue Herbert, la nouvelle paroisse du petit Canada, c'est bientôt la fin de la grand-messe. Les futurs aéronautes, en compagnie de leur ami Josse, l'ont passée, comme chaque dimanche depuis le début de l'été, sur les bords de la rivière South, derrière le moulin numéro deux de la Naumkeag Steam Cotton Company où Jos travaille tous les jours, sauf le dimanche. C'est l'occasion pour Poirier et Thibodeau de fumer une pipe et de deviser comme des hommes. Tran, asthmatique, s'en est toujours abstenu.

À aucun moment de leur conversation le mot «peur» n'est prononcé, voire évoqué. Ces adolescents de dix-sept ans aimeraient mieux tomber raides morts à l'instant que d'admettre qu'ils ont la frousse.

— Jee! Vous êtes chanceux. J'aimerais bien être à votre place.

Thibodeau fait le faraud, car il sait qu'il ne risque pas d'être du voyage, puisqu'il doit s'occuper des bessonnes. Ses compagnons ignorent sa remarque, car ils ont bien d'autres préoccupations.

— J'ai lu, dans un livre que m'a prêté la sœur, poursuit Tran, que l'hydrogène, le gaz qui est soufflé dans la montgolfière, est plus léger que l'air. C'est pour cela que nous allons monter.

— Plus léger que l'air, intervient encore Thibodeau, t'es fou. Y'a pas plus léger que l'air.

Pendant ce dialogue qui n'en est pas un, Jos Poirier reste silencieux, le visage sérieux, renfermé, selon son habitude. D'ailleurs, personne ne s'attend à ce qu'il donne la réplique.

— T'as l'air fatigué, Jos. T'as pas bien dormi? s'informe, taquin, le jeune Thibodeau.

Ses deux amis lui jettent un regard qui lui clôt le bec, mais qui ne lui enlève pas son air jovial. Ce matin, pourtant, sa bonne humeur n'a pas son effet habituel sur ses amis. Au contraire, il se rend bien compte qu'ils sont agacés par son entrain et ses plaisanteries.

— Toi, Tran, tu fais ça pour écrire un article dans *L'Écho du Canada* de M. Beaugrand. Mais toi, Jos, pourquoi veux-tu monter en ballon?

— Laisse-le donc tranquille, Josse. Tu vois pas qu'on a d'autres choses à faire que de répondre à tes questions?

Un long silence suit cette remarque de Tran Godfrey, pendant que les cloches de l'église Saint-Joseph annoncent la fin de la grand-messe. En même temps, ses amis tirent sur leurs pipes comme des grands, sans s'étouffer, sans être malades. La dernière remarque de Tran a comme jeté un froid. Il semble que les garçons n'aient plus rien à se dire.

C'est à ce moment-là que surgit Ben Laverdure, en costume du dimanche, tenant dans sa main un sac de toile grise, fermé en haut par une corde. Il revient de l'église où il s'est rendu, avec ses filles et sa belle-sœur, pour cet exercice hebdomadaire. Depuis des années maintenant, Ben ne prend plus place dans son banc. La dernière fois qu'il l'a fait, il était en compagnie de sa femme et de sa belle-sœur, Cédulie Doiron. C'était le veille du jour où Marguerite avait donné naissance aux jumelles. Depuis ce dimanche fatidique, il se tient à l'arrière de l'église pour le début de la messe. Pendant le sermon, lorsque deux ou trois compères l'ont rejoint, ils s'esquivent jusqu'à la boucherie de Ben où, dans son bureau, ils finissent l'office du dimanche avec quelques libations de leur cru. Ce jour-là, l'ascension en ballon, dont toute la ville parle, est la cause de l'état d'ébriété, encore assez légère, de l'épicier.

— Tiens, monsieur Laverdure, commence Josse Thibodeau, tous les aéronautes sont là.

— Pis, les p'tits gars, êtes-vous prêts? demande le marchand, le verbe encore assez clair.

— Oui, monsieur Laverdure, répond Tran au nom de son compagnon qui ne fait que hocher la tête.

— Écoutez-moi ben, vous autres, j'ai eu une idée. J'vas vous l'expliquer.

Il se tourne vers Josse Thibodeau qui comprend qu'il est peut-être de trop, que Ben ne veut partager son plan qu'avec ses compagnons de voyage, mais il ne bouge pas.

— Bah! tu peux rester, mais t'es mieux de te fermer la trappe. Si jamais j'apprends que t'as bavassé, t'es pas mieux que mort.

— Oui, monsieur Laverdure.

Les trois garçons ont les yeux rivés sur leur aîné. Sa présence, sa nonchalance les rassurent. S'il est capable de s'enivrer dans un moment pareil, c'est sûrement pas bien dangereux, ce vol en montgolfière.

— Avant la messe, j'ai été sur la Commune pour voir le ballon qui a été amené là hier soir. J'ai parlé au pilote qui m'a montré tout l'attirail et m'a expliqué comment ça marche. C'est pas compliqué.

Ben s'arrête et attend pour voir l'effet produit. Dans les yeux des garçons, il lit des interrogations.

— Mais j'vas pas vous répéter tout ce qui m'a dit, ça serait trop long. J'vas juste vous dire qu'on va être plus légers que l'air. Hein? pensez pas que c'est pas une beauté, c't'affaire-là?

Ils continuent de se taire, attendant la suite du plan de Ben.

— Je veux pas vous faire un grand parlement, j'veux juste vous dire que j'veux jouer un petit tour à ma belle-sœur.

Le visage de Josse s'éclaire davantage à cette pensée. Sans être complètement déridés les deux autres se sont quand même adoucis à cette suggestion, leur front s'est détendu.

— J'ai parlé au pilote et j'y ai d'mandé si on allait passer au-dessus du petit Canada. Y m'a dit que oui, ça fait partie de son contrat avec la Naumkeag. Je sais que Cédulie viendra pas sur la Commune, a va rester à la maison. Comme j'la connais, a va sortir dans la cour pour nous regarder passer. Quand on arrivera au-dessus du jardin, je veux laisser tomber une corneille morte que j'ai ramassée dans la prée[1], derrière le moulin. Je sais qu'a l'a peur des oiseaux morts, depuis la fameuse fois à l'église...

Ici, la voix de Ben devient un peu chevrotante et il s'interrompt quelque temps avant de reprendre.

---

1. Prée: le mot est féminin en Acadie, comme autrefois en France. *Le Glossaire acadien*.

— Mais vous étiez encore trop petits pour vous en souvenir.

— On sait, on en a entendu parler, dit Tran.

— Bon, ben, vous savez ce que je veux dire.

— Mais, monsieur Laverdure, ça va lui faire une bien grande peur. Ça pourrait la faire mourir.

— Faire mourir ma belle-sœur? s'esclaffe Ben en se tapant sur la cuisse. Ça c'est la meilleure. Ah non! Cédulie est ben trop coriace pour se laisser intimider par un oiseau mort. Ça va juste la secouer un peu, pis nous autres, on va rire.

Les garçons n'ont pas l'air convaincus. Mais Ben n'est pas ébranlé dans sa décision. Il jette à leurs pieds le sac de toile qu'il tient toujours au bout de son bras.

— Ouvrez-le, leur ordonne-t-il.

C'est Josse Thibodeau qui s'exécute, mais avec difficulté. Au bout d'un moment, il réussit enfin à défaire les nœuds. Il prend ensuite le sac par le fond et le relève pour en vider le contenu par terre. Sur le sol tombe la carcasse raide et desséchée d'une corneille morte, facilement reconnaissable à son plumage et dont les yeux vitreux vous regardent d'une façon étrange.

Ben Laverdure éclate encore une fois de rire à l'idée de la peur que la vue de cet oiseau va causer à sa belle-sœur. Tran, pour la première fois, croit percevoir qu'il y a plus chez le boucher que l'idée de jouer un tour à la vieille fille, mais il ne comprend pas exactement les raisons qui le poussent à agir ainsi. Il aimerait bien les connaître, mais il ne sait pas quelle question lui poser. Il est fort probable que Ben lui-même agit par instinct et ne saurait quoi répondre.

— Bon, dit l'ornithologue amateur en remettant l'oiseau dans le sac, il faut que je continue de me préparer. J'vous r'verrai au ballon. Le départ est pour deux heures et il est déjà midi.

Au moment où il prononce ces paroles, l'Angélus sonne au clocher de l'église Saint-Joseph.

— On va rester avec vous, monsieur Laverdure, dit Tran en faisant signe à Jos Poirier qui se lève en même temps que lui. Josse, lui, va aller chez vous, car c'est lui qui va accompagner les jumelles à la Commune.

— C'est comme vous voulez, mes garçons. Mais j'vous préviens que je rentre pas à la maison. J'vas à la boucherie. Comme ça, on s'ra déjà rendus pour l'envolée. Y'a déjà beaucoup de monde sur la Commune.

Sur un signe de Tran, Josse Thibodeau les laisse et se dirige vers la rue Harbord. Lorsqu'il a disparu au coin du moulin de la Naumkeag, les deux garçons entraînent Laverdure vers la rue Essex. Ils y sont en moins de quinze minutes et vont s'enfermer dans le petit bureau de Ben, au fond de la boutique.

Il est presque deux heures et, sur les terrains de la Commune, il y a beaucoup d'action, mais pas encore de montgolfière en vue. Il est bien évident que l'expédition n'aura pas lieu à l'heure dite. Non pas parce que les passagers ne sont pas encore arrivés, mais bien parce que le ballon n'est même pas encore gonflé et qu'il repose, tout plat, sur le sol, comme une bête qui sommeille.

Quelques centaines de personnes sont assemblées sur le square. Beaucoup sont déjà venues, puis reparties, voyant que l'événement allait avoir du retard. Les plus patients sont restés et regardent les deux pilotes de la montgolfière s'affairer avec les deux apprentis qu'ils initient aux préparatifs de l'envolée.

Les femmes paraissent attirées autant que les hommes par ce grand déploiement d'activités. Comme c'est un dimanche et qu'il fait un temps idéal, les hommes portent un pantalon de laine blanche, un veston bleu marine avec une chemise de toile blanche et une cravate de soie aux couleurs vives. Presque tous sont coiffés d'un chapeau de paille à bords étroits et à fond plat, comme c'est la mode du temps, et que les Français appellent canotier. Les femmes sont vêtues de blouses de fine batiste blanche, d'une longue jupe ajustée à la taille et tombant jusqu'au sol en plis abondants. Ces dernières sont en soie, en toile, en laine ou en coton. Certaines femmes arborent soit une jupe, soit une écharpe, soit une blouse, soit encore un chapeau de couleur jaune comme celle du ballon. Celui-ci est enserré dans un gigantesque filet de cordes entrelacées en forme de losanges assez vaste pour le contenir une fois pleinement gonflé.

La foule bigarrée n'est pas pressée et semble s'accommoder facilement du départ différé de l'expédition. Des gens vont et viennent de tous les côtés de la place, devisant et se promenant en attendant l'événement. Il est facile de distinguer, parmi la foule, des visiteurs du petit Canada, surtout les plus âgés, car ils portent un habit sombre, soit noir, soit bleu marine. Certains se tiennent en groupe, d'autres sont éparpillés seuls ou en couple, parmi la foule animée.

Du côté de la place qui donne vers la rue Essex et où se tiennent Josse Thibodeau et les jumelles, on peut apercevoir l'épicerie-boucherie de Ben Laverdure. Audessus de la porte d'entrée est suspendu un écriteau en lettres noires bordées d'une ligne or sur fond rouille, où on peut lire:

FINE FOODS
Meat & Groceries
Ben Laverdure, prop.

Modeste et Mélodie, comme un grand nombre de femmes, portent sur elles un vêtement de couleur jaune. Leurs accessoires sont identiques, sur des robes en tous points semblables, en toile d'Irlande d'un riche vert émeraude. Mais l'une s'en sert comme un fichu, l'autre comme une ceinture. Pour amuser et distraire leur chaperon, elles renversent parfois l'ordre des choses entre la taille et le cou, ou portent toutes deux l'étendard jaune au même endroit.

Ce manège, bien innocent, ne gêne pas le moins du monde Josse Thibodeau qui n'a aucun problème à identifier les bessonnes. Il les appelle soit par un nom, soit par l'autre et elles lui répondent toujours qu'il se trompe ou non. Comme c'est tout à fait dans sa nature, il ne s'offusque pas de ce petit jeu de colin-maillard sans bandeau. Au contraire, il y trouve toujours l'occasion d'un fou rire, d'une plaisanterie. C'est peut-être à cause de cela que les jumelles aiment la compagnie de Josse et lui font toujours bonne mine. Peut-être aussi parce que le jeune garçon, qui n'est jamais triste, semble vouer aux deux jeunes filles une affection égale, sans chercher à les distinguer l'une de l'autre, ce que ne cessent jamais de faire Jos et Tran. Il est bien clair que l'arrangement de ce jour est bien fait, car le trio semble s'amuser follement, lorsque sonnent trois heures à l'horloge de l'Hôtel de Ville.

Au même moment, un brouhaha se manifeste dans la foule, qui attire l'attention de Josse et de ses compagnes. En s'approchant du centre de l'action, ils s'aperçoivent que des réservoirs ont été installés près de la nacelle qui doit transporter les voyageurs. Elle repose au pied de la montgolfière qui se rétrécit à la base, comme une toupie. Les quatre hommes qui préparent l'envolée s'affairent à diriger la flamme du chalumeau vers le grand trou béant, à la base du ballon qui a été soulevée de terre. En quelques minutes, la grande carcasse de toile inerte commence à prendre vie. Ici et là, sous le filet, des parties gonflées de l'enveloppe apparaissent et suscitent les applaudissements des spectateurs, heureux de voir enfin leur attente récompensée.

C'est cette première réaction de la foule qui a attiré l'attention de Thibodeau et de ses deux amies. Ils se rendent compte que le départ va avoir lieu et qu'ils n'ont encore aperçu ni Ben ni les deux garçons.

— Ils sont à l'épicerie, avoue enfin Josse aux bessonnes qui le pressent de questions à ce sujet depuis leur arrivée sur la Commune.

— Allons les chercher, disent-elles aussitôt.

Josse, qui se sent légèrement coupable d'avoir dévoilé ce qui n'aurait peut-être pas dû l'être, (mais il n'est pas certain que cela lui avait été défendu), se dirige avec ses compagnes vers la boutique de la rue Essex, qui n'est qu'à deux pas. Ils n'ont pas à aller bien loin, car la porte de la boucherie s'ouvre et trois hommes en sortent lentement, un par un. Une fois le verrou tiré, ils s'arrêtent momentanément, aveuglés par la lumière éclatante du soleil. Ils viennent de passer près de trois heures enfermés dans une pièce aux rideaux tirés éclairée seulement par une lampe à l'huile.

Leur marche, quand ils la reprennent, paraît incertaine, comme si cette clarté soudaine les faisait hésiter. Ce n'est qu'une fois auprès d'eux que Josse et les jumelles se rendent compte que Ben, s'il n'est pas complètement ivre, est déjà dans un état assez avancé d'ébriété. Le boucher-épicier marche maintenant entre les deux garçons qui le soutiennent légèrement chacun par un bras, tout en affectant un air naturel et détaché. C'est ainsi qu'après une marche hésitante de quelques minutes, ils arrivent sur la Commune où la nacelle et le ballon sont entourés d'un cordon de policiers qui retient la foule.

Depuis que le gonflement de la montgolfière a commencé, le nombre des curieux a plus que doublé. Maintenant, des centaines de gens se pressent à l'entour de la grande sphère jaune, encore retenue à l'horizontale, en plein centre de la Commune. À l'intérieur des cordons, une cinquantaine d'hommes sont déjà attelés à des câbles destinés à retenir le ballon à terre, lorsqu'il sera complètement gonflé et qu'il aura atteint sa position verticale de vol.

La nacelle est constituée d'une solide plate-forme carrée, en bois, de dix pieds de côté, à laquelle sont attachés des poteaux qui retiennent le garde-fou en osier de quatre pieds de haut et solidement tressé. Elle peut contenir facilement les quinze passagers de l'expédition, en comptant les deux pilotes et leurs apprentis. Les onze places qui restent ont été attribuées par les patrons de la Naumkeag, plusieurs jours auparavant. Avec Ben Laverdure et Tran Godfrey voyageront deux contremaîtres et cinq ouvriers dont Jos Poirier. Les deux dernières places sont occupées par des photographes qui ont comme mission de prendre, une fois en l'air, des photos des installations de la Naumkeag.

Les heureux détenteurs de billets se tiennent en groupe, à quelques pieds de la nacelle. Sauf, bien entendu, Ben et ses deux compagnons. La nouvelle de sa participation à l'expédition a fait le tour du petit Canada et de toute la ville dès qu'elle a été connue. Car, grâce au succès de son commerce, Ben est une célébrité à Salem. On aime son goût et son audace pour les aventures peu orthodoxes dont il sort toujours gagnant. C'est donc presque en héros que le boucher et ses jeunes compagnons font leur entrée dans le cercle réservé aux passagers. Ils sont accueillis avec des vivats et des bravos lancés par des hommes dont certains, comme eux, se sont déjà donné le courage que leur procure la bouteille.

À part les deux pilotes et leurs apprentis, aucun des passagers ne s'est jamais élevé plus haut que le sommet d'un arbre ou le toit de sa maison. L'expérience qui les attend les excite et les effraie à la fois. Certains d'entre eux, plus craintifs que courageux, mais plus orgueilleux encore, n'oseront jamais se désister. Ce sont ceux-là qui ont cherché le courage dans l'alcool. Les autres, également tenaillés par la peur, ne puisent qu'en eux-mêmes l'énergie nécessaire pour traverser cette épreuve. Ceux-là ne rient ni ne pleurent. Ils ont un air sérieux, même quand ils font des plaisanteries de mauvais goût qui sont censées montrer leur courage.

Quelques hommes transportent jusqu'à la nacelle un escalier de trois marches destiné à aider les voyageurs à monter à bord. Pendant ce temps, le ballon, qui a continué de se gonfler, a presque atteint sa forme maximale et les hommes qui tiennent les câbles commencent à élargir le cercle du cordon qui repousse la foule. Celle-ci se déplace sur les pourtours de la Commune, à mesure que la montgolfière prend sa position verticale. Le bruit, causé par l'inflammation de l'hydrogène qui s'échappe du lourd chalumeau, à sa base, couvre la voix des voyageurs. À mesure que croît leur nervosité, certains sont trop heureux de tomber dans un silence imposé qui leur permet d'avoir peur à satiété sans perdre la face.

Au tout premier rang des spectateurs, Josse et les jumelles observent les préparatifs. Deux agents de police, sans doute attendris par le charme des bessonnes, leur ont dégagé un espace d'où elles peuvent tout voir. En dépit de la présence de Josse, qui ne semble pas s'en formaliser, les deux agents de la paix tentent discrètement de faire la cour à ces deux joyaux au teint si blanc et aux longs cils noirs qui battent doucement à l'unisson, tantôt dégageant les perles brillantes de leurs yeux, tantôt se rabattant sur leurs joues d'albâtre, comme des lignes séduisantes et mystérieuses tracées à l'encre de Chine.

Depuis l'endroit où il se trouve, le trio peut apercevoir la tête de Ben qui, au milieu de la foule des voyageurs, semble retenir l'attention du plus grand nombre. Pendant que pérore l'épicier-boucher, Tran et Jos ont réussi à se glisser hors du cercle formé par leurs compagnons et se dirigent vers l'endroit où se tiennent les jumelles. Modeste tend les mains vers Tran en le voyant approcher et Mélodie fait de même vers Jos.

Les deux policiers, voyant le terrain déjà occupé, battent rapidement en retraite, tout en continuant d'observer les deux couples qui se rejoignent, s'enlacent et se regardent tendrement dans les yeux. Ils sont forcés au silence, car le bruit d'échappement des gaz est de plus en plus fort et empêche les conversations. Frustrés, mais désireux quand même d'exprimer leurs sentiments, Tran et Jos embrassent les jeunes filles sur la bouche.

Émus et attendris par ce charmant spectacle, les gens, y compris les deux policiers malchanceux, applaudissent avec accompagnement de sifflets et de cris. À cause de l'atmosphère de fête foraine qui règne sur la Commune, l'allégresse gagne de place en place et, bientôt, tout le monde ou bien applaudit ou bien crie son enthousiasme.

Lorsque les manifestations bruyantes de la foule redoublent, les jeunes gens relèvent la tête pour apercevoir la montgolfière maintenant à la verticale et qui paraît sur le point de prendre son essor. Parce qu'ils croient que le ballon va partir sans eux, ils quittent les jumelles précipitamment. Pendant tout le voyage, Tran et Jos éprouveront un vague sentiment de culpabilité à l'idée d'avoir abandonné trop rapidement leur compagne, car le ballon met encore un bon dix minutes avant de commencer son ascension.

Les garçons sont les derniers à monter à bord de la nacelle, en compagnie des deux photographes, et sont accueillis par de nombreux bras qui les aident à les rejoindre, pendant que les pilotes et leurs apprentis s'affairent aux préparatifs du départ. Des ordres criés par le capitaine aux hommes qui retiennent encore le ballon au sol avec les câbles, permet à tout l'appareil de s'élever à quelques pieds de terre. Bon enfant, la foule applaudit. Sur les pourtours de la nacelle, sont accrochés des sacs de sable qui pèsent près de deux mille livres, ce qui pourrait permettre à la montgolfière, lorsqu'ils sont délestés, de rester jusqu'à douze heures en l'air.

Le ballon continue lentement son ascension à mesure que les hommes, à terre, relâchent les câbles qui le retiennent. Cette opération de départ est lente et nécessite beaucoup d'habileté de la part du capitaine, pour que, peu à peu, la montgolfière gagne une trentaine de pieds, dépassant ainsi la cime des arbres et les toits des maisons environnantes.

Sans doute parce qu'ils sont les plus jeunes, Tran et Jos ont été portés au premier rang des passagers, du côté où ils peuvent apercevoir leur ami Josse avec les jumelles. Celles-ci, avec leurs fichus jaunes, font des au revoir, en les balançant comme des oriflammes. Elles sont bientôt imitées par de nombreuses autres femmes. Certaines, qui n'ont de jaune que le chapeau, l'ont retiré et le brandissent à bout de bras en guise d'adieu. Lorsque, enfin, les câbles ont tous échappé à ceux qui les retenaient, c'est au tour des hommes d'enlever leur couvre-chef. Avec des hourras répétés, ils le lancent en direction de l'aéronef, tentant d'atteindre la base d'un des nombreux câbles qui se balancent doucement dans le vent. Lorsque l'un d'entre eux réussit et atteint son but, avant que la montgolfière ait pris trop d'altitude, des cris redoublés montent jusqu'aux passagers penchés sur les bords de la nacelle.

Le grand ballon jaune continue de s'élever majestueusement au-dessus de la Commune et de la petite ville de Salem. Pendant quelques instants, il flotte au-dessus de Washington Square, comme s'il hésitait à s'en éloigner, ou comme pour faire un dernier salut avant le voyage.

Pour Tran et Jos, toujours appuyés au garde-fou, leurs amis ne sont plus que des lilliputiens qu'ils perdent complètement de vue quand le ballon s'éloigne vers le nord, poussé par un courant d'air soufflant du sud. Le bruit du gaz, s'échappant du chalumeau, est encore assourdissant, mais les passagers commencent à s'y habituer. Puis, lorsque la montgolfière a atteint une altitude de six cents pieds, le pilote diminue les gaz et laisse glisser son vaisseau aérien sur les ailes d'un vent doux comme un alizé austral.

Lorsque l'échappement des gaz est réduit au minimum, tous les passagers cessent de parler, comme sidérés, puis ensuite séduits par le silence auquel les cités modernes ne les ont pas habitués. Certains sont nerveux, croyant qu'une consommation constante des gaz est nécessaire au maintien du ballon dans l'air. Le pilote les rassure, mais quelques-uns restent inquiets, leur visage conservant une pâleur anormale. D'autres qui, sur l'eau, sans doute, auraient le pied marin, paraissent plus à l'aise, car ils rient, bavardent et semblent bien s'amuser. Ben Laverdure est de ceux-là. Il n'attend pas longtemps avant de sortir de sa poche un flacon en cuivre rouge qu'il a emprunté à Siméon Thibodeau pour le voyage. Il est rempli de gin dont il a, dans son sac, en plus de sa couverture, une ample réserve.

Selon son habitude, Ben est généreux et fait circuler la bouteille parmi ses compagnons. Trois autres passagers, qui avaient pris de semblables précautions, partagent aussi leurs provisions. La plupart, sauf les pilotes et leurs apprentis qui s'en abstiennent, paraissent heureux de l'offre. Le capitaine, voyant la tournure des événements, demande que ceux qui ont apporté de l'alcool le placent dans une seule malle dont lui et ses hommes auront la supervision. Ils décident d'exercer un certain contrôle sur la rythme de consommation. Malgré cette restriction et en dépit de la nervosité éprouvée par le plus grand nombre, l'ébriété ne monte pas aussi vite qu'on aurait pu s'y attendre.

Le ballon se déplace maintenant au-dessus des campagnes qui défilent lentement sous leurs pieds. Tran et Jos, qui n'ont pas quitté leur poste d'observation depuis le début, ne cessent d'être émerveillés par tout ce qu'ils voient. Tran pose mille questions aux pilotes et leurs apprentis qui lui répondent toujours patiemment avec moult explications. L'expédition a maintenant pris une autre direction et se met à dériver carrément vers l'ouest. Le capitaine explique aux garçons qu'ils viennent de rencontrer un autre courant d'air, mais qu'il ne désire pas diriger son ballon trop longtemps dans cette direction.

— Comment allez-vous vous y prendre, demande Tran au pilote, si vous voulez changer la destination?

— Il faut trouver un autre courant d'air qui ira dans la direction désirée. Pour cela, soit je continue l'ascension, soit je perds un peu d'altitude.

— Nous ne sommes pas encore très haut, dit le jeune voyageur.

— Tu as raison, mon garçon. Nous allons nous élever davantage, une centaine de pieds, peut-être, afin de trouver le courant qu'il nous faut.

À son signal, son assistant et les apprentis laissent tomber un peu de lest et le ballon recommence à s'élever pendant quelque temps. Au bout d'une dizaine de minutes, la montgolfière dérive doucement vers le sud, mais l'air ambiant est plus frais, même si les rayons du soleil de cette fin d'après-midi frappent la nacelle de toute leur force.

Il y a maintenant deux heures que le ballon a pris les airs et jusqu'à maintenant, il a couvert près de cent milles terrestres qui l'ont emmené d'abord vers le nord, puis vers l'ouest et enfin en direction du sud. Depuis la nacelle, les passagers peuvent apercevoir Boston et Cape Cod au loin devant eux. Tran et Jos ne se contiennent plus de joie. Ils sont émerveillés d'avoir pu faire ce trajet si rapidement. Il est près de six heures lorsque le pilote fait descendre la montgolfière à une centaine de pieds du sol. Un autre courant d'air plus chaud, venu du sud, transporte le ballon en direction nord, vers le point de départ. Les deux garçons paraissent déçus.

— Nous rentrons déjà? demande Tran au pilote.

— Non, non! Je veux profiter du soleil descendant pour passer une fois, à basse altitude, au-dessus de Salem et de la Naumkeag qui ont fait les frais de cette expédition. Nous poursuivrons ensuite vers l'ouest, avant de revenir sur nos pas.

Les deux amis espèrent que les jumelles ont regagné leur maison et qu'elles seront dans le jardin pour qu'ils puissent les apercevoir du haut de leur poste d'observation. Pendant qu'ils se dirigent vers Salem, ils sont penchés par-dessus bord, chacun faisant de grands efforts pour repérer le premier la maison des bessonnes.

Ils sont tellement excités par cette idée que la montgolfière leur semble aller bien lentement. Le capitaine doit les tirer en arrière, car il trouve qu'ils se penchent beaucoup trop par-dessus la rampe. Cela ne diminue pas leur enthousiasme, car ils ne quittent plus leur poste. Ils sont si pris par ce qui se passe au sol qu'ils ne s'occupent plus du reste des passagers qui, pour la plupart, sont groupés au centre, boivent, mangent et bavardent. Il faut croire qu'après deux heures de ce voyage la nouveauté a perdu de son intérêt et les hommes en sont revenus à leur sujet de conversation favori: les affaires. Certains parlent de la commercialisation éventuelle de vols en ballon, de l'organisation de transports réguliers entre Salem et Boston ou New-

York. À cette époque, bien que ce type de vols existe depuis cent ans déjà, ils n'a jamais connu de développement commercial, en dépit du désir de nombreux hommes d'affaires, qui ont tenté de l'organiser. La seule application de quelque utilité, avait été réalisée pendant la récente guerre civile, lorsque les ballons avaient été utilisés comme instruments de reconnaissance des troupes ennemies. Et encore, cela avait été fait avec des résultats mitigés.

L'alcool aidant, la discussion s'échauffe au point que le capitaine est forcé d'intervenir. Il a donné ordre à l'un de ses apprentis, de distribuer de la nourriture, ce qui devrait atténuer l'effet de l'alcool sur ses passagers. Pendant qu'il s'exécute, le capitaine continue de s'entretenir avec ses deux jeunes curieux qui l'inondent sans cesse de questions.

— Volerons-nous à une altitude assez basse pour distinguer les gens autour des maisons? demande Jos à son tour.

— Oui, bien sûr. C'est d'ailleurs ce que m'ont demandé les patrons de la Naumkeag, qui veulent prendre une photographie du ballon volant au-dessus du moulin.

— Volerons-nous juste au-dessus?

— Oui. Si je réussis à bien manœuvrer, je passerai juste au-dessus des installations de la Steam Cotton Company. Deux photographes, en plus de ceux qui nous accompagnent, sont placés sur les toits des maisons de la rue Harbord, en face du moulin numéro un.

— À quelle altitude volerons-nous, monsieur?

— Nous conserverons celle que nous avons atteinte, une centaine de pieds tout au plus.

Jos et Tran n'en peuvent plus d'excitation, lorsque la montgolfière survole à basse altitude le port de Salem et s'aligne sur les réverbères du Derby Wharf. En quelques instants, le ballon traverse la rivière South et s'engage au-dessus des installations de la Naumkeag. Sur un commandement du pilote, tous les voyageurs, sauf Ben Laverdure, se portent du côté ouest de la nacelle, d'où ils seront visibles sur les photographies. Quelques instants plus tard, le gros ballon jaune passe au-dessus du moulin numéro un de la compagnie. Cette partie de l'opération est si réussie que des applaudissements nourris éclatent à bord du vaisseau aérien.

En dépit de la lumière oblique du soleil, les deux amis réussissent à distinguer l'intersection des rues Harbord et Naumkeag, où sont situées la maison des Laverdure et celle des Godfrey. Le soleil couchant frappe le ballon et les empêche de distinguer clairement les activités au sol. Tout ce qu'ils peuvent apercevoir, c'est une forme blanche qui se déplace à l'entour du bouleau, au fond du jardin des Laverdure.

— Ça peut pas être Matante, a porte jamais de blanc, dit Tran à son ami, de la déception dans la voix.

— Mais c'est qui donc? T'es sûr que c'est la bonne cour?

— Oui! Oui! Il faut que ce soit elle, y'a personne d'autre chez les Laverdure. Mais pourquoi s'est-elle habillée de cette façon?

À ce moment-là, les garçons, qui ont presque oublié le plan polisson de l'épicier-boucher, voient un objet sombre descendre du ciel et tomber dans le jardin. Ben a si bien visé que la corneille morte a atterri juste aux pieds du spectre blanc.

C'est à ce moment que les photographes prennent des clichés de toutes les installations de la Naumkeag. Sans que le capitaine semble s'en inquiéter, car son objectif est atteint, le vaisseau survole la rue Union en direction de la Commune, le point de départ de la randonnée.

Tout de suite après la prise des photos, Tran se retourne pour voir ce que fait son patron, mais il ne le trouve plus. Sa première réaction est de chercher autour de lui pour voir s'il ne s'est pas joint aux autres, dont les regards sont fixés vers l'avant. Quand Tran comprend que l'épicier-boucher n'est plus à bord, il saisit le bras de Jos avec vigueur.

— M. Laverdure! Où est passé M. Laverdure?

Inquiets, les deux garçons fendent la foule qui se presse derrière eux et se dirigent rapidement du côté de la nacelle où Ben était penché, observant les maisons que l'on venait de survoler. C'est alors que Jos, le premier, fait l'horrible découverte.

Le geste muet, les yeux agrandis par l'horreur, il pointe le doigt en direction du clocher de l'église *Immaculate Conception*. Intrigué, Tran suit des yeux la direction qu'il lui indique. C'est alors qu'il aperçoit, à son tour, l'épouvantable réalité. On peut voir, empalé sur la croix qui domine le temple, se balancer le corps de Ben Laverdure qui, dans les reflets rouges du soleil couchant, semble secoué par des soubresauts.

Les garçons sont tellement sidérés par cette vision qu'ils en restent muets de stupeur. Ce n'est qu'au bout de quelques secondes que Tran retrouve ses esprits et lance l'alarme.

C'est aussitôt une cohue momentanée. Tous parlent en même temps, jusqu'à ce que le pilote, d'une voix forte, leur commande le silence. Il annonce qu'ils vont atterrir immédiatement, mais qu'ils n'auront probablement pas le temps de descendre sur le terrain de la Commune. Grâce à de rapides manœuvres, la montgolfière réussit quand même à se poser dans un terrain vague du nord de Salem, à proximité du cimetière catholique.

Pendant tout le vol, des gens, sur terre, ont suivi, tant qu'ils ont pu, le déplacement du ballon. Aussi, y a-t-il déjà quand même deux voitures et cinq ou six personnes qui se sont portées rapidement vers l'aéronef pour l'accueillir à son atterrissage. Le plus gros des curieux s'est attardé, rue Walnut, à l'église *Immaculate Conception*, où commence déjà à s'attrouper une foule énorme.

Les deux garçons sont les premiers à sauter à terre, dès que la nacelle est immobilisée et avant même que le ballon ait été dégonflé. Ils convainquent rapidement l'un des deux propriétaires de voiture de les conduire immédiatement sur les lieux de la tragédie. Pendant que le cheval emprunte la rue North et traverse le pont de la rivière à vive allure, les deux garçons restent silencieux, encore sous le choc de ce qu'ils viennent de voir.

Lorsqu'ils arrivent, au bout d'une quinzaine de minutes, devant le temple de la rue Walnut, des échelles sont déjà appuyées au clocher. Sur la croix pend toujours le corps maintenant immobile de Ben Laverdure. Deux hommes montent sur le toit de l'église et, grâce à un câble, ils hissent jusqu'à eux deux échelles plus courtes qu'ils installent de chaque côté du clocher. Ils en immobilisent les pieds avec de solides clous qu'ils enfoncent dans le toit en tôle presque neuf.

Ils se hâtent tant qu'ils peuvent, mais personne ne se fait d'illusions sur le sort de l'épicier-boucher. Le sang qui dégouline sur le toit argenté de l'édifice en dit long sur son état. La partie haute de la croix a traversé son abdomen de part en part, pour ressortir entre les vertèbres, ce qui fait que le corps, partiellement soutenu par les bras de la croix, semble flotter à l'horizontale.

Il faut quatre hommes pour soulever le cadavre de Laverdure, le dégager et le descendre sur la pente du toit de l'église, où le retiennent deux compagnons qui les ont rejoints. Quelques minutes plus tard, grâce à d'autres câbles et l'aide de plusieurs hommes, le cadavre atteint la terre ferme où déjà des centaines de curieux se sont massés. Dans tout ce brouhaha, le curé, l'abbé Georges Talbot et un médecin se sont agenouillés près de la dépouille du pauvre boucher, dans l'espoir insensé de lui être encore utile. L'un comme l'autre, hélas, savent déjà qu'il est trop tard. Le curé, ayant extrait de sa poche une étole violette, se la met au cou et commence à tracer des croix avec son pouce droit, sur le corps de la victime, après l'avoir trempé dans des saintes huiles qu'il avait apportées avec lui. Ce faisant, il récite les prières aux agonisants, pendant que les spectateurs observent la scène dans un silence ému et respectueux.

C'est en se relevant que le prêtre aperçoit, au premier rang des témoins, les bessonnes en compagnie de Josse Thibodeau, Tran Godfrey et Jos Poirier. Ces deux derniers, accompagnant chacun une jumelle, regardent la scène, les yeux agrandis de stupéfaction. Tran ne manque pas de noter que Ben Laverdure porte encore, attaché à sa ceinture, le sac de toile grise, maintenant vide et qui avait contenu la corneille morte. «Il a donc fait son coup», se dit le jeune homme, sans partager avec personne cette constatation.

Quant à Josse, il a perdu, pour une fois, son éternel sourire et son visage n'exprime plus que l'horreur ressentie à la vue de ce spectacle.

— Que faites-vous là? demande l'abbé Talbot, troublé par des circonstances si tragiques.

Les jeunes gens restent muets à cette question du prêtre. Celui-ci se reprend en attirant les bessonnes vers lui. Il les prend par les épaules et les presse sur sa poitrine.

— Mes pauvres petites, mes pauvres petites répète-t-il, comme si la douleur l'avait privé de son vocabulaire.

Lorsque le prêtre les relâche, chacune se réfugie dans les bras de son amoureux. Pendant que ceux-ci tentent de les réconforter, des larmes coulent en silence sur le visage des jeunes Laverdure. Autour du petit groupe, des centaines de gens, que le spectacle a attirés, observent sans mot dire la triste scène qui se déroule devant eux.

C'est à ce moment-là que surviennent les forces constabulaires et les ambulanciers. Rapidement, le corps de Ben est placé sur une civière, puis transporté dans une voiture qui le conduira à la morgue. Peu démonstratives, les petites sont restées blotties contre la poitrine de leur amoureux.

— Venez, mes enfants, rentrons à la maison, leur commande le prêtre, une grande douceur dans la voix.

Les jumelles et leurs quatre compagnons, empruntant les rues Union et Peabody, arrivent rue Harbord en moins de dix minutes. Ils y trouvent Cédulie Doiron qui, les yeux secs, le regard vide, est assise, le buste raide, sur une chaise, dans la cuisine. Ses mains sont croisées sur son giron et son visage est figé dans une sorte de rictus horrible dont on ne sait s'il est causé par l'horreur ou par la satisfaction. Elle paraît regarder ses nièces entrer avec le curé et ses jeunes compagnons, mais elle ne les voit pas. Il semble aux nouveaux venus qu'elle est encore sous un choc si grand qu'elle n'est pas tout de suite consciente de leur présence. À cause de circonstances aussi inusitées, Jos Poirier s'est hasardé à suivre les autres jusque dans la maison. Il a pensé que Matante serait beaucoup trop secouée pour soulever quelque objection à sa présence, ce qu'elle n'aurait pas manqué de faire en d'autres temps.

Sur un signe du curé, les jeunes gens se retirent dans le salon où, jusqu'à ce matin même, depuis la naissance de ses filles, dormait toujours Ben Laverdure. Une fois la porte refermée, l'abbé Talbot s'approche de la vieille fille qui, pour la première fois depuis qu'ils sont entrés, remue les paupières, émergeant de sa torpeur.

— Mademoiselle Doiron, je vous offre toutes mes sympathies, commence le prêtre en voyant sa paroissienne s'animer enfin.

Celle-ci pose les yeux sur l'abbé Talbot, légèrement surprise, comme si elle l'apercevait pour la première fois. Pendant un moment, elle le contemple d'un air si distrait qu'il se demande si elle l'a bien vu. Puis, son regard se transforme et prend une expression étrange que le prêtre ne lui a jamais vue auparavant. Sans pouvoir s'expliquer pourquoi, il tressaille légèrement, comme parcouru par un frisson. De toute sa vie, il n'a éprouvé une sensation aussi singulière.

— Y a-t-il quelque chose que je puis faire pour vous, mon enfant? demande Talbot avec sollicitude, essayant de chasser son malaise.

À cette question du prêtre, Cédulie Doiron paraît revenir sur terre, comme si elle sortait d'une transe inexplicable. Avec une certaine maladresse, elle pose les mains sur son siège et entreprend de se lever. L'abbé lui tend le bras pour l'aider à se mettre debout, mais la vieille fille ignore son geste. Au lieu de se redresser, elle s'agenouille devant le prêtre et lui demande de la bénir. Quelque peu étonné, l'abbé Talbot hésite un moment puis, se ravisant, étend les mains au-dessus de la tête de Cédulie.

— Mon Dieu, bénissez cette enfant qui vient de connaître une grande épreuve. Puissiez-vous, Seigneur, lui donner la force nécessaire pour traverser ce moment difficile et pour renforcer sa foi en Vous.

Puis, ayant touché sa paroissienne sur le sommet de la tête, le prêtre trace au-dessus d'elle le signe de la croix.

— Au nom du Père, du Fils et du Saint-Esprit, prononce-t-il, pendant qu'elle se signe lentement.

La bénédiction terminée, la gardienne des jumelles reste agenouillée devant l'abbé Talbot, embarrassé par cette conduite inusitée. Il tend les mains pour l'inciter, encore une fois, à se relever. Mais elle ne répond pas plus à cette deuxième invitation qu'à la première. Le curé de Saint-Joseph, gêné par ce comportement qu'il ne comprend pas, laisse tomber ses bras, comme pour marquer son impuissance.

Puis, sans ajouter un seul mot, il laisse Cédulie Doiron toujours agenouillée sur le plancher de la cuisine et quitte la maison de Ben Laverdure sans autre cérémonie.

6

Une semaine seulement après le vol de la montgolfière, Honoré Beaugrand, rédacteur de *L'Écho du Canada* est assis dans la cuisine des Godfrey, véritable porte tournante de visiteurs, amis, voisins, famille. C'est dimanche, donc jour de congé pour tout le monde. Il est venu s'entretenir avec Tran de l'article qu'il lui a commandé sur le vol en ballon au cours duquel Ben Laverdure a perdu la vie.

— Vous seriez mieux dans le salon pour parler, suggère Jeanne Godfrey au visiteur. Ici, il y a toujours un va-et-vient continuel. Vous ne serez pas tranquilles deux minutes.

— Prenez plutôt mon bureau, c'est plus intime et y'a tout ce qu'il faut pour écrire, renchérit Emil Godfrey.

Quelques minutes plus tard l'éditeur et son journaliste en herbe sont installés confortablement dans le petit cabinet de Godfrey où Jeanne leur a servi du café. Tran est fort intimidé par la visite de Beaugrand. Il ne sait pas si elle a du bon et cela le rend mal à l'aise. Aussi, il attend sagement dans son fauteuil avec, sur ses genoux, la copie de son article. Il s'agit de l'épreuve de l'atelier du journal, reçue la veille.

En effet, il aurait dû paraître dans l'édition du samedi 13 septembre, mais il n'y était pas. La déception fut grande. Tran avait donc décidé de se rendre à Fall River, la semaine suivante, pour rencontrer M. Beaugrand et voir de quoi il retournait. Mais, comme on peut le voir, l'éditeur lui-même de *L'Écho du Canada* l'avait devancé. Avec l'épreuve de son article, il avait fait parvenir, la veille, un message à Tran pour annoncer son arrivée. La lettre n'avait rien dit de plus, ce qui avait créé une grande angoisse chez Tran et de l'inquiétude dans sa famille. L'arrivée de l'éditeur avait été attendue avec quelque anxiété.

— Avant toute chose, mon garçon, commence Honoré Beaugrand, il faut que tu saches que j'aime beaucoup ton article.

Tran, surpris par une telle entrée en matière, relève les paupières et rougit violemment en regardant l'éditeur à travers ses longs cils soyeux.

— N'es-tu pas content? s'enquiert son visiteur, devant le silence du jeune homme.

— Oui! Oui! monsieur Beaugrand s'empresse de répondre Tran, malgré sa timidité, tout en secouant la tête pour accompagner et renforcer ses paroles. Je vous remercie. Mais...

Ici la voix de l'adolescent traîne, puis s'arrête complètement.

— Mais quoi? demande l'éditeur.

— Mais pas assez bon pour le publier.

Tran n'en croit pas ses oreilles. Il a osé dire tout haut ce qu'il pensait tout bas. Il est à la fois ravi de son audace et inquiet des conséquences.

— Non, Tran, je ne serais pas prêt à dire qu'il n'est pas assez bon pour être publié. Je dirais plutôt qu'il est assez bon pour paraître, non seulement dans mon journal, qui n'est qu'un petit hebdomadaire de province, et de plus en français, mais encore assez bon pour être publié dans n'importe quel grand quotidien de Boston ou de New York. Il a cette qualité-là.

Tran est abasourdi. Il ne s'attendait pas à une évaluation aussi flatteuse. À cause de cela, il comprend encore moins pourquoi son papier, s'il est si bon, n'a pas été publié.

— Je sais ce que tu penses, mon garçon, poursuit le perspicace éditeur. Tu te demandes sans doute ce qui m'a retenu de le faire paraître, tel qu'entendu, dans l'édition du samedi 13 septembre.

Le jeune Godfrey acquiesce du chef.

— J'aurais pu le publier, et j'ai même failli le faire. Si j'hésite encore, c'est à cause de ton dernier paragraphe. Tu décris, avec précision et avec force renseignements, un vol en ballon. J'ai beaucoup aimé tes réflexions personnelles. Elles indiquent que tu as de l'ordre dans les idées et une connaissance suffisante de la nature humaine pour être capable d'en exprimer les sentiments. À un âge si tendre, ce n'est peut-être pas si fréquent. C'est un bon point en ta faveur.

— Et le dernier paragraphe? demande Tran en levant ses grands yeux bleu délavé sur le visage rond et moustachu d'Honoré Beaugrand.

Cet homme immense, aux épaules fortes et carrées, impressionne le jeune homme. Il se lève lentement, tourne un large dos à son jeune collaborateur, enlève sa redingote, la plie soigneusement et la dépose sur le dossier d'un autre fauteuil inoccupé. Tran se demande ce que veut bien dire tout ce manège. S'il avait déjà connu la salle de rédaction d'un journal et son atmosphère, il aurait compris que M. Beaugrand se mettait simplement en tenue de travail.

— Voyons un peu où nous en étions, continue l'éditeur en se rassoyant. Ah oui! le dernier paragraphe, celui qui m'a incité à en retarder la publication.

Tran apprend ainsi que son papier sera publié, en fin de compte, et qu'il n'est que retardé.

— Nous allons commencer par en faire la lecture, puis nous l'analyserons ensemble.

Tran est heureux de cette occasion qui s'offre à lui d'apprendre les rudiments de son nouveau métier. Il regarde son visiteur droit dans les yeux, cette fois, car ses craintes sont maintenant évanouies. On a aimé son travail et il sera publié. Que peut-il demander de plus? Tous ses désirs sont satisfaits.

— Si tu veux bien, mon garçon, j'aimerais que tu me lises ton article toi-même.

Le jeune homme de dix-sept ans acquiesce et porte à ses yeux la copie qu'il tient sur ses genoux. D'une voix d'abord mal assurée, mais qui se raffermit peu à peu, il commence sa lecture.

Voyage en ballon

Je suis monté hier en ballon pour la première fois de ma vie. Ce fut, pour moi, une expérience inoubliable. Cela veut dire que je m'en souviendrai toujours, car il y a plusieurs raisons à cela.

J'étais en compagnie de quatorze autres hommes, dont mon ami Jos Poirier et mon patron Ben Laverdure, le propriétaire de FINE FOODS, une épicerie-boucherie de la rue Essex, à Salem.

C'était un voyage organisé par la Naumkeag Steam Cotton Company dont le but était de photographier ses installations ainsi que le ballon au moment où il survolerait la manufacture.

Nous devions partir à deux heures, mais notre ascension n'a commencé qu'à trois heures et demie: les pilotes avaient des instructions à donner à leurs deux apprentis.

Le ballon, composé d'une toile jaune et imperméable, avait quatre-vingts pieds de hauteur et trente de diamètre.

La nacelle, qui contenait les passagers, n'était attachée au ballon qu'avec des crochets en métal, douze en tout. Ces petites pièces de fer, dont l'une aurait pu tenir dans une main, voilà tout ce qui retenait notre panier, accroché au ballon gonflé d'hydrogène, et nos personnes suspendues dans l'air. C'est tout ce qui nous empêchait de tomber et d'aller nous écraser sur le toit d'une maison ou dans un champ.

Je crois que la plus remarquable sensation fut le début de l'ascension, quand la terre s'éloigne à une vitesse telle que j'en ai eu le cœur serré. J'ai vu mes amis disparaître si vite de mon champ de vision que j'ai cru, pendant un moment, ne plus jamais les revoir.

Je voudrais parler d'une autre sensation, celle ressentie pendant que nous glissions avec douceur sur les ailes du vent, après réduction des gaz. Ce fut alors le silence total ou presque. Nous n'entendions que le doux frottement de l'air. Je prenais de grandes inspirations car, sur le sol, notre air n'est jamais si pur que celui que l'on trouve à deux, trois ou six mille pieds au-dessus des occupations quotidiennes des hommes.

C'est une bien grande grâce que de pouvoir s'élever ainsi, par la magie de la technique, au-dessus des misères et des joies humaines. Si j'ai aimé m'éloigner des problèmes quotidiens, je n'étais pas aussi content de me séparer de ceux et de celles que j'aime.

J'avais laissé derrière moi, sur les terrains de la Commune de Salem, ma meilleure amie et sa sœur jumelle. Pendant que la montgolfière prenait de l'altitude, je la voyais s'éloigner peu à peu et c'était comme si j'allais la perdre pour toujours. Je savais pourtant (j'essayais du moins de m'en convaincre) que j'allais la retrouver un peu plus tard. Après tout, me répétais-je en moi-même, les montgolfières ne s'écrasent pas, elles atterrissent toujours.

Je viens d'écrire le mot montgolfière ici, mais il n'est pas approprié. Beaucoup de gens l'utilisent pour désigner le ballon. Ils devraient plutôt dire une «charlière», qui est le vrai nom du vaisseau qui nous a transportés dans les airs hier. Les frères Montgolfier, des Français, avaient fait la première ascension en ballon en 1783. Ils avaient alors utilisé de la paille et de la laine comme combustible. Ce fut Jacques Charles qui, peu de temps après, utilisa l'hydrogène pour la première fois, ce que nous faisons encore aujourd'hui.

À quoi croyez-vous que s'occupent les aéronautes, pendant l'envolée? Je m'étais longuement interrogé sur le sujet avant notre ascension. À quoi, m'étais-je dit, passerons-nous notre temps, durant ces nombreuses heures de vol, dans un habitacle de dix pieds sur dix contenant quinze hommes? La réponse m'est venue assez rapidement: à boire et à manger, surtout à boire.

En effet, plusieurs passagers, qui comme moi s'étaient posé la question avant le départ, l'avaient résolue à leur façon. Comme l'expérience les rendait nerveux (Qui ne le serait pas, lorsqu'on a l'ambition de voler comme un oiseau et qu'on n'est qu'un lourd pachyderme?), ils avaient emporté avec eux des provisions suffisantes de boissons alcoolisées.

Mon patron, Ben Laverdure, s'était préparé comme si le ballon devait faire le tour de la planète. Dans son sac, il avait douze bouteilles d'alcool de genièvre, sa boisson favorite. Il ne se doutait pas, bien sûr, qu'elles lui feraient faire un voyage dans l'éternité.

Et quand je dis éternité, je ne fais pas une figure de style. Ben Laverdure n'est pas sorti vivant de ce vol en ballon.

Voilà bien la partie de ce voyage la plus difficile à raconter. Mon ami Jos Poirier et moi gardions un œil sur Ben Laverdure car, même avant l'envolée, il avait déjà bu pour se donner du courage, comme la plupart des gens d'ailleurs. Nous avions bu aussi, mais pas autant que lui. Nous l'avions fait afin de lui tenir compagnie.

M. Laverdure était un patron extrêmement agréable comme on n'en fait plus. Il me traitait correctement. Jamais trop modeste ou trop hautain, il me prenait, sans façon, exactement comme je suis. Je lui en serai éternellement reconnaissant.

Je tentais de lui rendre la pareille et ne faisais jamais grand cas de sa consommation d'alcool, sauf lorsque ses excès exigeaient qu'on s'occupe de lui. J'étais souvent de ceux-là.

Hélas, pendant le vol de la charlière, je dois avouer que j'ai manqué à mon devoir. Je n'ai pas surveillé Ben Laverdure, comme je me l'étais promis. En effet, après quelques heures à survoler la campagne environnante, je ne me suis plus occupé de mon patron, tant j'étais fasciné par le paysage en perpétuel changement qui s'offrait à mes yeux naïfs et étonnés.

Avec mon ami Jos Poirier, je regardais défiler Marblehead, Lynn, les marais Saugus. Ces villages nous paraissaient si petits, depuis notre vaisseau suspendu dans l'azur, qu'ils avaient l'air de jouets et les gens de fourmis. Le comté d'Essex s'étendait devant nous à perte de vue. Nous pouvions même apercevoir Boston, à demi caché par des nuages et la fumée de hautes cheminées. Je vous assure qu'à ce moment-là j'étais heureux et satisfait. À la vue de ces minuscules hameaux, baignés dans la lumière du soleil couchant, je me répétais dans ma tête ces mots du poète français, Charles Baudelaire: «Là, tout n'est qu'ordre et beauté, luxe, calme et volupté.» Comme le lecteur peut le constater, mon esprit était à mille lieues de se douter que nous allions vivre un drame.

La tragédie survint lorsque nous survolâmes le petit Canada. À ce moment-là, à la requête du pilote, tous les passagers s'étaient massés du même côté de la nacelle, pour la photographie. Comme Jos et moi étions les plus jeunes, on nous avait placés devant le groupe, ce qui eut pour effet de nous séparer de M. Laverdure.

Pendant que nous survolions la rue Harbord, et que nous passions au-dessus de la Naumkeag, nous faisions face à la rivière South, tandis que M. Laverdure, seul du côté opposé, jetait les yeux sur les cours arrière des maisons de la rue Harbord. Il nous avait parlé, avant le départ, de son intention de repérer la sienne, afin d'y jeter quelque chose.

Lorsque je vis un objet tomber dans une cour, probablement la sienne, la présence de mon patron me revint à l'esprit. Mais j'eus beau regarder de tous côtés, je ne voyais plus M. Laverdure. Pendant une seconde ou deux je restai figé, alors que l'aéronef glissait lentement et à basse altitude au-dessus du moulin qu'il s'agissait de photographier. Je sortis alors de ma torpeur et secouai le bras de mon ami, Jos Poirier. «Ben Laverdure a disparu, probablement tombé de la nacelle», lui dis-je. En un instant, nous étions de l'autre côté.

En effet, par quelque faux mouvement, ayant voulu trop se pencher, Ben avait dû glisser dans le vide, incapable de se retenir. Le hasard avait voulu que son corps, en tombant, allât s'empaler sur la croix qui surmonte le clocher de l'église *Immaculate Conception* de la rue Walnut.

Quant à moi, je ne vis pas tout de suite ce qu'il était advenu de mon patron. C'est la cour arrière de notre maison, adossée à celle des Laverdure, qui apparut en premier dans mon champ de vision. Je vis une forme tout habillée de blanc qui se déplaçait dans le jardin. J'en déduisis qu'il s'agissait de Mlle Cédulie Doiron, la belle-sœur de M. Laverdure. Elle était debout près d'un grand bouleau, au fond de la cour, et nous avait regardés passer, j'en suis sûr, car son visage était levé vers nous.

C'est alors que je vis le sort qui était advenu à mon patron. En même temps que je contemplais l'horrible spectacle, je notai un détail intéressant. Dans mon champ de vision, le corps suspendu de M. Laverdure, sur la croix de l'église, se trouvait vis-à-vis de Mlle Doiron. De l'endroit où je me trouvais, ils ne paraissaient pas très éloignés l'un de l'autre.

Toutes les personnes à qui j'ai parlé de l'incident, y compris les policiers chargés de l'enquête, croient qu'il s'agit d'un accident. Mais peut-on en être tout à fait certains? Après tout, il n'y a pas de témoins. Personne ne l'a vu tomber. Ben Laverdure a-t-il été poussé par quelqu'un ou bien a-t-il été victime de sa trop grande curiosité? Si oui, que cherchait-il à apercevoir, au juste? Saurons-nous jamais comment ce citoyen de notre ville a connu une fin si tragique?

La lecture terminée, Tran lève les yeux vers M. Beaugrand, qui a écouté dans un silence religieux, les yeux fermés, comme s'il n'avait pas voulu intimider le jeune auteur. Les derniers mots de l'article prononcés, l'éditeur de *L'Écho du Canada* relève la tête et fixe l'adolescent assis en face de lui. Quelques instants, les deux hommes se regardent pendant que résonnent dans leurs têtes les dernières phrases de l'article.

— Eh bien, mon garçon, qu'en penses-tu, de ton papier?

— J'aimerais mieux ne pas avoir à répondre à cette question, M. Beaugrand, parce que je ne sais pas qu'en penser.

— Trouves-tu qu'il y a des choses que tu pourrais changer?

Le jeune homme réfléchit, tout en jetant à nouveau les yeux sur son texte qu'il tient toujours dans ses mains.

— J'aurais voulu commencer par la mort de M. Laverdure, car c'était un événement d'une plus grande importance que l'expédition elle-même. Mais, comme le sujet de l'article était l'envolée en ballon, j'ai décrit les faits dans un ordre chronologique. Est-ce cela que j'aurais dû modifier.

— Non. Dans les circonstances, c'est très bien comme cela, mais je comprends ton dilemme. Je note avec plaisir que tu avais repéré l'élément important de la nouvelle. Ce que je voulais dire c'est qu'on peut toujours trouver des choses à changer dans un article, des fautes à corriger, des détails supplémentaires à apporter, sans parler des phrases que l'on veut polir et enjoliver. Comme tu vois, il reste toujours du travail à faire.

Tran Godfrey a écouté avec attention. La critique ne le blesse pas. Cependant, il voudrait bien savoir comment s'y prendre pour atteindre les buts que le journaliste vient d'énumérer.

— Voulez-vous me montrer comment, monsieur?

— Oui, mon garçon, avec plaisir. Mais avant d'aborder autre chose, parlons du dernier paragraphe.

Tran acquiesce et retourne à son texte.

— Quels mots, dans ces dernières lignes, crois-tu, ont attiré mon attention?

— Vous voulez parler de l'hypothèse que j'avance sur le fait qu'il aurait pu être poussé par quelqu'un?

— Oui, voilà bien une question qui me préoccupe.

— Mon ami, Jos Poirier, qui était à mes côtés, pense comme moi.

— Sais-tu si d'autres passagers ont eu ce soupçon également?

— Non, je ne sais pas, je ne le leur ai pas demandé.

— Peux-tu me décrire plus en détail ce dont tu as été témoin?

— Bien, c'est comme je l'ai écrit...

— Non! Non! Ne relis pas le texte, mais ferme tes yeux et raconte-moi, de mémoire, ce que tu te rappelles.

Le jeune homme obéit et se concentre pour se remémorer la scène.

— Lorsque j'ai aperçu le corps de M. Laverdure en ligne droite avec la silhouette de Matante, il m'est venu à l'idée qu'il y avait un lien entre elle et la chute de son beau-frère. J'ai dit à Jos: «Comme c'est étrange. Ils ont l'air si près l'un de l'autre et pourtant ils se sont toujours détestés. Crois-tu qu'il s'agit d'un accident?» Il m'a répondu que non.

— Je pourrais parler avec ton ami Jos Poirier?

— Bien sûr, je peux l'envoyer chercher.

Tran passe la tête par la porte du bureau, fait part de sa requête et se rassoit aussitôt.

— En l'attendant, j'aimerais que tu me dises pourquoi tu penses que la mort de M. Laverdure n'est peut-être pas un accident.

Le jeune homme baisse les yeux et ne répond pas.

— Tu as écrit, dans ton article, qu'il n'y a pas de témoin, que personne ne l'a vu tomber. Comment peux-tu en être certain?

— La police le dit. Je ne fais que répéter.

— Oui, c'est juste, mais les enquêteurs de la police ne le disent pas de cette façon. Ils rappellent que, jusqu'ici, ils n'ont pas encore trouvé de témoin, ce qui laisse entendre qu'il y en a peut-être eu, mais qu'ils n'ont pas encore été identifiés. D'ailleurs, parmi la foule nombreuse qui a assisté au vol du ballon, il me semble impossible que personne ne l'ait vu tomber.

— Oui, mais l'affaire est déjà vieille d'une semaine. Il me semble que s'il y avait eu des témoins...

— Mais il y en a eu au moins un. D'après ton article, Matante avait les yeux levés vers le ballon au moment où il est passé au-dessus de la rue Harbord. Lui as-tu demandé si elle avait vu quelque chose?

— Oui, je lui ai demandé et la police aussi. Elle dit qu'elle n'a rien vu, que c'était trop haut et trop sombre. Je n'en suis pas étonné, car elle est myope.

— À quel moment, exactement, le malheureux a-t-il fait sa chute? demande encore l'éditeur.

— M. Laverdure est tombé peu après que le ballon eut survolé sa maison, traversé la rue Harbord et la rivière South, et juste avant d'arriver au-dessus de l'église *Immaculate Conception*.

— Tu me sembles bien précis, mon garçon. Comment en es-tu arrivé à cette conclusion?

— J'ai analysé avec attention tous les instants écoulés entre le passage de la charlière au-dessus de la maison de M. Laverdure et son arrivée au-dessus de l'église. D'après mes calculs, et rappelez-vous que j'étais dans la nacelle et que j'en ai gardé souvenance, je crois qu'il s'est écoulé près de trente secondes entre ces deux moments.

— Ouais, c'est bien long pour faire une chute de cent pieds.

— Oui, c'est vrai, monsieur Beaugrand, répond le jeune homme avec une voix plus animée que d'habitude, ce qui passerait chez lui pour de l'enthousiasme; aussi, je suis d'avis qu'il n'est tombé qu'au moment où le ballon arrivait au-dessus de l'église.

— Oui, ça, je puis m'en douter. Un corps du poids de celui de Ben Laverdure n'avait besoin que de quelques cinq à sept secondes, selon la police, pour parcourir la distance entre la nacelle et le clocher de l'église. Alors, que s'est-il passé entre le moment où Laverdure a jeté la corneille morte et celui où il a abandonné la nacelle?

— C'est là, monsieur, que j'ai une explication possible.

— Eh bien, écoutons-la.

Tran Godfrey qui, jusqu'à ce jour, n'a jamais eu une telle conversation d'homme à homme, sur un sujet aussi sérieux que celui-là, se redresse dans son fauteuil et prend quelques secondes pour mettre ses idées en ordre.

— M. Laverdure, le matin même, nous avait fait part, à Jos Poirier, Josse Thibodeau et moi-même, de son intention de jeter une corneille morte dans la cour de sa maison, soi-disant pour faire peur à sa belle-sœur qui, il en était certain, allait sortir dans le jardin pour regarder passer la charlière. Curieuse comme tous les gens de la Pointe, Matante n'allait pas manquer cet événement.

— Mlle Doiron était-elle au courant des intentions de son beau-frère?

— M. Laverdure nous avait défendu d'en parler, mais Josse Thibodeau l'avait dit aux jumelles. Celles-ci ont gardé pour elles-mêmes l'information.

— Même si elle avait été au courant, en quoi cela aurait-il influencé les circonstances qui ont conduit à la mort de Ben?

Ici, Tran Godfrey hésite avant de répondre. Il ne sait pas pourquoi, mais il pense que ce détail est important. Honoré Beaugrand le regarde tout en réfléchissant.

— Est-ce seulement une intuition?

— Si vous voulez, lui répond le jeune homme quelque peu décontenancé de n'être pas davantage pris au sérieux.

— Bon, eh bien revenons à nos secondes écoulées entre la chute de la corneille morte et celle de Ben Laverdure. Que s'est-il passé pendant ce temps?

— Mlle Doiron nous a dit que le ballon volait trop haut et qu'il faisait trop sombre pour qu'elle puisse voir ce qui se passait à bord de la nacelle.

— Ce n'était pourtant pas le cas car, du sol, on pouvait fort bien voir la montgolfière que frappait le soleil couchant.

— Oui, monsieur, c'est vrai, mais Mlle Doiron, comme je viens de vous le dire, est myope et elle n'a jamais porté de lunettes.

— Ah! Pourquoi donc?

— Elle dit que ce que le Bon Dieu a fait est bien fait. Il n'appartient pas aux hommes de le corriger.

— Donc elle a probablement vu passer le ballon, mais l'a perdu de vue immédiatement à cause de sa myopie.

— Je crois même qu'elle n'a pas pu le distinguer correctement tant sa vue est mauvaise à distance. Elle n'a pu voir la corneille morte qu'au moment où elle s'est s'écrasée à ses pieds.

— Justement, à propos de cet oiseau, où est-il tombé précisément?

— Comme je vous l'ai dit, presque à ses pieds. M. Laverdure, s'il avait vécu, aurait été fort heureux d'avoir si bien réussi son coup. Je soupçonne d'ailleurs que c'est dans le but de s'assurer d'avoir atteint la cible qu'il est tombé dans le vide.

L'éditeur regarde son jeune chroniqueur avec un intérêt accru. Tran Godfrey peut lire une interrogation dans ses yeux.

— Bien oui! C'est afin de connaître le résultat de son geste qu'il s'est penché avec autant de témérité hors de la nacelle, au point qu'il en a perdu l'équilibre. Souvenez-vous que son état d'ébriété était fort avancé et ses réflexes bien diminués. Il a mal évalué la distance, cela semble évident, et il a lâché prise.

Honoré Beaugrand contemple en silence le grand adolescent pâle et dégingandé qui est assis dans le fauteuil en face de lui. Il constate combien ce jeune homme est intelligent et perspicace. Il ne regrette pas du tout de s'être déplacé depuis Fall River jusqu'à Salem pour lui parler.

— Mon garçon, reprend enfin l'éditeur en souriant, je crois que tu viens de marquer un bon point.

Tran se redresse dans son fauteuil et toussote pour se donner une contenance. Puis, c'est le silence, comme s'ils avaient épuisé le sujet.

— Je veux revenir au dernier paragraphe de ton article. Avons-nous tout dit...

Beaugrand est interrompu par un bruit à la porte du bureau. Tran, qui est tout près, ouvre lui-même et voilà qu'apparaît Jos Poirier qu'un de ses frères est allé chercher. Après les présentations, le nouveau venu s'assoit sur une chaise à côté de son ami.

— Tu tombes bien, Jos, lui dit l'éditeur d'un ton familier. On allait justement parler de ton rôle dans cette affaire.

Le jeune homme est surpris et inquiet devant cette entrée en matière.

— Non, non! Je me suis mal exprimé, mon garçon. Quand je dis «de ton rôle», je veux parler de ta présence sur les lieux et du moment où vous avez découvert l'absence de M. Laverdure à bord de la nacelle.

— Tran vous l'a pas dit?

— Oui, mais j'aimerais entendre ta version à toi.

Il est bien évident que Jos Poirier n'aime pas le début de cette conversation. Il sait que M. Beaugrand est le directeur d'un journal et que Tran a écrit un article pour lui. Il ne comprend pas pourquoi celui-ci lui pose toutes ces questions et il se méfie. Il regarde son ami, comme s'il cherchait du secours.

— Jos, M. Beaugrand a aimé mon article, mais il voulait vérifier mes dires. Tu peux lui raconter ce que tu as vu.

— Ben j'ai vu la même chose que toi.

— Oui, moi je le sais, mais il voudrait t'entendre le dire toi-même.

— Bon, ben, quand on n'a plus vu M. Laverdure, on est allés tout de suite du côté de la nacelle où il se tenait. Ça nous a pris du temps avant de le trouver. On avait déjà repéré la cour des bessonnes et là, j'ai vu Matante qui gesticulait comme une damnée.

— T'es sûr que c'était Mlle Doiron?

— A l'était habillée en blanc, ce qui n'est pas dans ses habitudes, mais autrement, je l'ai reconnue, y'a pas de doute. Elle avait l'air en beau maudit. J'la voyais qui tendait le poing en l'air en direction du clocher de l'église *Immaculate Conception*. Pis là, ben j'ai pas manqué de découvrir le corps de M. Laverdure, accroché à la croix du clocher.

— Selon toi, est-ce que Mlle Doiron a causé la mort de son beau-frère?

— Tran pense que oui.

— Oui, mais toi, qu'en penses-tu?

Jos fronce les sourcils et regarde Honoré Beaugrand avec hostilité.

— Je pense comme Tran. La vieille sorcière, oh! pardon, je veux dire Mlle Doiron, elle en avait beaucoup contre M. Laverdure. A y'en voulait à mort. A y'a fait peur, pis y est tombé.

— Ainsi Ben et Matante ont tous deux tenté de s'effrayer l'un et l'autre.

Les deux garçons font oui de la tête.

— Il s'est passé combien de temps, d'après toi entre le moment où la charlière a survolé la maison des Laverdure et celui où elle est passée au-dessus de l'église?

— Ben, j'sais pas, une vingtaine de secondes, peut-être, dit-il en regardant Tran, comme pour chercher confirmation.

Jos Poirier est très mal à l'aise et regrette d'avoir accepté de rencontrer l'éditeur de *L'Écho du Canada*.

— Bon c'est toutte? demande-t-il en faisant le geste de se lever de son fauteuil.

Honoré Beaugrand regarde son jeune interlocuteur en souriant.

— Oui, Jos, c'est tout. Je te remercie d'être venu.

— J'peux partir?

— Oui, merci.

— J'irai te voir à soir, lui dit Tran au moment où le jeune homme sort.

Une fois la porte refermée, Beaugrand se penche et tend la main vers Tran pour que celui-ci lui donne l'article de journal.

— Le point que je voulais soulever avec toi, mon garçon, lui dit l'éditeur en jetant les yeux sur le bas de la feuille, c'est celui soulevé par une de tes dernières phrases. Tu as écrit: «Toutes les personnes à qui j'ai parlé de l'incident, y compris les policiers chargés de l'enquête, croient qu'il s'agit d'un accident. Mais peut-on en être tout à fait certains? Après tout, il n'y a pas de témoins. Personne ne l'a vu tomber. Ben Laverdure a-t-il été victime de sa curiosité? Si oui, que cherchait-il à apercevoir, au juste?»

Tran regarde le visiteur, attendant une question. Pour lui, tout est clair et n'a pas besoin d'explication.

— Comme ça, d'après toi, ça pourrait ne pas être un accident?

Le jeune homme fait signe que oui.

— Donc, si c'est pas un accident, ce serait un meurtre.

Même réponse.

— Et si c'est un meurtre, il faudrait qu'il ait été poussé par l'un des hommes qui se trouvait dans la nacelle avec vous deux.

Tran hausse les épaules comme si cette partie de l'analyse manquait d'intérêt.

— Au moment où Ben a disparu, toi et Jos étiez du côté opposé de la nacelle, séparés de lui par la douzaine d'hommes qui lui tournaient le dos. L'un de ceux qui était dans la dernière rangée aurait pu se détacher du groupe sans être remarqué, car vous étiez tous occupés à regarder la manufacture pour la photographie, comme on vous l'avait demandé. Cet homme, alors, aurait pu donner une petite poussée à Ben, qui était probablement déjà à moitié hors de la nacelle, et l'expédier brutalement dans l'éternité.

— Ben, j'imagine que oui, dit Tran un peu étonné par la logique de l'éditeur.

— Es-tu capable de te rappeler le nom de ceux qui étaient sur la dernière rangée?

— Non. Jos pis moi, on nous a fait mettre devant parce qu'on était plus jeunes que les autres. Le pilote, qui donnait les ordres, nous a dit que tout le monde devait regarder vers le moulin, parce que le photographe allait nous prendre en photo.

— Connaissais-tu tous les hommes qui étaient à bord de la nacelle?

— Oui, excepté l'assistant pilote, les deux apprentis et les deux photographes. Y se sont pas mêlés à nous autres, parce qu'on parlait tous en français. Mais le pilote, quand il a vu que tout le monde commençait à être pas mal éméché, il a pris toute la boisson avec lui, pis y n'en donnait qu'une fois de temps en temps.

Honoré Beaugrand, comme s'il était perdu dans ses pensées, hoche la tête plusieurs fois de suite pendant les explications du jeune homme, tout en continuant à fixer des yeux l'article posé sur ses genoux.

— Dis donc, Tran, toi qu'est-ce que t'en penses? Crois-tu qu'il s'agit d'un accident?

Le jeune homme ne répond pas et reste silencieux, tout en observant son vis-à-vis, sous ses paupières à demi baissées.

— J'sais pas, monsieur Beaugrand, finit-il par dire au bout d'un moment. J'sais pus.

— Tu ne sais pas ou tu ne sais plus?

— Avant qu'on s'parle, j'croyais que c'était un accident. Ça, c'était mon idée. Mais j'en avais pas la preuve, parce que personne l'avait vu tomber. Qu'y'aurait pu être poussé par quelqu'un à bord du ballon, ça, faut dire que j'y avais pas pensé. Asteure que vous me l'avez dit, ben, je l'sais pus.

— Ça fait rien, mon garçon. Je trouve qu'on a bien travaillé. Sais-tu ce que je vais faire? Je vais publier ton article tel quel, sauf pour une seule phrase que je voudrais modifier.

Tran regarde l'éditeur d'un œil interrogateur.

— Je voudrais ajouter le mot «encore» dans une phrase de ton dernier paragraphe. Elle se lirait ainsi: «Après tout, aucun témoin qui l'aurait vu tomber s'est encore identifié.» Si quelqu'un se présente un jour, nous n'aurons pas été trop catégoriques. Qu'en penses-tu?

Le jeune Godfrey est flatté de s'être fait demander son avis. Il acquiesce tout de suite à la suggestion de l'éditeur.

— Bien, dans ce cas, ton article paraîtra samedi prochain. Tu recevras une piastre pour ta peine. Est-ce que ça te va?

Tran est abasourdi. De l'argent, tant d'argent pour avoir écrit un texte? C'est le salaire de son père pour le travail d'une journée. Jos et Josse n'en gagnent même pas la moitié pour le même temps. Il n'en revient pas. Surtout que l'idée d'un salaire, lié à l'écriture, ne lui avait jamais encore traversé l'esprit. Pour la première fois, il se dit qu'il vient peut-être de trouver sa vocation.

— J'aurai d'autres articles à te faire écrire. Pour commencer, je voudrais que tu me fasses un papier sur l'enquête des policiers. Tu nous raconteras les conclusions auxquelles ils en sont arrivés.

Sur ces paroles encourageantes, Honoré Beaugrand se lève et prend congé, avec la promesse de revenir. Quelques minutes plus tard, l'éditeur de *L'Écho du Canada* a quitté la maison des Godfrey et toute la famille entoure l'enfant prodige. Tran leur raconte la conversation qu'ils ont eue. Emil, impressionné par l'importance accordée à son fils aîné, manifeste sa joie d'une façon discrète, comme à l'accoutumée.

— J'suis content de toi, mon garçon, lui dit-il, pendant qu'un éclair de tendresse traverse son regard.

Jeanne, beaucoup plus démonstrative que son mari, prend son fils dans ses bras et, tout en riant, lui couvre le visage de baisers.

Depuis qu'il s'est découvert une grande passion pour Modeste, Tran éprouve une sorte d'embarras, lors des manifestations de tendresse de sa mère. Il essaie de cacher sa gêne ce dont Jeanne est bien consciente. Mais elle fait comme si elle n'avait rien remarqué.

Aussi, une fois que chacun a exprimé sa joie, la mère n'est pas surprise lorsque Tran s'excuse et sort dans la cour par la porte de la cuisine. Jeanne n'a pas besoin de suivre son fils des yeux pour savoir qu'il traverse le jardin et pénètre dans celui des Laverdure.

En moins d'une minute, le jeune homme est rendu chez les jumelles. Matante est assise dans une chaise à roulettes[1], au fond de la cuisine et se berce doucement. Toujours vêtue de noir, elle a réussi à se donner une allure de femme en deuil, avec ses cheveux gris tirés en arrière, en un chignon serré, qu'elle recouvre d'un voile noir en satin moiré, retenu sur la tête par des barrettes en écaille également noires.

Quant aux jumelles, elles aussi sont vêtues de noir de la tête aux pieds. Elles n'ont pas discuté lorsque Cédulie leur a imposé ce costume le lendemain du décès de leur père. Lors des funérailles, qui n'ont eu lieu que le vendredi, à cause de l'autopsie ordonnée par la police, elles ont dû revêtir une robe de coton noir à manches longues et étroitement fermée aux poignets et au cou. En plus des chaussures, qui sont toujours noires de toute façon, elles portent une coiffe de même couleur arrangée en forme de bonnet avec festons évi-

1. C'est ainsi qu'on appelait une chaise berçante, en Acadie.

demment noirs. Leur teint laiteux et leurs lèvres vermillon ressortent d'autant plus.

Quand elle le voit entrer, Modeste va au devant de Tran que Matante accueille d'un léger signe de tête, mais sans dire un mot ni jamais cesser de se bercer. Lorsque les bessonnes manifestent leur joie à la visite du jeune homme, la vieille fille ne peut s'empêcher d'intervenir.

— Les enfants, vous êtes en deuil, leur dit-elle sur un ton sévère. Votre père vient juste de mourir. C'est pas correct de rire trop fort. Rappelez-vous, comme je vous le dis souvent: le sourire est angélique, mais le rire est diabolique.

— Oui, Matante, disent en même temps les jumelles.

Là-dessus, pour la deuxième fois en moins d'une heure, Tran raconte la visite d'Honoré Beaugrand. De temps à autre, Modeste ou Mélodie posent une question, se font expliquer tel ou tel point qu'elles n'ont pas tout de suite saisi. Cédulie, contrairement à ses nièces, ne paraît pas aussi curieuse qu'elles et écoute le récit en silence, comme si elle n'y trouvait que peu d'intérêt.

— Ton M. Beaugrand, y devrait laisser les morts en paix, dit la vieille fille, lorsque le jeune homme a terminé.

Tran et les bessonnes, surpris par cette intervention, se tournent vers elle, comme s'ils attendaient une explication.

— Ça fait juste du gribouil[2], du parlage comme ça. Les petites viennent juste de perdre leur père; c'est pas le moment de réveiller les morts. Faut voir que ça leur fait d'la peine.

— Mais, Matante, insiste Mélodie, Tran vient d'obtenir un emploi. Il est journaliste.

2. Grabuge.

— Ça veut dire que tu travailleras pus à la boucherie? Parce que j'comptais sur toi et Josse pour continuer le travail.

— J'ai pas l'intention d'abandonner ma job en ce moment, mademoiselle Doiron, lui répond le jeune homme sur un ton plus froid et plus formel que d'habitude.

— Bon, c'est bien. Tu continueras à la boucherie avec Josse. Moi, je remplacerai Ben à la caisse et à l'épicerie. Les affaires vont continuer comme avant. Vous autres, les petites, vous allez apprendre le métier et vous prendrez ma place dès que vous serez au courant des affaires.

— Mais l'école, Matante. Vous vous rappelez que papa voulait qu'on finisse nos études.

— Y sont finies, vos études. Les filles devraient jamais aller plus loin que la sixième année et vous êtes déjà rendues à la dixième. C'est pas utile et ça coûte trop cher. Votre père avait des idées de grandeur, pas faites pour notre monde. Et puis toute discussion est inutile, c'est moi qui décide maintenant.

Les jumelles et leur ami sont consternés par les propos de la vieille fille. Tran et Modeste, qui avaient souvent fait des projets d'étude ensemble, n'osent se regarder, de peur que leur déception ne se voie sur leur visage, et ne suscite d'autres réactions négatives. Lorsqu'elle a cessé ses injonctions, ils décident tous les trois, sans même se consulter, tant ils sont habitués à ses manières, de changer d'air.

— On va sortir faire une marche, dit Modeste au bout d'un moment.

— Mélodie, tu vas avec eux autres, comme d'habitude.

— Oui, Matante.

Les trois jeunes gens quittent rapidement la maison et se retrouvent aussitôt dans la rue Harbord. Ils marchent en silence pendant quelques minutes.

— Je suis vraiment en colère, dit Modeste, lorsqu'ils sont loin de la maison et que Matante ne peut plus les entendre.

Tran se tourne vers son amie, étonné par une telle confession. Jamais auparavant, il n'a entendu Modeste la douce, la pacifique, exprimer un sentiment aussi extrême. Il ne dit rien; au lieu de cela, il prend la main de la jeune fille dans la sienne pour la réconforter. Ils continuent encore à déambuler en silence et débouchent rue Lafayette, que les réverbères au gaz éclairent doucement. Du coin de l'œil, au moment de remonter la grande artère, Tran voit briller des larmes sur les joues satinées de Modeste. Il s'émeut aussitôt puis s'arrête dans un endroit plus sombre pour prendre la jeune fille dans ses bras. Mélodie, qui a suivi le manège de loin, s'arrête elle aussi, mais à distance, pour attendre patiemment que les ébats soient terminés.

— Tim, lui dit Tran, ainsi qu'il l'appelle dans les moments intimes, je veux te faire une promesse solennelle.

Surprise par le ton sérieux de son ami, Modeste tourne vers lui son visage baigné de larmes.

— Je te jure que tu finiras tes études comme tu l'entends, même si je dois en mourir.

Ah! les beaux rêves de la jeunesse!

— À t'entendre, Tran, j'ai l'impression que tu dis vrai, que tu vas réussir.

— Oui, ma chérie, je réussirai. Mais Dieu sait que je ne sais vraiment pas comment je m'y prendrai.

Lorsqu'ils lèvent enfin les yeux après avoir échangé un long baiser, ils se rendent compte que Mélodie est à leurs côtés. «A-t-elle entendu mon serment?» se demande le jeune homme. «Ça n'a aucune importance, se dit-il, ces jumelles n'ont pas de secret l'une pour l'autre.» Ayant retrouvé leur calme, les trois amis reprennent leur marche en direction de la rue Harbord.

7

Près d'un mois après la visite d'Honoré Beaugrand à Salem, Tran Godfrey se retrouve dans une salle de la First District Court of Essex County. Il assiste, en tant que journaliste, à l'enquête du coroner sur la mort de Ben Laverdure, pour le compte de *L'Écho du Canada*, en compagnie du représentant du *Salem Register*, publié les lundis et jeudis. La nouvelle fait une telle sensation, que même le *Boston Daily Evening Transcript* a envoyé quelqu'un pour couvrir l'affaire.

Tran, qui n'a jamais auparavant assisté au déroulement de telles procédures judiciaires, est tout yeux, tout oreilles. Il est assis dans un banc au premier rang, à côté de son collègue de Salem qui l'a pris sous son aile et l'informe sur le déroulement de ces assises.

Dans la section réservée au public, les passagers de la montgolfière occupent les deuxième et troisième rangées. En tournant la tête, le jeune homme s'est assuré de la présence de Jos Poirier qui, en effet, est assis entre les deux pilotes, sérieux comme un pape. Plusieurs clientes de l'ancien épicier-boucher, une dizaine en tout, sont arrivées tôt pour s'assurer de bonnes places sur les derniers sièges qui restent. Tran, qui les connaît toutes, leur fait un petit signe de tête discret en les apercevant, puis baisse les yeux aussitôt, comme embarrassé par sa propre audace. Lorsqu'il se retourne, de temps à autre, il fait tout ce qu'il peut pour éviter de rencontrer leurs regards. Il en a repéré deux ou trois parmi celles qui insistent toujours, lorsqu'elles viennent chez le boucher, pour se faire conduire dans l'arrière-boutique, afin d'indiquer elles-mêmes au jeune employé le genre de coupe qu'elles désirent. Tran n'avait pas été sans se rendre compte que ces dames étaient, en fait, beaucoup plus intéressées par le boucher que par sa coupe de viande.

Quand un murmure s'élève dans la salle, le jeune homme se retourne à temps pour voir l'entrée des jumelles et de Matante. Celle-ci est tout de suite reconnue, car elle a été caissière pendant quelques années à Fine Foods, lorsque Ben était le boucher. Les trois femmes sont conduites dans la première rangée des spectateurs, réservée à la famille. Cédulie s'assoit entre ses nièces, Mélodie à sa gauche et Modeste à sa droite. Si ce n'était du voile de taffetas moiré de Cédulie, elles auraient l'air de trois sœurs en deuil, car la vieille fille, sous ses frusques sombres et tristes, a une silhouette aussi mince que celle des adolescentes, tenues, contre leur gré, de se vêtir en peureux de corneilles[1]. Elles portent un chapeau en feutre, noir bien entendu, avec de grands rebords qu'elles ont relevés sur le devant. De cette façon, elles peuvent, à travers leurs cils à demi baissés, tout en ayant l'air de rien, suivre les procédures en détail.

Le coroner, Nehemiah Brown, un homme dans la quarantaine avancée, au visage jovial et rubicond, à la moustache fournie et aux pointes fièrement retournées, à la chevelure abondante et en broussaille, entre dans la salle, ce qui a pour effet d'arrêter net les conversations. Tous se lèvent, puis s'assoient à nouveau dès qu'il

1. Expression acadienne pour épouvantails.

a pris son siège. Les spectateurs sont toujours silencieux lorsque l'officier de justice appelle le premier témoin. Il s'agit du policier arrivé sur les lieux peu après l'accident car il patrouillait justement dans la rue Newberry le soir du drame. Dans sa déposition, il ne fait que rappeler les faits. Il établit en premier lieu que le corps de Ben Laverdure, selon plusieurs témoins arrivés en premier sur les lieux, s'était probablement empalé sur la croix de l'église *Immaculate Conception* vers sept heures et quart.

— Probablement vers sept heures et quart? Ça n'est pas très précis.

— C'est que, monsieur, personne ne l'a vu tomber.

— Comment ça, personne ne l'a vu tomber? Toute une ville regarde un vol de montgolfière et pas une seule paire d'yeux n'a eu l'intuition de regarder du côté ouest de la nacelle?

— Hélas, monsieur, en ce temps de l'année, à cette heure, c'est le soleil couchant, mais à terre, il fait déjà un peu sombre.

Agacé par des précisions si peu scientifiques, Brown fait signe au policier de continuer. Lorsque le corps avait été descendu à terre, il a fait identifier le cadavre par un grand nombre de personnes accourues aux premières nouvelles de l'accident.

Ben Laverdure, à sa façon, avait été une célébrité dans la ville. C'était un bel homme, toujours tiré à quatre épingles, qui n'avait pas laissé les femmes indifférentes, et qui avait intrigué et, souvent même, intéressé les hommes par ses fanfaronnades et son sens de l'humour. Même dans la mort, l'épicier-boucher continue de susciter beaucoup d'intérêt.

Brown demande ensuite qu'on entende le médecin légiste qui a pratiqué l'autopsie. Le greffier de la cour informe le magistrat que celui-ci s'est fait excuser, car il a dû prendre le train pour Boston ce matin, appelé d'urgence pour une autre affaire où son expertise est obligatoire.

Le coroner secoue la tête en signe de compréhension puis, après une pause, il ordonne au greffier de continuer. Deux hommes d'âge mûr qui habitent tout près de l'église et qui, arrivés les premiers sur les lieux de l'accident, avaient organisé le recouvrement du corps, suivent le policier à la barre des témoins. Ils racontent en détail comment ils ont trouvé les échelles, de même que les difficultés rencontrées pour atteindre la malheureuse victime, soulever son corps embroché sur la croix de l'église, et le descendre jusqu'à terre.

Tous ces palabres prennent bien deux heures et le coroner Brown annonce une pause pour le dîner.

À une heure, lorsque les assises reprennent, les spectateurs découvrent un tableau noir, à la droite du coroner, devant lequel une petite table porte quinze étiquettes, toutes de mêmes dimensions, sur lesquelles sont inscrits les noms des passagers de la montgolfière. Bien entendu, ce sont eux qui intéressent le public car, s'il y a eu meurtre, il ne peut avoir été accompli que par un des hommes à bord de la nacelle. Depuis le jour de l'accident, chacun a sa théorie sur l'identité de celui qui aurait poussé Laverdure dans le vide.

L'étiquette portant le nom de Ben est déjà apposée au tableau, seule du côté ouest, à l'endroit où se tenait le malheureux au moment de sa chute.

Le coroner fait d'abord venir à la barre Lawrence McDaid, le contremaître chargé, par la compagnie, d'organiser l'expédition et de recruter des hommes assez braves pour tenter une pareille aventure. Avant de lui poser des questions, Brown prie le témoin de placer, sur le tableau noir, l'étiquette portant son nom à l'endroit qu'il avait occupé au moment où les photos ont été prises.

— Qui étaient ces hommes qu'on avait invités à faire ce voyage en ballon? demande le coroner dès que le témoin a repris sa place.

— Si j'exclus les deux pilotes, leurs apprentis et deux photographes, et bien entendu, Ben Laverdure et Tran Godfrey, c'étaient tous des hommes de la Naumkeag, deux contremaîtres, dont moi-même et quatre ouvriers, tous des résidents du petit Canada.

— Est-ce vous, monsieur McDaid, qui avez choisi toutes les personnes qui sont montées à bord de la nacelle?

— Presque toutes, monsieur.

— Quelles sont celles qui l'ont été par d'autres.

— Comme je ne connaissais pas de photographes, le pilote, Bernie Day, qui en engage de temps à autre pour des tâches semblables, m'a offert de s'en charger.

— Les autres personnes l'ont-elles toutes été par vous?

— Non, monsieur, les apprentis pilotes et son assistant l'ont été également par M. Day.

— Ainsi, cinq passagers ont échappé à votre juridiction.

— Si l'on veut.

Le coroner lève les yeux et regarde McDaid en faisant danser rapidement ses épais sourcils broussailleux, ce qui marque chez lui un profond agacement. Il n'aime pas que les témoins prennent de telles libertés verbales.

— Oui ou non? demande-t-il sur un ton un peu sec.

— Oui, monsieur.

— Que saviez-vous d'eux avant le voyage en ballon?

— Je ne connaissais que le pilote. Je n'avais jamais rencontré le copilote, les deux apprentis et les photographes.

— Et les employés de la Naumkeag, vous les connaissiez?

— Oui, monsieur, je connaissais tous les autres, mais ils n'étaient pas tous des employés de la manufacture. M. Laverdure et Tran Godfrey n'en étaient pas.

— Vous voulez parler de la victime?

— Oui, monsieur.

— Comment se fait-il que M. Laverdure ait été du voyage? J'avais cru que seuls les employés de la Naumkeag étaient admis.

— M. Laverdure et Tran Godfrey sont des anciens employés de la Steam Cotton. M. Emil Godfrey, un des patrons, m'a demandé s'il avait droit de donner ses deux places à quelqu'un d'autre. Je lui ai dit que oui et il en a donné une à son fils et l'autre au patron de celui-ci, M. Laverdure.

— Que vous a-t-il dit d'autre, lorsqu'il vous a fait cette demande?

— C'est tout, monsieur, il n'a rien dit de plus. Il n'a pas expliqué sa requête et je ne lui ai rien demandé.

— À votre avis, tous les passagers de ce voyage en ballon, sauf M. Laverdure, bien entendu, sont-ils dans cette salle?

— Oui, monsieur, dit McDaid après avoir jeté un bref regard circulaire devant lui.

— Très bien. Dans ce cas, je demande à tous ceux qui ont fait le vol de la montgolfière de s'avancer dans le plus grand calme et de placer l'étiquette portant leur nom à la position qu'ils occupaient au moment où les photos ont été prises.

Évidemment, des discussions vives et une belle cohue accompagnent cet exercice. Pendant ce grand désordre, Nehemiah Brown reste flegmatique, dans son fauteuil, sans que ses sourcils, même une seule fois ne se mettent à danser. Les quatorze passagers de la nacelle mettent quand même plus de dix minutes à s'entendre sur la position exacte de chacun. Enfin, le calme revenu, le coroner, voyant qu'il n'a rien de plus à tirer de McDaid, le remercie et le renvoie à sa place dans la salle.

Aussitôt, il appelle Tran Godfrey à la barre. Celui-ci, qui s'attendait bien sûr à témoigner, ne pensait pas être appelé si tôt. Il se lève avec hésitation et se tourne du côté de Modeste avant de s'asseoir sur la chaise réservée aux témoins. Il sent que la jeune fille le regarde à travers ses longs cils noirs et qu'elle lui sourit.

— Racontez-moi les circonstances qui ont fait que vous faisiez partie du voyage en ballon, lui dit le coroner, une fois que le jeune homme a décliné ses nom et qualité.

— J'avais proposé à M. Honoré Beaugrand, le rédacteur d'un journal de Fall River, appelé *L'Écho du Canada*...

À ces paroles prononcées en français, les sourcils du coroner recommencent leur danse endiablée. Tran, qui a déjà noté cette particularité du magistrat, s'interrompt.

— Voulez-vous me répéter ça? lui demande Brown le ton un peu brusque.

— *L'Écho du Canada*, monsieur. En anglais, *Echoes from Canada*. C'est un journal hebdomadaire qui sert les francophones de la Nouvelle-Angleterre.

Le coroner secoue la tête rapidement pour montrer qu'il a compris.

— J'avais proposé à M. Beaugrand, son rédacteur, de faire un article sur le voyage en ballon.

— Aviez-vous déjà écrit quelque chose pour son journal auparavant?

— Non, monsieur. C'était la première fois.

— C'était votre propre initiative?

— Oui, monsieur, je veux être journaliste.

Nehemiah McDaid se redresse soudainement à sa table en entendant cette réplique.

— Journaliste, vraiment? Et qu'est-ce qui vous fait croire que vous avez ce qu'il faut pour cela?

Tran est surpris et intimidé à la fois par la question du magistrat à laquelle il ne s'attendait pas. Il ne sait pas que Brown, avant d'être coroner, a été lui-même journaliste. Aussi, en rougissant encore un fois, il hésite avant de répondre.

— Si vous vous empourprez à chaque fois qu'on vous adresse la parole, vous ne ferez pas long feu dans ce métier, mon jeune ami, lui dit le coroner d'un ton bourru, mais bienveillant malgré tout. Et votre article, a-t-il été publié?

— Oui, monsieur.

— Quel jour est-il paru?

— Le samedi, 20 septembre.

— Pouvez-vous m'en faire voir une copie?

— Je n'en ai pas ici, mais je peux en envoyer chercher une tout de suite.

Brown donne alors les ordres nécessaires à cette fin et poursuit l'interrogatoire du témoin.

— Où étiez-vous au moment où la photographie a été prise?

— J'étais dans la nacelle, du côté est, celui qui faisait face à la Naumkeag.

Le coroner plisse le front et louche en direction du tableau.

— Je n'arrive pas à voir votre nom. Indiquez-moi l'étiquette sur laquelle il est inscrit, lui dit le coroner en désignant le tableau noir à sa droite.

Tran Godfrey s'exécute aussitôt et quitte sa place pour aller désigner son nom, qui se trouve vis-à-vis de celui de Ben Laverdure, mais placé du côté opposé.

— Très bien, jeune homme, retournez à votre siège, dit le coroner sur un ton déjà plus amène.

Au moment où il prononce ces paroles, la porte de la salle s'ouvre et un jeune garçon apporte le numéro demandé de *L'Écho du Canada* qu'il remet directement à Brown. Celui-ci l'ouvre, regarde la première page et ses épais sourcils se remettent à danser.

— Je puis vous traduire l'article, monsieur, offre le jeune journaliste qui a compris tout de suite l'embarras du coroner.

— Très bien. Traduisez.

Le jeune Godfrey ne prend que quelques minutes de recueillement avant de commencer, en anglais, la lecture de son article. Lorsqu'il a fini, il regarde Brown et attend la suite. Mais celui-ci n'a pas l'air pressé.

— Plusieurs choses m'intriguent, mon garçon, dans ce papier. D'abord, pourquoi n'a-t-il pas été publié dans l'édition du samedi 13 septembre de *L'Écho du Canada*? Est-ce que, par hasard, il n'était pas prêt?

— Oh non, monsieur, je l'ai écrit le soir même et expédié dès le lendemain, par courrier, au rédacteur, M. Beaugrand.

— Il l'avait donc en mains propres et avait tout le temps qu'il fallait pour le publier dans son édition suivante, n'est-ce pas?

— Oui, monsieur.

— Alors, dans ce cas, qu'est-ce qui l'en a empêché?

— Il voulait que j'ajoute un mot dans le dernier paragraphe.

— Ah oui? Lequel?

— Il voulait que j'écrive le mot «encore» dans la phrase suivante: «...il n'y a pas encore de témoins oculaires qui se soient présentés.»

— Savez-vous si, jusqu'à ce jour, des témoins oculaires se sont présentés?

— Non monsieur, je ne suis pas chargé de l'enquête, je suis journaliste.

Le jeune homme a répondu sur un ton qui étonne un peu ses amis. Il n'est pas, ordinairement, si agressif, si tant est qu'on puisse qualifier ainsi sa réponse qui, chez d'autres, passerait inaperçue. Le coroner, pourtant, semble satisfait de ce qu'il a entendu, car il pose sur le jeune témoin un œil bienveillant.

— D'autres points de votre article, jeune homme, ont aussi attiré mon attention. Vous faites mention du fait que votre patron, Ben Laverdure, avait beaucoup bu. Avait-il bu plus que de coutume?

— Je ne dirais pas qu'il avait bu plus que de coutume. M. Laverdure aimait prendre un p'tit coup tous les jours; ce n'était un secret pour personne. Ce jour-là, il avait apporté, comme bon nombre d'autres passagers, de grandes provisions d'alcool pour le voyage. Mais le pilote, responsable de l'expédition, avait exigé que la boisson lui soit remise. Tous avaient obéi, et c'était à lui de distribuer les rations, ce qui fait qu'en réalité M. Laverdure était peut-être moins ivre, ce jour-là, que s'il était resté à terre.

— En êtes-vous certain?

— Il s'est plaint à moi et à Jos Poirier que le pilote était trop parcimonieux.

— Vous avez dit, dans votre article, qu'il avait beaucoup bu pour se donner du courage. Il devait donc être très ivre.

— Il avait bu le matin, puis il s'était abstenu pendant quelques heures, alors qu'il s'occupait à préparer le tour qu'il voulait jouer à sa belle-sœur.

— Un tour à sa belle-sœur? Quel tour?

Tran paraît embarrassé par la question du juge et se tourne vers les jumelles, assises de chaque côté de leur tante. Celle-ci garde le corps raide et droit et ne s'appuie pas au dossier du banc, comme c'est son habitude. Son visage, à demi caché par le voile de satin moiré noir, ne laisse rien paraître. Le regard de Modeste, par contre, est posé sur lui et cela lui redonne du courage.

— M. Laverdure, dit enfin Tran après que le coroner eut répété sa question, voulait effrayer Mlle Doiron, en jetant, dans le jardin, à ses pieds, une corneille morte et desséchée qu'il avait trouvée le matin même dans un champ.

— L'effrayer?

— Mon patron aimait jouer des tours.

— Aviez-vous vu l'oiseau ou bien en avait-il juste parlé?

— J'ai vu la corneille avant qu'il ne la monte à bord du ballon. Il nous l'avait montrée le matin même.

— À qui l'avait-il montrée?

— À moi et à mes amis, Josse Thibodeau et Jos Poirier.

— L'avez-vous revue par la suite?

— Oui, monsieur. Je l'ai revue pendant le voyage, car j'ai tenu à vérifier si M. Laverdure avait toujours son plan en tête. Il semblait ne pas avoir changé d'idée. J'ai su, depuis, qu'il a effectivement jeté l'oiseau, mais je ne l'ai pas vu faire.

— Pourquoi?

— La charlière approchait du moulin où étaient placés les photographes. Notre pilote nous a commandé de nous porter du côté est de la nacelle, ce que nous fîmes tous. Je crus, en tout cas, que nous avions tous obéi à son commandement. J'ai appris plus tard que M. Laverdure était resté du côté opposé et, pendant que nous avions tous le dos tourné, avait lancé son oiseau au bon moment, car il a atterri à l'endroit qu'il voulait.

— Donc, vous ne l'avez pas vu jeter l'oiseau. Éprouvez-vous quelque culpabilité à ne pas avoir mieux surveillé votre patron, comme vous en aviez le devoir?

— En réalité, je croyais qu'il était avec nous, qui étions tous tournés vers la Naumkeag, pour la photographie. Je ne croyais pas que ma surveillance était nécessaire à ce moment-là.

— Vous vous trompiez donc. C'est à ce moment précis qu'elle aurait dû s'exercer. Mais enfin, ça n'a plus beaucoup d'importance. Il ne faut pas pleurer pour du lait répandu.

Un reniflement, suivi d'un grand soupir se font entendre. Cédulie Doiron réagit à sa façon aux révélations du jeune homme et aux commentaires du magistrat.

Le coroner jette un coup d'œil vers ce bruit insolite, en repère l'auteur, puis se penche sur sa table et fouille dans ses papiers. Il s'arrête longuement sur une note qu'il a prise, pendant que Tran lui faisait la lecture.

— Vous m'avez dit, un peu plus tôt, lorsque vous me traduisiez votre article, que vous y aviez écrit les phrases suivantes qui forment le dernier paragraphe. Corrigez-moi si je vous cite mal:

«Depuis ce vol fatidique, toutes les personnes à qui j'ai parlé de la mort de M. Laverdure, y compris les policiers chargés de l'enquête, croient qu'il s'agit d'un accident. Mais comment peut-on en être tout à fait certains? Au moment où j'écris cet article, il n'y a pas encore de témoins oculaires qui se soient présentés. Personne ne l'a vu tomber.»

— Êtes-vous toujours du même avis?

— Oui, monsieur.

Nehemiah Brown se penche à nouveau sur sa table, déplace quelques feuilles qu'il lit attentivement.

— Au lieu de continuer immédiatement avec les passagers de la «charlière», (c'est bien ainsi qu'elle se nomme, selon votre article, n'est-ce pas? ajoute le coroner en se tournant vers le témoin) je voudrais entendre mademoiselle Cédulie Doiron, à qui cet oiseau mort était destiné.

Au moment où le jeune garçon va quitter son siège, le coroner lui pose une dernière question.

— Couvrez-vous ces assises pour votre journal tout en étant témoin?

— Oui, monsieur, répond le jeune Godfrey en regagnant sa place.

— Très bien. Venez prendre place, mademoiselle Doiron, lui dit Brown, en désignant de la main la chaise à sa gauche.

Cédulie prend un temps infini à aller d'un point à l'autre, accentuant encore davantage son boitillement. Son voile épais descend beaucoup trop bas et l'empêche de se diriger aisément. Le magistrat semble marquer son impatience par une petite toux bruyante et sèche, mais la vieille fille ne se hâte pas davantage.

— Vous pouvez relever ce voile, mademoiselle, lorsque vous êtes dans cette cour. Nous avons besoin de voir votre visage en entier, afin de nous assurer que nous parlons à la bonne personne.

— Je suis en deuil, monsieur, réplique-t-elle sur un ton sec.

— En deuil, dites-vous? Nous verrons cela plus tard, mademoiselle. En attendant, je vous ordonne de lever ce voile et de dégager votre visage. Si vous ne le faites pas vous-même, je prierai les gendarmes de le faire à votre place. Ils n'auront sûrement pas votre délicatesse.

Cédulie s'exécute, mais avec une extrême lenteur, encore une fois, comme si elle acquiesçait, mais à regret, et contre sa volonté. En même temps, un jeune préposé à la cour a déposé l'oiseau sur une table qu'il place ensuite devant le témoin.

— C'est bien cet oiseau mort et desséché qui a atterri dans votre cour, le soir du vol du ballon?

— Oui, monsieur.

— Où est-il tombé au juste?

— Où est-il tombé dans la cour? demande Cédulie.

— Oui, où, au juste, par rapport à l'endroit où vous vous trouviez?

— À mes pieds, monsieur le juge. Un peu plus et je le recevais sur la tête. Ah! Mon beau-frère était un homme bien malavenant.

— Pourquoi votre beau-frère, croyez-vous, a voulu vous jouer ce tour un peu enfantin?

— Enfantin? s'écrie la vieille fille indignée. Il n'y avait rien d'enfantin dans son geste qui était inspiré par le démon. C'était du Ben Laverdure tout craché.

— Diriez-vous que vous étiez des ennemis?

— Je ne sais pas, mais on n'était sûrement pas des amis. C'était pas mon genre de monde.

— Ah? Et pourtant, vous partagiez la même maison, vous viviez sous le même toit.

— Ça monsieur, c'était pour l'amour des bessonnes, pas pour l'amour de Ben Laverdure. J'avais promis à ma sœur, Marguerite, quand elle est morte en donnant naissance aux petites, que je prendrais toujours soin d'elles. Malgré leur ivrogne de père, j'ai réussi à garder ma parole. Aujourd'hui, je suis bien fière de Modeste et de Mélodie. Je les considère comme mes enfants et elles me considèrent comme leur mère.

— Aviez-vous des raisons d'en vouloir à votre beau-frère?

La vieille fille fait entendre un ricanement qui prend le coroner par surprise lorsqu'il s'aperçoit que c'est là sa seule réponse.

— C'est tout ce que vous avez à dire à ce sujet?

— C'est assez, monsieur. J'aurais eu toutes les raisons d'en vouloir à mon beau-frère, pour sa conduite honteuse. Mais c'était un pauvre type, dominé par la boisson. La plupart du temps, il savait pas ce qu'il faisait. C'était un malade.

— Si vous en aviez eu l'occasion, lui auriez-vous fait du mal?

— Comment voulez-vous qu'une faible femme comme moi fasse du mal à une bête enragée, comme quand il était en boisson?

— C'est à moi, mademoiselle, à poser les questions et à vous d'y répondre. Répondez, je vous prie, à celle que vous venez de formuler.

La tante des jumelles reste silencieuse. Son visage se durcit, ses lèvres sont pincées et dans ses yeux brillent des flammèches.

— Je note que le témoin est récalcitrant. Si cela se reproduit, je serai obligé de sévir.

Cédulie continue de regarder Brown avec un air fermé et plein de défi.

— Maintenant, mademoiselle, j'en arrive à ma question principale: avez-vous vu la victime tomber de la nacelle?

— Certainement que je l'ai vue.

— Pouvez-vous nous décrire en détail ce que vous avez vu?

— Bien, décrire en détail, c'est pas compliqué, parce qu'il ne s'est pas passé grand-chose. Ben était à moitié suspendu sur le bord de la nacelle, et tenait dans la main ce maudit oiseau de malheur, dit-elle en montrant du doigt la carcasse aux plumes noires déposée sur la table, devant elle. Je le voyais venir, mais je connaissais pas son plan. Le jeune Godfrey, qui le savait depuis le matin, a pas cru bon de m'en informer avant. Pas plus que Josse Thibodeau, qui aurait pu le faire, quand il est venu prendre les bessonnes pour les conduire à la Commune. Quant à ce vaurien de Jos Poirier, je ne me serais certainement pas attendu de lui qu'il m'en fasse part. Il aurait d'ailleurs pas pu, puisque je lui ai défendu de me parler.

Le coroner Brown regarde la vieille fille avec beaucoup d'attention. Pendant tout son témoignage, son corps, ses mains et son visage n'ont pas bougé d'un poil. À part ses lèvres, et encore le moins possible, seuls ses yeux se promènent du coroner aux gens assis dans la salle.

— Avez-vous vu venir l'oiseau?

— J'ai bien vu que mon beau-frère jetait quelque chose dans ma direction, mais je ne savais pas ce que c'était.

— Vous êtes-vous reculée, lorsque vous avez vu cet objet venir vers vous?

— Certainement pas. Je n'aurais jamais reculé devant Ben Laverdure.

Le magistrat se rend bien compte qu'il a affaire à un témoin aux préjugés indéracinables touchant certaines personnes.

— Lorsque l'oiseau est tombé à vos pieds, qu'avez-vous fait?

— Comment, qu'est-ce que j'ai fait? J'suis pas rentrée dans la maison pour le faire cuire.

— Mademoiselle Doiron, reprend sèchement le coroner, je vous fais citer pour outrage à la cour si vous me répliquez encore sur ce ton. Répondez simplement à la question que je vous pose.

— Bien, j'ai rien fait tout de suite, reprend la vieille fille au bout d'un moment. J'ai regardé la corneille, puis j'ai regardé le ballon et j'ai tendu mon poing dans la direction de mon beau-frère, que je voyais toujours accroché à la nacelle. Il me semblait qu'il riait, ce qui aurait été dans son genre. Il a dû penser, en préparant son coup, que c'était ce qu'il avait jamais imaginé de plus amusant.

— Que s'est-il passé, ensuite?

— Ensuite? Ben, après cela, est tombé, juste comme le ballon passait au-dessus de l'église.

— Lorsque M. Laverdure est tombé du ballon, comment était-il suspendu à la nacelle?

— Bien, il était complètement en dehors, juste accroché avec la main au rebord du panier.

— Sur quoi reposaient ses pieds, s'il était en dehors de la nacelle?

— Sur le plancher, naturellement. De l'endroit où je me trouvais, il m'a semblé que les garde-fous de la nacelle ne recouvraient pas toute la plate-forme et qu'il y avait un espace assez grand autour où l'on pouvait se tenir, pourvu qu'on reste accroché d'une main au garde-fou.

— Pendant que vous regardiez votre beau-frère, ainsi suspendu au-dessus de la ville, avez-vous vu quelqu'un s'approcher de lui?

— Vous voulez dire comme pour lui donner une poussée?

— Oui, pour lui donner une poussée ou encore, seulement lui donner un coup solide sur les doigts, ce qui aurait eu pour effet de lui faire lâcher prise et l'aurait envoyé à sa mort.

La vieille fille prend son temps et réfléchit longuement avant de répondre.

— Non, j'ai vu personne.

— Bien, merci, mademoiselle Doiron. Vous êtes excusée.

Le coroner regarde sa montre, puis la salle d'audience, avant de fouiller encore une fois parmi les nombreuses feuilles qui encombrent son bureau.

— Nous reprendrons demain à neuf heures. Je veux que tous les témoins soient encore présents. La séance est levée.

Lorsque recommencent les audiences, le lendemain matin, le coroner Brown fait venir, au banc des témoins, Bernie Day, qui pilotait la charlière, le jour fatidique.

— Monsieur Day, lui demande le magistrat une fois son identité établie, d'après le tableau placé à ma droite, vous étiez celui qui était le plus rapproché de M. Laverdure, au moment de sa chute. Qu'avez-vous remarqué à ce moment-là?

— Vous voulez dire au sujet de M. Laverdure?

— De M. Laverdure ou d'un autre, peu importe. Dites-moi ce que vous avez observé pendant que le ballon survolait la Naumkeag?

— Pour dire le vrai, monsieur le juge, je n'ai rien vu, vraiment, car j'étais dans la dernière rangée et j'étais occupé à ce que le ballon passe au bon endroit pour les photographies.

— Aviez-vous remarqué que M. Laverdure ne s'était pas joint au groupe des passagers pour la photo?

— Pas tout de suite. J'avais noté que tous n'avaient pas obéi immédiatement, mais je ne me suis pas inquiété. Voyez-vous, j'avais les yeux fixés sur le chalumeau, afin de m'assurer que le ballon garde la bonne altitude pour ce moment crucial de la photo.

— Ainsi, vous n'avez pas remarqué que M. Laverdure avait enjambé le garde-fou et n'était plus à l'intérieur de la nacelle?

— Non. Mais mettez-vous à ma place. Je n'aurais jamais imaginé qu'un passager fût assez téméraire pour poser un pareil geste.

— Est-il possible que l'un des passagers se soit approché de M. Laverdure et l'ait poussé sans que vous en ayez eu connaissance?

Bernie Day hésite avant de répondre. Il ferme les yeux et réfléchit pendant quelques instants.

— Oui, Votre Honneur, c'est possible, car j'étais tellement occupé par autre chose.

— Si la chose s'était produite, combien de temps aurait-il fallu à cette personne pour compléter son geste et reprendre sa place?

— Ça, c'est beaucoup plus difficile à évaluer. D'abord, il aurait fallu, pour qu'il ne se fasse pas remarquer, que ce soit quelqu'un qui se tienne dans la dernière rangée, comme moi.

— En effet, monsieur Day, vous avez parfaitement raison. Autrement, il aurait été remarqué par les gens qui auraient eu à se déplacer pour le laisser passer, ajoute Brown, à qui l'idée ne lui était, vraisemblablement, pas encore venue.

— C'est juste, Votre Honneur et en toute honnêteté, personne ne s'est plaint d'avoir eu à se déranger au moment où la photographie a été prise. Mais si quelqu'un, dans la rangée arrière avait tenté quoi que ce soit en direction de M. Laverdure, il n'aurait eu besoin que d'une ou deux secondes.

— Vraiment? Ce n'est pas très long.

— Non, ce n'est pas long. Mais il faut vous rappeler qu'il n'y avait qu'un espace de deux pieds tout au plus, entre le dernier rang et M. Laverdure. Cette nacelle n'est pas très grande, comme vous savez.

— Le tableau des passagers, tel que représenté ici, reflète-t-il la vérité?

— Oui, Votre Honneur, répond Day sans hésitation.

— Dans ce cas, selon ce que nous venons de discuter, il n'y aurait eu que vous et deux autres personnes au dernier rang, qui auriez pu pousser la pauvre victime vers la mort.

— Oui, monsieur.

— Je suis obligé de vous poser la question: Avez-vous poussé M. Laverdure dans le vide?

— Non, monsieur, répond le pilote d'une voix ferme.

— Connaissiez-vous M. Laverdure avant le vol en ballon?

— Oui, Votre Honneur. Tout le monde connaissait Ben Laverdure. Nous étions parmi ses clients depuis plusieurs années.

— Comment étaient vos relations avec lui?

— Cordiales, mais superficielles.

— Que voulez-vous dire?

— Nous n'étions pas intimes. Nous échangions quelques mots, à la caisse, la plupart du temps des plaisanteries, ce qui était dans son caractère.

— Avait-il bu, dans ces moments-là?

— Si c'était le matin, je ne m'en rendais pas compte. Mais si c'était passé trois heures de l'après-midi, c'était facile à voir qu'il avait bu.

— Comment était-il? Déplaisant? Impoli?

— Oh non! Ben Laverdure était toujours agréable et joyeux. Jamais un mot déplaisant, même en boisson.

— Avez-vous déjà eu l'impression que, ivre, il aurait pu devenir violent?

— C'est bien difficile, Votre Honneur, d'émettre une opinion là-dessus. Je ne l'ai jamais rencontré en dehors de son commerce. Mais je serais fort étonné d'apprendre qu'il pouvait être violent. Mais comme je vous le répète, je peux me tromper.

— Merci, monsieur Day. Ce sera tout.

Les deux apprentis pilotes et l'assistant pilote se présentent à leur tour, racontent en gros les mêmes choses et en arrivent aux mêmes conclusions. Ils nient tous avoir poussé le malheureux vers l'abîme. D'ailleurs, comme ils l'expliquent, aucun d'entre eux n'aurait pu, sans que l'autre le voie, poser un geste en direction de Ben Laverdure. Contrairement au pilote lui-même, ils étaient plus éloignés de la victime. Brown se montre satisfait des récents témoignages et annonce une pause pour aller dîner.

À la reprise des audiences, c'est au tour des employés de la Naumkeag de défiler l'un après l'autre avec la même histoire monotone: ils n'ont pas vu Ben Laverdure enjamber le rebord de la nacelle, pas plus qu'ils ne l'ont vu tomber sur le clocher de l'église. La seule note discordante est celle de Jos Poirier qui, entraîné par son ami Tran lorsque celui-ci s'était rendu compte de l'absence de Ben Laverdure, avait traversé rapidement la masse des passagers rassemblés pour la photo, pour rejoindre l'autre côté de la nacelle où aurait dû se trouver l'épicier-boucher. En compagnie de Tran Godfrey, il avait alors repéré la masse inerte de Ben, empalée sur la croix du temple de la rue Walnut. Il avait été le premier, à bord de l'expédition, à découvrir le corps du malheureux.

La journée est bien avancée, lorsque les derniers témoins du petit Canada ont fini de défiler à la barre.

— Nous reprendrons les audiences demain matin, déclare le coroner un peu avant cinq heures. Nous entendrons les dernières personnes qui nous intéressent, mais qui ne faisaient pas partie du vol de la charlière. Ce sont les deux autres photographes et le médecin légiste, dont on me dit qu'il revient de Boston ce soir par le train de sept heures.

On aurait pensé que, pour cette dernière séance de l'enquête du coroner, l'auditoire aurait été plus nombreux que pendant les deux jours précédents, à cause de l'importance des témoins. Mais, comme les employés de la Naumkeag, dont le témoignage était terminé, avaient repris le chemin de la manufacture et, avec eux, presque tout le public de la Pointe, la salle paraissait presque vide. Seules les dames anglaises, fidèles clientes de Ben Laverdure, formaient presque tout l'auditoire. Avec elles, bien sûr, Matante et les bessonnes, toujours de noir vêtues, Tran Godfrey et ses compagnons journalistes, qui sont maintenant au nombre de cinq, car New York, à son tour, s'est pris d'intérêt pour «l'affaire de la charlière», comme ils l'appellent dans leurs articles, clin d'œil, sans doute, à ce jeune confrère qui leur inspire beaucoup de sympathie.

D'entrée de jeu, Brown fait comparaître ensemble les photographes, car ils étaient tous deux postés sur le toit de maisons de la rue Harbord, face au moulin numéro un de la Naumkeag Steam Cotton Company, une énorme construction en briques, avec ses deux tours plantées au milieu de la structure, et percée de multiples fenêtres sur quatre étages.

— J'étais sur le toit du numéro 68 rue Harbord et mon compagnon sur le toit du 78. De cette façon, nous étions certains de prendre l'ensemble des installations du moulin, avec la montgolfière au-dessus, et deux fois plutôt qu'une.

— Avez-vous apporté avec vous ces photographies?

— Oui, monsieur, je les ai ici, dit-il en tirant une grande enveloppe en papier brun de son porte-documents.

— Faites voir, monsieur, lui demande Brown en tendant la main vers lui.

Le photographe s'exécute et place devant le coroner, à plat sur sa table, deux photographies assez grandes sur lesquelles on distingue non seulement les installations de la Naumkeag, mais aussi toute la charlière. Qui plus est, à l'aide d'une loupe, on peut étudier en détail le visage des passagers massés face aux caméras.

— Ces deux photos, Votre Honneur, ont été prises à deux secondes d'intervalle.

— Ah? comment le savez-vous? demande Brown curieux.

— Je m'étais entendu, avec mon collègue, pour qu'il prenne sa photographie à mon signal, ce qu'il a fait tout de suite après que j'ai eu pris la mienne. Voilà qui explique le délai de deux secondes.

— Ce qui fait que vos clichés sont légèrement différents l'un de l'autre.

— Oui, monsieur. La montgolfière, bien sûr, n'est pas au même endroit sur les deux photographies, non seulement parce qu'elle s'était déplacée au cours de ces deux secondes, mais aussi parce que nous prenions nos photos de points de vue différents.

— Avez-vous observé vous-même ces différences?

— Oui, monsieur, grâce à une loupe, j'ai pu examiner à loisir les visages des passagers dans la nacelle.

— Les voyez-vous tous?

— Non, malheureusement, nous ne pouvons distinguer que les passagers du premier rang, depuis la tête jusqu'à mi-poitrine. Quant aux autres, nous ne pouvons identifier que les visages de ceux du deuxième rang et vaguement ceux du troisième, mais pas du tout les passagers de la dernière rangée, celle où se tenaient les pilotes.

— La position occupée par les passagers, sur vos photographies, correspond-elle exactement à celle du tableau à ma droite?

— Oui, Votre Honneur, je puis l'affirmer sans l'ombre d'un seul doute, car j'ai pu, tôt ce matin, comparer les deux choses. Vos témoins ne se sont pas trompés.

— Vous ne pouvez cependant pas en être aussi certain lorsqu'il s'agit des passagers des rangs trois et quatre.

— C'est juste, monsieur, cependant, les photos nous révèlent des ombres à l'endroit même où vos témoins ont affirmé qu'ils se tenaient. Ils n'ont pas menti sur leur position, pourquoi l'auraient-ils fait sur leur identité?

— Intéressante remarque, concède le coroner, mais qui laisse quand même une zone obscure, si vous me permettez cette précision.

— Oui, bien sûr, il est tout à fait juste que je n'ai pu identifier les pilotes par leur nom, à la place qu'ils disent occuper, bien que je puisse apercevoir une silhouette à cet endroit. Mais elle est trop floue pour que je puisse y mettre un visage.

— Une dernière question, monsieur, après quoi je vous laisse filer. Avez-vous noté quelque chose d'inusité, d'inhabituel, lorsque vous avez examiné, à l'aide d'une loupe, les deux photographies que vous et votre collègue avez prises?

— D'inusité, peut-être, mais ce sera à vous d'en juger. Tenez, ici sur la photo que j'ai prise, nous voyons la tête de Tran Godfrey qui est de profil, alors que tous les autres font face à ma caméra.

— En effet, dit le coroner qui se penche sur le cliché en même temps que le témoin.

Un léger murmure s'élève dans la salle, sans doute à cause des nombreuses supputations que suggère l'observation du photographe.

— Cependant, je m'empresse d'ajouter, reprend Brown, afin d'arrêter les mauvaises langues de courir, que votre témoignage est compatible avec celui de M. Godfrey. Il écrit, dans l'article qu'il nous a lu il y a deux jours, qu'au moment même où la photographie a été prise, la voix de son compagnon, Jos Poirier, cherchant Ben Laverdure, l'a fait se tourner de côté, comme le montre la photo.

— Qui plus est, le cliché suivant nous le montre absent. Il a donc plongé à travers la foule des passagers derrière lui, comme il en a témoigné, en entendant l'appel de son ami. Si vous examinez bien la photo de mon collègue, vous constaterez que les deux hommes qui étaient debout derrière le jeune Godfrey se sont écartés l'un de l'autre et penchent leur visage vers le plancher de la nacelle, sans doute pour suivre les efforts fournis par les deux jeunes hommes pour se rendre à l'arrière.

— Oui, cela m'a été confirmé, hier, par leurs témoignages. Ils sont identifiés sur ce tableau, dit-il en montrant de la main droite le plan des passagers de la nacelle.

— Ainsi, tout correspond. Votre affaire se termine donc.

— Pas encore tout à fait, monsieur. Il me reste encore à rencontrer le médecin légiste qui a fait l'autopsie du cadavre du malheureux Laverdure. Quant à vos révélations, elle m'apprennent que tous mes témoins, ces derniers jours, semblent avoir dit la vérité.

— N'est-ce pas ce que vous pouvez attendre de mieux de pareilles audiences, monsieur?

— Oui, c'est juste, je devrais m'en réjouir. Pourtant, j'hésite à le faire.

— Ah?

— Oui, continue le coroner, ravi des questions du photographe, ce qui lui permet d'exposer ses théories devant des journalistes.

Le photographe, dont ce n'est pas la première parution devant le coroner Brown, connaît bien son homme et il attend la suite.

— En effet, j'ai observé que, lorsque tous les faits convergent dans la même direction, que tous vous poussent à une même conclusion, ou bien qu'ils vous forcent à ne regarder qu'en un seul lieu, mes antennes s'animent et un certain scepticisme s'installe en moi. J'ai souvent remarqué que, dans ces cas, c'est l'homme qui est cause d'une telle unanimité, d'une si grande harmonie des faits.

Nehemiah Brown, fier de son petit exposé, se renverse dans sa chaise en jetant un regard du côté des journalistes. Il constate, avec plaisir, que le jeune Godfrey est penché sur ses feuilles et qu'il prend des notes sans arrêt. Les deux représentants de quotidiens de la métropole, quant à eux, sont assis à leur table, les bras croisés, regardant l'officier de justice avec un petit sourire condescendant.

— Bien, nous nous retrouverons cet après-midi, pour entendre le témoignage du médecin légiste, dit le coroner sur un ton soudainement très sec. Il se lève et, repoussant sa chaise avec trop de précipitation, la fait tomber, ce qui le fait rougir tout comme l'un de ses témoins, deux jours plus tôt.

«Un coroner au caractère chatouilleux», c'est ainsi que les quotidiens de New York l'appelleront, deux jours plus tard, dans leur édition du matin.

Après dîner, c'est d'un air guilleret et avec bonne humeur qu'il accueille le Dr William Flynn, le médecin légiste qui a pratiqué l'autopsie sur le cadavre de Ben Laverdure.

— À quelles conclusions en êtes-vous arrivé, Dr Flynn?

— Eh bien, monsieur le coroner, commence le praticien, tout en s'assoyant le corps droit et les deux mains posées à plat sur la table qu'on a placée devant lui pour qu'il puisse y déposer une importante chemise bourrée de dossiers, commençons par le commencement.

C'était bien là ce qu'avait craint Brown depuis le début de ces audiences, lorsqu'il avait appris le nom du médecin légiste. Les deux hommes, à peu près du même âge, sont les meilleurs amis du monde lorsqu'ils se rencontrent en dehors du palais de justice. Ils jouent aux cartes ensemble, vont aux courses de chevaux régulièrement et, souvent, se rencontrent à l'auberge Seven Gables. Mais, lorsque l'un et l'autre sont assis dans la même salle, assurent leurs fonctions officielles et travaillent sur le même dossier, la bonne entente semble s'évaporer miraculeusement.

Convaincu qu'il a mis sur la défensive le coroner Brown qui est profondément agacé par les manières du praticien et ne se prive pas de le faire voir, le Dr Flynn se lance dans une longue description scientifique de ses travaux qui l'ont amené à dépecer, puis à analyser le cadavre de Ben Laverdure. Il sait très bien que le magistrat ne comprend rien aux termes savants qu'il utilise et que celui-ci en rage. De son côté, Brown feint d'être occupé à mille choses, pendant que le témoin s'exprime comme s'il était devant un aréopage de scientifiques, captivés par ses brillants propos. Il examine ses ongles, consulte ses dossiers, se retourne souvent pour échanger un mot ou deux avec un commis, ou encore en charge un autre d'une commission, comme aller lui chercher de l'eau ou en faire porter un verre au médecin légiste.

— J'ai pensé que vous aviez la bouche un peu sèche, avec un discours aussi aride, docteur, commente le coroner, lorsque Flynn s'interrompt à l'arrivée du commis.

Le médecin grogne, regarde le verre d'eau, en boit une gorgée et continue. Au bout de quarante-cinq minutes, durée limite pour la patience du coroner, celui-ci commence à s'agiter sur sa chaise, toussote, crache bruyamment dans le vase placé à ses côtés, bref fait un tel chahut que le médecin est bien obligé de s'en apercevoir. En général, lorsque ce moment délicat arrive, ce dernier hausse le ton, parle beaucoup plus lentement, faisant de grandes pauses entre les phrases. C'est justement lors d'un de ces arrêts que Nehemiah Brown décide d'intervenir.

— Mon cher docteur, tout ceci est très intéressant, mais pouvez-vous nous dire, maintenant, de quoi est mort Ben Laverdure?

Flynn relève brusquement la tête et jette sur son vis-à-vis un regard meurtrier.

— Depuis une heure que je me tue à vous le dire et à vous le répéter sous toutes ses formes. Je m'aperçois que mes paroles, sans doute trop savantes pour un simple homme de loi, n'ont pas réussi à atteindre le cerveau de la magistrature.

— Cela se pourrait fort bien, monsieur le découpeur de cadavres, et si je suis le seul à ne pas avoir compris, soit. Terminons là ces assises. Les journalistes qui, eux, ont sans aucun doute parfaitement saisi ce que vous avez dit, feront leur rapport dans leur quotidien, où je les lirai pour me renseigner.

Des protestations nombreuses viennent de la table des journalistes. Ils admettent, eux aussi, n'avoir rien compris aux propos trop savants du médecin légiste.

— Ah! mon cher docteur, commence Brown, je vois que je ne suis pas le seul dans ce pétrin. Vous allez donc devoir éclairer ces messieurs aussi.

— Eh bien! commence le Dr Flynn, après avoir compris qu'il vient de perdre cette manche, M. Laverdure est mort des suites d'une complication causée au ventricule gauche...

— Non! Non! monsieur, pas encore ces termes. De quoi est-il mort? Noyé, étranglé, empoisonné, c'est à vous de me le dire.

— Eh bien, ce n'est rien de tout cela, mais je ne peux pas m'attendre à ce vous soyez compétent en des domaines autres que le vôtre, surtout si c'est un champ scientifique qui vous a toujours échappé.

— Alors, vous savez donc que vous avez affaire à un ignorant et que vous devez employer un langage simple. En êtes-vous capable?

— Le citoyen Bénoni Laverdure est mort d'une crise cardiaque, dit enfin le médecin légiste.

— D'une crise cardiaque, vraiment? Eh bien, eussiez vous prononcé ces paroles au début de votre témoignage, que nous serions déjà retournés chez nous.

— Oui! De là-haut, M. Laverdure a été pris d'un soudain malaise qui l'a terrassé, puis il est tombé.

— Voulez-vous dire que, lorsqu'il a été transpercé de part en part par la croix du clocher de *Immaculate Conception*, il était déjà mort?

— Tiens, reprend le médecin, vous êtes plus futé que vous en avez l'air. Eh bien oui, il était déjà mort.

— Vous en êtes certain, il n'y a aucun doute dans votre esprit?

Flynn paraît insulté par l'insistance du magistrat.

— Évidemment que j'en suis sûr, reprend-il sur un ton brusque. J'ai de la conscience, moi, monsieur, lorsqu'il s'agit d'exercer ma profession.

— Bon, Bon! Passons, reprend le coroner, car nous n'en finirions plus. Une dernière question, cher docteur, avant de nous séparer: l'alcool absorbé par M. Laverdure, plus tôt dans la journée, a-t-il pu causer cette attaque cardiaque?

— Ses artères ont pu jouer un rôle indirect, mais je doute fort qu'elles aient été la cause de cette mort. Ben Laverdure était un homme d'une constitution robuste, mais ses artères étaient sans doute en mauvais état à cause d'une consommation abusive d'alcool, je l'admets. Cependant, elles ne l'étaient pas suffisamment pour causer, à elles seules, un arrêt du cœur. Cela serait venu quelques années plus tard. Non, je crois que M. Laverdure, d'où il était placé, a dû voir quelque chose qui l'aura fortement contrarié, au point de lui causer un choc qui aura occasionné un coup de sang; c'est ce qui l'a emporté.

Pour une fois, Flynn venait de tenir un discours que tout le monde semblait avoir compris. Les journalistes écrivaient furieusement sur leurs tablettes, y compris les New-yorkais.

— Docteur, je vous remercie de votre témoignage, dit Brown, ravi, en se frottant les mains. M. Bénoni Laverdure est mort de cause naturelle. Je ne vois aucune raison d'engager plus avant de nouvelles recherches policières. L'affaire est terminée.

Sur ces paroles, le coroner se lève, prend ses dossiers et, après un léger salut de la tête, sort d'un pas vif par une porte pratiquée dans le mur, derrière lui.

8

Dans le petit cabinet où, huit mois plus tôt, il avait bu son dernier verre en compagnie de Ben Laverdure, Tran Godfrey, à sa propre demande, se retrouve assis à côté de Modeste et face à Matante qui occupe l'ancien fauteuil de son beau-frère, au pupitre.

Cédulie a acquiescé à la requête du jeune homme de la rencontrer en compagnie de Modeste. Elle ne craint pas, à cette heure matinale, de détourner temporairement une partie de son personnel de ses occupations habituelles, car il est tôt et les affaires sont encore lentes, les clients peu nombreux. Dans un cas comme celui-là, Mélodie suffit à la caisse et Josse à la boucherie.

Tous les trois sont assis face à face depuis près d'une minute, en silence, mais s'observant à la dérobée. La vieille fille semble prendre plaisir au malaise croissant qu'elle suscite, dans l'esprit des jeunes gens, par son mutisme. De toute façon, comme ce n'est pas elle qui les a convoqués, elle attend patiemment qu'ils commencent.

Cédulie Doiron, maintenant chef de famille, depuis le décès de son beau-frère, est la gardienne légale des bessonnes jusqu'à ce qu'elles aient vingt et un ans. Elle a, de plus, droit de regard sur toutes décisions les concernant, jusqu'à leur majorité, dans quatre ans, le 7 septembre 1878.

— Matante, se hasarde enfin le jeune homme, nous avons une nouvelle à vous annoncer, Tim et moi.

C'est un bien mauvais début et Tran s'en rend compte aussitôt à la réaction de la vieille fille. Elle ne peut tolérer que le jeune Godfrey donne à sa nièce cet horrible prénom qui ressemble à celui d'un homme. Le visage de la Doiron est dur; dans ses yeux, que la compassion n'a jamais de sa vie effleurés, passent des éclairs de colère et de mépris. Depuis qu'elle a charge de la maisonnée, elle ne cache plus sa haine pour les autres humains, en particulier ceux du genre masculin.

Comme pour se donner du courage, Tran prend la main de Modeste dans la sienne, ce qui fait se raidir encore davantage la patronne. La jeune fille lui jette un regard discret en même temps qu'elle tente de le rassurer par des mouvements de sa main dans la sienne.

— Modeste attend un enfant.

Les mots ont à peine quitté les lèvres de Tran que Matante se raidit dans sa chaise, droite comme une barre de fer, en même temps que son visage prend la couleur de la craie.

Le jeune homme a laissé tomber ces paroles avec une lenteur délibérée, non pas nerveusement, à la va-vite, comme quelqu'un qui, se sentant coupable, veut se débarrasser rapidement d'une tâche pénible et douloureuse. Au contraire, il a fait une pause entre chaque mot, comme s'il y prenait du plaisir.

L'air, dans la pièce exiguë, est brusquement devenu épais et lourd. Dans le silence qui suit cette déclaration, on n'entend plus que la respiration rauque et sifflante de la vieille fille, comme si, tout à coup, elle se trouvait au sommet d'une montagne où l'air est raréfié.

L'arrogance affichée par Cédulie Doiron depuis l'entrée des jeunes gens dans son bureau a disparu instantanément pour faire place à un masque de haine et de colère.

Ces deux sentiments, apparemment complémentaires, ne créent en elle que confusion et tourments. En d'autres temps, la colère, si elle s'était manifestée seule, aurait suffit à lui donner l'avantage dans le combat qui commence. Mais la haine, ajoutée à cette première émotion, lui enlève tout contrôle pour exprimer sa rage, son humiliation. La vieille fille, sous la blancheur de son visage, sent une intense chaleur l'envahir, au point que des perles de sueur apparaissent au-dessus de sa lèvre supérieure d'abord, puis autour des yeux et sur les tempes.

Les deux jeunes gens, assis en face de cette femme tourmentée, dégagent leurs mains, jouent avec leurs doigts avant de les croiser, comme pour se donner de l'assurance avant la tempête qui ne peut manquer d'éclater. Cédulie Doiron est tellement désemparée qu'elle ne profite même pas du trouble de plus en plus évident dans lequel le silence qui se prolonge finit par les entraîner.

— Maudits! Soyez maudits tous les deux.

La voix de Matante, lorsqu'elle se fait entendre, est sourde et basse, si basse que Tran et Modeste doivent se pencher en avant pour bien saisir ce qu'elle leur dit. Mais il semble que la vieille fille a épuisé ou ses forces ou son vocabulaire, car après ces quelques mots, elle reste silencieuse, comme si elle n'avait plus rien à dire.

Heureusement pour elle, dans son esprit en feu, une éclaircie lui permet de constater son erreur et de commencer à se ressaisir. Elle ne voit pas encore la question dans son ensemble; tout est encore trop confus. La seule chose qu'elle comprend, c'est qu'il lui faut se calmer et brider ses émotions. C'est justement à ce moment précis que Tran reprend la parole.

— Nous allons nous marier.

Cette fois, Cédulie fait un brusque mouvement de la tête comme si elle venait de recevoir une gifle. En même temps, un petit cri rauque, comme la plainte d'une bête souffrante, s'échappe de sa gorge, pendant que son cou maigre et desséché s'étire tant qu'il peut et que ses narines gonflées inspirent, puis exhalent un air vicié. Ce deuxième coup, qui aurait pu la jeter dans des transes, produit, au contraire, un effet salutaire. Son visage, qui avait commencé de se contorsionner auparavant, finit par se détendre et prendre une forme un peu plus humaine.

Les deux jeunes gens sont fort étonnés lorsque Matante se lève en appuyant ses mains sur le pupitre. Elle paraît maintenant maîtresse d'elle-même, lorsqu'elle les regarde l'un après l'autre, sans dire un mot. Au bout d'un moment de ce manège, Tran s'apprête à dire quelque chose mais la Doiron l'en empêche en lui présentant la paume de sa main droite, comme on fait pour arrêter le geste de quelqu'un.

— Ne dis plus rien. Laissez-moi seule.

— Mais, Matante, dit Modeste qui parle pour la première fois, nous avons besoin que vous nous disiez vos sentiments sur nos projets.

— Allez, sortez. J'ai besoin de réfléchir.

Lorsqu'elle va intervenir à nouveau, la vieille fille leur fait un signe de la main pour les inciter à partir. Les deux jeunes gens se regardent, surpris par cette conclusion qui n'en est pas une. Comme ils savent qu'il est inutile de tenir tête à Cédulie, ils quittent la pièce et referment la porte derrière eux. Ils sont à peine sortis qu'ils entendent la clef tourner dans la serrure.

Tran et Modeste sont déçus et contents à la fois de leur entretien avec la tante. Déçus de n'avoir pu terminer le sujet commencé et qu'ils auraient aimé voir approuvé par la gardienne des jumelles, mais contents tout de même de l'avoir informée de ces deux événements, la grossesse et le mariage.

— Allons voir mes parents, ce soir, après le travail, dit Tran à son amie. Nous y trouverons, je le sais, une réaction qui nous sera beaucoup plus favorable.

Tran, Josse et les bessonnes travaillent le reste de la journée, les filles à la caisse et au magasin, les garçons à la boucherie, à dépecer les quartiers de viande. Pas une seule fois, de toute la journée, Matante ne sort de son bureau, ce qu'elle n'a jamais fait auparavant. Vers le milieu de l'après-midi, des bruits impossibles à identifier proviennent du petit cabinet, mais la porte reste toujours close.

Un peu après six heures, alors que normalement la boutique ferme pour la nuit, les employés de Fine Foods décident de rentrer chez eux sans attendre la permission de la patronne. Pour faire les choses correctement, Tran frappe quelques coups à la porte du bureau.

— Matante, nous allons partir. Venez-vous avec nous?

Personne ne répond, mais des bruits de chaises qu'on repousse, des pas qui viennent vers la porte laissent croire aux jeunes gens qu'elle les a entendus et qu'elle va sortir.

— Mélodie, reste dans le magasin, j'aurai besoin de toi, dit la voix derrière la porte.

Le ton semble posé, naturel et met la jeune fille en confiance. Elle regarde sa sœur, comme pour lui demander conseil. Modeste hausse les épaules, étend les mains en signe d'ignorance.

— Tu veux que je reste avec toi? demande cette dernière à voix basse, afin de n'être pas entendue de l'autre côté de la porte.

— Surtout, je veux que tu sois seule. Les autres rentrez chez vous, dit la Doiron, comme si elle les avait entendus se parler entre eux.

Lorsque rien d'autre ne se produit, ils n'insistent plus et décident de rentrer, laissant Mélodie dans le magasin, selon le vœu de la vieille fille.

— Nous allons fermer à clef, Matante, dit encore Tran à travers la porte, avant qu'ils ne quittent la boucherie.

Plutôt que de rentrer chez elle, Modeste accompagne Tran chez les Godfrey. Lorsqu'ils arrivent au 40, de la rue Harbord, la famille est au grand complet avec, en plus, Jos Poirier qui, comme tous les bons soirs, rend visite à Mélodie. Il l'attend chez les Godfrey où elle se rend, chaque jour, après souper, avec sa jumelle.

Dès l'entrée des jeunes gens dans sa cuisine, Jeanne sent tout de suite qu'un événement hors de l'ordinaire a dû se produire pendant la journée. Elle s'en rend compte par plusieurs signes: la présence d'une seule jumelle au retour du travail, ce qui est inusité, son air malheureux, et la tête que fait Tran en entrant chez lui. Ce dernier détail, surtout, renseigne la mère qui connaît bien son garçon. Quant à Josse, qu'on laisse la plupart du temps dans le noir, lorsqu'il s'agit des histoires de famille, il est souriant comme d'habitude, un contraste frappant avec la mine de ses amis. Le père, Emil, comme chaque soir avant souper, est assis dans sa chaise berçante, au fond de la cuisine, à lire le *Salem Register*. Pour regarder entrer les nouveaux venus, il baisse le journal et leur sourit des yeux, par-dessus ses lunettes, avant de se replonger dans sa lecture.

— Vous devez avoir faim, mes enfants, commence Jeanne Godfrey en s'adressant à sa propre famille et aux quatre adolescents qui viennent d'atterrir dans sa cuisine.

Pas un mot sur leur allure déconfite, chagrine, presque angoissée. Elle sait très bien qu'elle n'a pas besoin de poser de questions, les explications vont venir d'elles-mêmes. Les préparatifs du souper sont presque terminés. Pendant qu'elle met tout le monde à la tâche, qui pour mettre la table, qui pour mettre du bois dans le poêle, qui pour tirer de l'eau, elle engage la conversation sur des sujets anodins.

— Dis donc, Tran, es-tu bien avancé dans l'écriture de ton article pour M. Beaugrand?

— Non, maman, pas tellement.

— Pourquoi penses-tu que c'est si long?

— Je ne sais pas, peut-être parce que je n'ai pas tous les faits.

Jeanne fait oui de la tête, pendant qu'elle sépare ses deux plus jeunes qui se chamaillent pour la possession du chien qui finit, de toute façon, par leur échapper. Lorsque la bête vient se réfugier près de Tran, en mettant sa tête sur ses genoux, tout le monde se tourne vers le jeune homme. L'animal geint, comme s'il tentait de dire quelque chose.

— Le chien te parle, dit Jeanne en riant.

Tran est nettement mal à l'aise. Modeste vient de le rejoindre et s'est assise à ses côtés, tout contre lui.

— Mélodie est-elle restée avec Matante?

Modeste fait signe que oui, mais ne dit pas un mot.

— Oui, dit enfin Tran, elle est restée avec Mlle Doiron, mais pas à la maison. Elles sont encore au magasin.

— Ah? dit Jeanne en suspendant le geste qu'elle allait faire, celui de déposer une assiette sur la table.

Emil a levé les yeux de sur son journal et regarde dans leur direction.

— Si tu commençais par le commencement, mon garçon, dit le père dans son coin, de sa voix grave et posée.

Lorsque Godfrey parle, il ne paraît jamais fâché et ne crie pas. Tran regarde son père qui se lève et s'approche de la table; c'est le signal pour tous les convives d'y prendre place. Emil s'assoit seul à une extrémité et

Jeanne occupe l'autre bout, entre les deux plus jeunes qui, autrement, se chamailleraient sans cesse. Les autres s'éparpillent comme ils l'entendent de chaque côté de la longue table réfectoire qui occupe le centre de la cuisine.

Plus un mot n'est dit, pendant que chacun prend place et que les deux plus vieilles, Léonie et Bibiane commencent à servir la soupe. Une fois qu'elles aussi ont pris leur place, Emil Godfrey donne le signal du commencement du repas. Pendant quelques instants, autour de cette table ordinairement fort animée, on n'entend que le bruit des cuillers sur la porcelaine et celui des bouches aspirant le bouillon à grand bruit.

Tran sait bien que c'est à lui de prendre la parole et de faire cesser cette attente. Il prend le taureau par les cornes.

— Modeste attend un bébé dans six mois. Nous avons décidé de nous marier.

Cette phrase dite, un lourd silence s'ensuit. Tout le monde cesse de manger aussitôt, la cuiller suspendue en attente, comme un symbole de leur curiosité. En même temps, Tran cherche la main de Modeste sous la table et la serre longuement dans la sienne.

Même chez les Godfrey, en dépit de ce qu'en pense Tran, cette nouvelle a l'effet d'une bombe. Les enfants Godfrey regardent leurs parents, attendant de connaître leur réaction et les autres ont les yeux baissés dans leur assiette, incertains de ce qui va se produire, car il n'y a pas de précédent à ce genre de situation dans la famille.

Le silence menace de se prolonger. Modeste est à la torture car, d'après les dires de Tran, ses parents sont des gens compréhensifs qui sauront les aider. L'idée de Modeste avait été de fuir avec son ami vers le Canada, à Saint-Hyacinthe, par exemple, où Tran, du côté de sa mère, a de la famille. Le jeune homme, même si l'idée ne lui déplaît pas, croit que le temps n'est pas venu de s'enfuir. Il pense plutôt qu'il y a d'autres avenues à explorer.

Lorsque Emil Godfrey s'éclaircit la voix et recommence à manger sa soupe, il est imité par les jeunes.

— Eh bien, Jeanne, dit le chef de famille en se tournant vers sa femme, tu vas faire une belle grand-mère.

— Et toi un beau grand-père, mon Emil.

Ces deux phrases, venues des deux extrémités de la table, ont un effet magique sur les convives. Des conversations à voix basses commencent aussitôt, suivies de rires étouffés, bref, tous les bruits d'une animation joyeuse qui sourd doucement. Les phrases du père et de la mère ont crevé l'abcès. Il ne reste plus que la bonne nouvelle, que le grand événement.

Le plus important, dans la réaction des parents, à part le fait qu'il n'y a eu ni colère ni blâme, c'est qu'ils sont tous les deux du même avis.

— C'est une bien grande nouvelle que tu viens de nous annoncer là, mon garçon, continue Emil. Je suis fier de toi, parce que tu as eu le courage de nous la dire telle que c'était et devant tout le monde encore. Je te félicite.

Modeste est renversée par la réaction des Godfrey. Même lorsque Tran lui disait que la nouvelle de sa grossesse n'aurait pas chez ses parents l'effet dévastateur qu'elle avait eue chez Matante, elle ne le croyait pas. Aussi, est-ce en tremblant qu'elle s'était assise à la table à côté de son amoureux. Voyant comment est accueillie la franchise de Tran elle est bouleversée et des larmes coulent doucement sur ses joues satinées.

Sans gêne aucune, car ils n'ont pas été habitués à cacher quoi que ce soit à leurs parents, Tran prend la future maman dans ses bras pour la consoler. Les plus jeunes font des petits rires entendus, pendant que Josse, de l'autre côté de la table, n'en revient pas non plus.

— J'cré ben que vous êtes pas comme nous autres les Acadiens.

Emil Godfrey regarde le jeune Thibodeau en souriant.

— Josse, vous êtes pas si différents que ça de nous. Ta famille est bonne. Je crois qu'elle nous comprendrait.

— C'est vrai, renchérit Jeanne. Je connais ton père et ta mère. Ils ne pourraient pas être contre l'amour. C'est du monde trop aimant eux-mêmes.

— Vous savez, mes enfants, poursuit Emil Godfrey en regardant autour de la table la ribambelle des rejetons de tous âges, beaucoup de gens vont voir du mal, du péché et de la honte dans cette affaire. Mais pas dans cette maison. La venue d'un petit être, qui est le résultat de l'amour et de la passion aussi, bien entendu, ne peut-être que bien acceptée.

— As-tu consulté un médecin? demande Jeanne en femme pratique.

— Non, répond Modeste en baissant la tête. Vous savez comme moi, madame Godfrey, que pour éviter que mon secret soit éventé, je n'en ai parlé qu'à Tran.

— Il serait quand même plus sage de te soumettre à un examen médical. Promets-moi que tu le feras bientôt.

— Nous n'aimons pas beaucoup les médecins, Mélodie et moi. Matante dit que ce sont des vicieux qui ne pensent qu'à des saletés, lorsque les femmes vont dans leur cabinet.

— Je ne veux pas aller contre les édits de Mlle Doiron, poursuit Jeanne en riant, mais je pense qu'il y a peut-être là de l'exagération. Enfin, je veux juste m'assurer que tu resteras en bonne santé.

Jos Poirier, assis à la droite de son ami, a beaucoup aimé la réaction des Godfrey, lui aussi. Pourtant, contrairement aux autres, il n'affiche pas le même sourire heureux. Il semble préoccupé. Pendant que la conversation devient générale et que l'excitation monte, Tran en profite pour questionner son ami à voix basse.

— T'as pas l'air bien content. Est-ce à cause de Mélodie?

— Oui. Son absence prolongée m'inquiète. Qu'elle soit en compagnie de Matante n'a rien pour me rassurer. Tu me comprends?

— Oui, oui, je sais. Mais qu'est-ce que tu vas faire maintenant?

— J'voudrais aller voir ce qui se passe là-bas. Matante m'aime pas et elle me fait peur.

— Peur?

— Oui, peur pour Mélodie. Je pense que c'est une femme méchante, capable de tout.

— Capable de quoi? demande Tran étonné et bouleversé à la fois par les propos de son ami.

— J'sais pas. Pense au pire.

Cette fois, le jeune Godfrey est secoué. Les derniers mots de Jos, prononcés à voix basse, auraient pu être entendus des autres si la conversation, qui avait ralenti, n'avait soudain repris avec plus d'animation. Tran se penche vers Modeste et lui parle à l'oreille. Après quelques instants, elle fait, de la tête, un signe d'assentiment et Tran l'embrasse sur la joue. Le souper tire maintenant à sa fin.

— Jos et moi, nous allons sortir. Nous avons une commission à faire, déclare Tran pendant qu'ils se lèvent tous les deux.

— Vous allez au devant de Mélodie? s'enquiert Jeanne avant qu'ils ne sortent.

— Oui, répond Tran.

— Soyez prudents, mes enfants, ajoute Emil Godfrey. Voulez-vous que je vous accompagne?

— Non, merci, papa. Moi pis Jos, on va être bien capables de se débrouiller.

— Bonne chance.

Les garçons sortent par la porte arrière de la cuisine et vont directement au fond du jardin où se trouve la porte communicante qui donne chez les Laverdure. En passant près du grand bouleau, au fond de la cour, la chaussure de Jos s'enfonce de quelques pouces dans la terre molle. Il retire son soulier en sacrant, avant d'en nettoyer le talon. Les deux amis vont ensuite frapper chez les jumelles, mais personne ne répond.

— Elles sont encore au magasin, sans doute, dit Jos au bout d'un moment. Allons-y.

Ils ne prennent que cinq minutes, presque au pas de course, pour atteindre la rue Essex et l'épicerie-boucherie. Les pièces avant sont éclairées par les lampes à gaz, suspendues au plafond. Tran sonde doucement la poignée de la porte pour voir si elle est fermée à clef. À sa grande surprise, elle cède et les deux garçons pénètrent dans l'établissement.

— Mais y'a personne, dit Tran, alarmé, à son ami.

Dans le magasin, rien ne paraît changé, la caisse est à sa place, intacte, les housses ont été mises sur les vitrines, comme chaque soir; en somme, tout est rangé comme d'habitude sans doute le travail de Mélodie.

Lorsqu'ils se dirigent vers l'arrière-boutique où Tran et Josse travaillent chaque jour, ils constatent qu'elle n'est pas éclairée. Un mince filet de lumière, cependant, coule sous la porte fermée qui donne dans le petit bureau où, ce matin même, quelques heures plus tôt, avait eu lieu la pénible confrontation de Tran et Modeste avec Cédulie Doiron. Lorsque Jos va s'élancer le premier vers le cabinet, Tran le retient.

— Laisse-moi, dit brusquement Jos en dégageant son bras de la poigne de son ami. Mélodie est là-dedans et je veux savoir.

— Attends. Nous allons y aller ensemble. C'est mieux, crois-moi.

C'est quand même Jos qui, le premier tourne la poignée, mais la porte ne cède pas tout de suite.

— Maudit c'est barré, dit Jos exaspéré.

Tran, à son tour, met la main sur la poignée. Comme il est moins nerveux que son ami, son geste est plus adroit et la porte cède aussitôt. Pressé comme dix, Jos repousse son ami, fait quelques pas dans le bureau et s'arrête net.

— Mais, y'a personne, dit-il alarmé.

C'est à ce moment-là qu'ils aperçoivent, en même temps, une paire de chaussures noires, qui ne sont pas celles de Matante, dépassant à une extrémité du pupitre. Jos contourne vivement le meuble, pour se trouver face à face avec la forme allongée de Mélodie sur le plancher. Il se baisse aussitôt, touche son front, son visage, en l'appelant par son nom. Il met l'oreille sur sa poitrine et se relève, l'air soulagé.

— Elle respire, dit-il en lui caressant les cheveux avec dévotion.

Resté figé à la vue de la jumelle, Tran ne peut s'empêcher de penser à Modeste, tant les deux sœurs se ressemblent. S'il ne l'avait laissée bien vivante rue Harbord, quelques minutes plus tôt, il pourrait aisément se persuader qu'il se trouve en présence de sa fiancée. La chose le trouble beaucoup, comme chaque fois qu'il constate à quel point ces deux jeunes filles sont identiques. «Heureusement que, dans la plupart des cas, j'ai mon cœur pour me prévenir, si je me trompe», se dit-il en contemplant la scène. Il a souvent parlé de cette troublante ressemblance avec Jos. Les jumelles pourraient aisément s'échanger leurs cavaliers, s'était dit celui-ci, et personne, sauf elles et eux, ne s'en rendrait compte.

Ce que Tran n'a jamais confié à son ami Jos, cependant, parce que Modeste lui a fait jurer de garder ce secret pour lui, c'est qu'elle lui a fait part d'une façon incontestable de la distinguer de sa jumelle, ce dont personne d'autre n'est au courant. Au plus profond de son intimité, à l'intérieur de la grande lèvre gauche de son sexe, Modeste porte un minuscule grain de beauté dont elle seule connaît l'existence. Ce n'est en fait qu'une petite excroissance que ne possède pas sa jumelle, lui avait-elle confié. La première fois que Tran et Modeste ont fait l'amour, celle-ci le lui a fait voir et toucher. Elle a insisté sur l'importance de cette vérification, pour le rassurer sur son identité à elle. Car les bessonnes, par le passé, avaient souvent joué des tours, se servant de leur ressemblance pour mystifier les gens. Mais ici, dans ces circonstances, la question ne se pose pas, il s'agit bel et bien de Mélodie Laverdure, puisqu'il a laissé Modeste à la maison. S'il avait encore des doutes, il pourrait toujours vérifier l'absence du grain de beauté. Cependant, il faudrait qu'il le fasse en cachette de Jos, ce qui ne serait pas chose facile.

— Tiens, soulève-lui la tête et verse ça entre ses lèvres, dit Tran à son ami en lui présentant un petit verre dans lequel il a versé une liqueur dorée.

— Qu'est-ce que c'est?

— Du cognac.

— Qu'est-ce que c'est ça?

— Ben en gardait toujours une bouteille dans son bureau, qu'il servait à ses clientes lorsqu'elles s'évanouissaient.

— Comment? Mais pourquoi les clientes de Ben s'évanouissaient-elles? demande Jos naïvement, tout en prenant le verre des mains de son ami.

— Attends, je vais t'aider. Tiens-lui la tête relevée, puis, avec ton autre main, ouvre-lui les lèvres. Je verserai le cognac lentement jusqu'à ce qu'il descende dans sa gorge.

— T'es certain que c'est la chose à faire, Tran? demande le jeune garçon toujours sous le coup de l'énervement, tant que son amie n'aura pas soulevé ses longs cils et ouvert les yeux.

Goutte à goutte, Tran verse le cognac dans la bouche de Mélodie, dont les dents restent fermement serrées. Le verre est maintenant vide et aucun signe ne se manifeste chez la jeune fille. En lui tenant toujours la tête dans ses mains, Jos se déplace vers l'arrière et, après lui avoir enlevé son chapeau, il la dépose sur ses genoux repliés sous lui. Peut-être est-ce le mouvement qui, combiné à l'action du cognac a fini par faire son effet, mais la jeune fille, à plusieurs reprises, bat des paupières avant d'ouvrir enfin les yeux.

Elle promène un regard étonné sur les deux garçons. Son visage est pâle, pense Tran, mais ne l'est-il pas toujours?

— Comment vas-tu Mélodie? lui dit Jos tendrement tout en la prenant dans ses bras.

La jeune fille, sans doute encore sous le choc des événements qui l'ont conduite jusque-là continue de regarder ses sauveteurs en silence.

— Où est Modeste? demande-t-elle enfin.

— Elle est chez moi, avec ma famille. Mais où est Matante? s'enquiert aussitôt le jeune Godfrey qui tente de comprendre ce qui s'est passé.

À cette question, Mélodie se raidit et retombe dans son mutisme. Les garçons peuvent lire dans ses yeux une crainte qui se manifeste ensuite par un petit gémissement que laisse échapper la jeune fille. Elle se recroqueville ensuite sur elle-même, en position fœtale. Tran et Jos se regardent, inquiets.

— Mélodie, commence Jos doucement, tout en lui caressant le visage pour la calmer, il faut que tu nous racontes ce qui s'est passé depuis qu'on vous a laissées seules ici, toi et Matante.

Le jeune fille fait un mouvement, comme pour indiquer qu'elle désire se lever. Jos l'aide en la prenant sous les bras, mais elle semble assez forte pour se remettre elle-même sur ses pieds.

— Es-tu blessée? lui demande Jos lorsqu'elle paraît avoir retrouvé son équilibre.

Mélodie s'observe, regarde ses mains, tâte ses membres, tout en faisant signe que non de la tête.

— Assoyons-nous ici, dans le bureau, nous y serons mieux pour causer, suggère Tran.

Tout en parlant, il va verrouiller la porte avant du magasin, baisse les stores, éteint quelques lampes qui brûlent toujours.

— Tu te souviens, Tran, lorsque tu es parti avec Josse et Modeste, Matante m'a demandé de rester avec elle.

— Oui, je m'en souviens.

— Bien. Mais dès que vous êtes sortis, elle a verrouillé toutes les portes du magasin, à l'avant comme à l'arrière et a gardé les clefs dans la grande besace qu'elle porte toujours sous sa robe. Je n'ai pas aimé ça. Je me suis sentie sa prisonnière.

— Tu l'étais en effet, dit Jos, la voix anxieuse.

— Oui, et c'est cette constatation qui a fait que je me suis énervée.

— Que s'est-il passé ensuite.

— Je lui ai dit: «Qu'est-ce que tu fais là, Matante. On n'est rien que toutes les deux, seules ici. Pourquoi barrer les portes?» Alors elle m'a répondu: «Justement, parce qu'on est seules ici et que je veux pas qu'on soit dérangées.»

Mélodie s'arrête pendant un moment, ferme les yeux et rassemble ses idées.

— J'avais un peu peur, dit-elle en poursuivant, mais je ne savais pas pourquoi. Matante ne nous a jamais battues, n'a même jamais porté la main sur nous, donc je n'avais pas d'inquiétude de ce côté-là, mais j'étais quand même intimidée.

— Intimidée? demande Tran.

— Bien, ce que je veux dire c'est que j'avais de Matante, tout à coup, une impression différente de celles que j'avais toujours eues d'elle auparavant.

— Peux-tu nous décrire cette impression? insiste le jeune Godfrey.

— Laisse-la donc en paix, Tran. Tu vois bien qu'elle vient de passer un mauvais quart d'heure. C'est pas le temps de la bourrer de questions. Qu'est ce que tu veux que ça fasse, ses impressions de Matante?

— Non, Jos, insiste Mélodie, je veux essayer de répondre à la question de Tran. Je crois que c'est important pour moi. Bon, c'était pas toute Matante qui était différente. C'étaient ses yeux. Ce sont eux qui m'ont effrayée après votre départ.

— Comment étaient-ils, ses yeux?

— Ils étaient différents, pas comme d'habitude.

— Encore?

— Bien, ils étaient plus gros et plus ronds qu'à l'ordinaire, comme dilatés. Elle me regardait et ses prunelles ne flanchaient pas, ses yeux ne clignaient pas. Quand ça dure plusieurs minutes, c'est long. Et puis, dans les pupilles, je voyais passer d'étranges changements qui devaient être le reflet de son âme.

— Ça devait pas être bien beau, commente Jos Poirier.

— Puis après, qu'est ce qui s'est passé? insiste Tran qui veut connaître la suite.

— Eh bien, Matante m'a emmenée dans le bureau pour me dire qu'elle voulait avoir une longue conversation avec moi. Je l'ai suivie ici, elle s'est assise derrière le pupitre et moi devant. Elle a sorti d'un tiroir une bouteille en verre de couleur ambre, si foncée que je ne pouvais voir son contenu. Et ensuite, elle a placé deux gobelets en argent sur le bureau et y a versé une petite quantité de liquide. Elle a poussé un des verres jusqu'à moi et a pris l'autre dans sa main. Elle m'a ensuite ordonné de boire, en me disant qu'il s'agissait d'une liqueur qui aidait à la détente. Comme elle semblait en boire elle-même, je n'ai pas hésité et j'ai tout avalé d'un coup, jusqu'à la dernière goutte. Après avoir posé nos timbales sur la table, je me suis rendu compte que seule la mienne était vide, et que Matante n'avait pas touché à la sienne. Elle avait juste fait semblant de boire, afin de m'encourager à l'imiter. Au moment même où j'allais lui en faire la remarque, j'ai senti une immense fatigue s'emparer de moi, un peu comme si toute ma personne devenait soudainement lourde, puis j'ai dû tomber par terre où vous m'avez trouvée.

— Et Matante, demande Tran, où est-elle passée?

— Je ne sais pas. Si vous ne l'avez pas vue depuis que vous êtes arrivés, c'est qu'elle est partie, sans doute rentrée à la maison.

— Comment ça, rentrée à la maison? Voyons, ça n'a pas de bon sens, Mélodie. A t'aurait pas laissée toute seule ici, étendue par terre.

— Elle est plus tout à fait la même avec nous depuis la mort de papa, dit Mélodie.

— Je sais, Modeste m'a fait la même observation, dit Tran. Mais ce que je n'arrive pas à comprendre, c'est la raison pour laquelle elle t'a fait prendre une boisson pour t'endormir.

Les trois jeunes gens se regardent, fortement intrigués.

— Tu crois que c'est ce qu'elle a fait? demande Mélodie.

— Ben, avez-vous une autre explication?

Personne ne relève la question.

— Le liquide qu'elle t'a fait boire, demande Tran, sais-tu où il se trouve?

À la réponse négative de Mélodie, ils se mettent tous les trois à fouiller l'établissement dans ses moindres recoins, mais au bout d'une heure, ils sont bien obligés de se rendre compte que la bouteille demeure introuvable.

— On n'est pas plus avancés, reprend Jos qui commence à s'impatienter. Il faudrait aller chez vous, Mélodie, pour voir si Matante est là. C'est pas moi qui vas lui demander, parce que je rentrerai même pas dans la maison. Mais vous deux, vous pouvez lui poser des questions.

— Qu'est ce que je vais lui demander? s'enquiert Tran.

— Ben, tu lui demandes pourquoi a l'a empoisonné Mélodie.

— Elle ne m'a pas empoisonnée, dit la jeune fille. Elle m'a seulement fait prendre un somnifère.

— Si c'est le cas, continue Tran, c'est qu'elle voulait faire quelque chose en ta présence sans que tu en sois consciente.

— Oui, c'est à peu près ça, mais il me semble qu'il y a quelque chose qui cloche. Pourquoi en ma présence, si j'étais inconsciente?

— C'est vrai ce que tu dis Mélodie, reprend Tran. Dans ce cas, ce qu'elle voulait faire, c'était sur ta personne.

— Sur sa personne? demande Jos. Sur son corps?

— Oui! J'vois pas d'autre explication.

— Mais qu'est-ce qu'elle aurait voulu trouver sur ma personne sans que je le sache?

— Écoute, Mélodie, lui suggère Tran, quand tu rentreras chez vous, tantôt, tu examineras attentivement tout ce que tu portes pour voir si quelque chose manque. Si tu le découvres, tu nous le diras. Après, on saura sans doute quoi faire.

— Très bien dit la jeune fille. Je vous le dirai demain.

— Te sens-tu prête pour rentrer à la maison?

— Oui. À part un petit mal de tête, je me sens très bien.

Sur ces paroles, le trio se met en marche vers le petit Canada. Chez les Godfrey, ils découvrent que Matante est passée, plus d'une heure plus tôt, pour rentrer chez elle avec Modeste en disant que Mélodie les rejoindrait un peu plus tard, car elle avait eu du travail à faire au magasin.

— Nos routes ont dû se croiser, dit Tran. Ça explique pourquoi nous ne l'avons vue ni à la maison ni à la boucherie.

— Dans ce cas, je n'ai plus qu'à rentrer, dit Mélodie.

— Mais tu s'ras pas en sécurité avec Matante s'inquiète Jos.

— Modeste est là. Je ne serai pas seule avec elle.

Après avoir échangé ces quelques paroles, Jos et Mélodie font leurs salutations et sortent peu après par la porte arrière. Après le départ de ses amis, Tran est songeur. Les événements de la journée ont été bien étranges.

Lorsque Mélodie entre chez elle, Matante est en train de se bercer doucement dans la cuisine.

— Modeste est déjà montée se coucher, dit la vieille fille, sur le ton le plus naturel du monde, comme si rien ne s'était passé.

Sans dire un mot, Mélodie enfile l'escalier et s'en va retrouver sa jumelle dans leur chambre.

Réfugiée tout le jour au commerce de la rue Essex, avec les bessonnes comme vendeuses, Tran et Josse comme bouchers, Cédulie Doiron, maintenant propriétaire et directrice de Fine Foods, l'épicerie-boucherie la plus fréquentée de Salem, trône derrière la caisse avec son air sévère, mais toujours correct. Elle n'entend que les commentaires des clientes sur le charme et la beauté des jumelles, sur les talents de boucher de

Tran et Josse. Certaines de ces rombières, et quelquefois même, les plus jeunes, pleines d'audace et d'assurance à cause de leur âge, insistent pour aller elles-mêmes dans l'arrière-boutique, afin d'indiquer au boucher le genre de coupe qu'elles désirent.

Bien entendu, les garçons ne sont pas dupes des intentions de certaines clientes. Depuis quelques jours, lorsque la chose se produit, Tran engage la conversation sur son mariage imminent avec Modeste afin d'éviter les avances, même discrètes, des plus jeunes. Josse, qui n'a pas cette excuse, s'en trouve bien content, car toutes les clientes se concentrent du coup sur le jeune Cajun dont elles aiment l'accent traînant du sud lorsqu'il parle anglais.

— Tu vois, Tran, elles trouvent que je suis un bon boucher, dit le jeune Acadien à son compagnon en riant à gorge déployée, une fois qu'ils sont seuls devant leur étal.

— C'est vrai, tu es devenu le meilleur.

— Tu le penses vraiment?

— Oui, c'est ben évident, elles vont toutes vers toi.

— Mais tu le sais bien, c'est parce qu'elles savent que tu vas épouser Modeste.

— De toute façon, c'est mieux comme ça, car lorsque tu seras le seul boucher ici...

— Comment le seul boucher? Tu veux pas me dire que tu t'en vas?

— Mais oui, dit Tran, tu le sais très bien. On en a déjà parlé.

— Oui, mais j'pensais pas que c'était pour tout de suite. Ousque tu t'en vas?

— Ah! J'ai déjà trop parlé. Va pas répéter ce que j't'ai dit.

— Mais tu m'as rien dit, s'écrie le jeune Thibodeau frustré par ces demi-renseignements. Qu'est ce que tu veux que je répète?

— Ben ce que je viens de te dire, que je m'en va.

— Tu veux pas que je dise que tu t'en vas? demande Josse incrédule. Mais t'es fou, tout le monde va le savoir pareil quand y te verront plus ici. Leur dire demain ou ben aujourd'hui, j'vois pas la différence.

— Ah et puis t'as raison, ça n'a pas d'importance. J'suis aussi bien de te déballer toute l'affaire et qu'on en finisse une fois pour toutes.

Josse Thibodeau, qui est tout oreilles, dépose son couteau à dépecer près de la carcasse d'agneau qu'il vient juste d'entamer, et regarde son ami en attendant la suite.

— Demain matin, à dix heures, moi pis Modeste on va aller se marier à l'Hôtel de Ville. Puis, le jour suivant, on prend le train pour le Canada ousque j'va aller présenter ma femme à la famille de mes parents qui habite Saint-Hyacinthe, au sud de Montréal. On sera partis dix jours, puis au retour, on ira s'établir à Fall River où je commence à travailler pour M. Honoré Beaugrand, à *L'Écho du Canada*.

Thibodeau est tellement électrisé par la nouvelle, qu'il reprend son couteau et, avec un geste sec, il le plante jusqu'à la garde dans la poitrine de l'agneau. Il accompagne son geste d'un grand cri, comme certains Indiens séminoles du sud en profèrent lors d'une victoire. En même temps, son visage, qui est toujours souriant, s'épanouit encore davantage. Il se met à sauter et à gambader jusqu'à Tran qu'il prend alors dans ses bras et qu'il secoue en riant bruyamment.

La célébration s'arrête brusquement lorsque Matante apparaît dans l'encadrement de la porte. Cette forme noire et menaçante, véritable éteignoir de plaisir, bloque la lumière venue du magasin et les deux garçons lèvent les yeux.

La vieille fille n'a pas besoin de dire un mot pour que les deux jeunes bouchers se remettent au travail.

Cela fait, elle regagne son trône, derrière la caisse au moment même où une cliente entre dans la boutique.

— Elle le sait? demande Josse avec un geste du menton en direction de l'avant de la boutique.

— Oui.

— Qu'est-ce qu'a dit de ça?

— Tu verras bien, demain matin, car on va fermer toute la journée.

— J'suis pas content que tu partes, mais j'suis content en maudit pour toi, pour ton mariage, et puis pour Modeste.

— Merci Josse. J'espère que c'est pas trop te d'mander d'attendre, pour en parler à d'autres, que Matante l'annonce au moment de la fermeture du magasin. Elle va mettre un écriteau dans la vitrine pour avertir la clientèle: «Closed all day for family business[1]».

Vendredi, le 15 mai 1874, à dix heures du matin, Tran et Modeste sont à l'Hôtel de Ville pour être mariés devant un officier de justice. Les Godfrey et Cédulie Doiron, la gardienne officielle des jumelles, ont accepté de signer les formulaires nécessaires requis par la loi, car aucun des deux partis n'a encore vingt et un ans révolus. En fait, la mariée n'a que dix-sept ans et le marié, guère plus vieux, a dix-huit ans. Emil Godfrey, qui n'est guère religieux, n'a pas été difficile à convaincre: les jeunes gens passeront par la mairie, plutôt que par l'église. Jeanne s'est rangée à l'avis de son mari, non par soumission conjugale, mais par conviction personnelle. Elle était alors, à cette époque, ce que les prêtres appelaient un libre penseur. Et une femme encore? Comment imaginer la chose? L'expression, en français ne se déclinait-elle pas, d'ailleurs, qu'au masculin? La libre pensée, une aberration venue des pro-

1. «Fermé toute la journée pour affaires de famille.»

testants, a fort mauvaise presse au petit Canada, dont les prêtres condamnent, par l'intermédiaire de Rome, ce genre d'égarement. En dépit de cela, Jeanne n'a pas été rayée de la congrégation, car elle continue d'aller aux offices, de recevoir les sacrements et de faire du bénévolat dans la paroisse. Elle n'a pas non plus été ostracisée par ses voisins et ses amis qui, au contraire, lui ont gardé toute leur confiance et leur amitié. Plus tard, Jeanne Godfrey se fera à elle-même la réflexion que, au lieu de lui nuire, à elle et à sa famille, cette attitude l'a grandie, rendue plus intéressante. «Voilà bien un revirement des choses, impensable au Canada, s'est-elle dit, où l'on m'aurait probablement traînée dans la boue, excommuniée pour moins encore.» Ici, elle avait eu la paix.

Quant à Matante, le seul fait de sauver la face devant la congrégation de Saint-Joseph vaut plus que tous les autres avantages qu'on aurait pu lui promettre. Elle n'est pas heureuse du dénouement, loin de là. Mais, tout compte fait, elle doit s'avouer à elle-même qu'elle n'est pas mécontente du tout de la tournure des événements. Surtout, bien sûr, parce qu'elle a réussi à obtenir des autorités qu'elles désignent, pour diriger la cérémonie, un officier de justice qui parle français.

— Marie-Dolorosa-Modeste Laverdure, fille légitime de Marguerite Doiron et Bénoni Laverdure, tous deux résidents de cette ville et décédés aujourd'hui, voulez-vous prendre Joseph-Tranquille Godfrey, fils légitime de Jeanne Macdonald et Emil Godfrey, également résidents de cette ville, pour époux légitime, pour le meilleur et pour le pire, jusqu'à ce que la mort vous sépare?

— Oui, je le veux.

— Joseph-Tranquille Godfrey, fils légitime de Jeanne Macdonald et Emil Godfrey, résidents de cette ville, voulez-vous prendre Marie-Dolorosa-Modeste

Laverdure, fille légitime de Marguerite Doiron et Bénoni Laverdure, également résidents de cette ville, pour épouse légitime, pour le meilleur et pour le pire, jusqu'à ce que la mort vous sépare?

— Oui, je le veux.

— Grâce à l'autorité que m'a confiée le Commonwealth du Massachusetts, je vous déclare mari et femme. Vous pouvez embrasser la mariée.

La cérémonie, qui n'a même pas duré cinq minutes, s'est faite sans scandale et complètement en dehors du petit Canada. Oh! Il y a bien eu ici et là des échos qui sont parvenus aux oreilles des habitants de la Pointe, mais ces derniers ont fait comme s'ils n'avaient rien entendu. À l'exception d'un seul d'entre eux, auquel ils ont prêté une oreille bienveillante, ni plus ni moins. Ce commérage voulait que les jeunes gens se soient mariés secrètement selon le rite Huguenot, comme certains l'avaient laissé entendre, à la demande de Matante, qui aurait insisté pour que la cérémonie, si elle ne pouvait être catholique, se déroule au moins en français. Mais rien de tout cela n'a pu être prouvé.

La réception qui suit le mariage a lieu chez les Godfrey, vers midi. Il regroupe des voisins, des amis, des compagnons de travail. En plus des familles Laverdure, Doiron et Godfrey, on trouve également les Poirier, les Thibodeau ainsi que les Mignault et les Beaugrand, venus expressément de Fall River pour assister à la cérémonie.

Au cours du repas, l'éditeur de *L'Écho du Canada* a déposé, sur une chaise, plusieurs copies du dernier numéro de son journal. En première page, figure l'article signé par Tran Godfrey et qui s'intitule: «L'enquête du coroner sur la mort de Bénoni Laverdure.» Après avoir fait un compte rendu fidèle des assises, le jeune journaliste conclut son article par un dernier paragraphe qui suscite maints commentaires.

«Bien sûr, le verdict de mort naturelle, rendu par le coroner, était à prévoir, étant donné les révélations faites au cours des audiences. Cependant, il ne lui appartenait pas d'aller au-delà de son mandat et de demander: "Quelle chose ou quelle personne a pu causer, chez M. Laverdure la crise cardiaque fatale? Si c'est une personne, qui est-ce? Si c'est un objet, par qui a-t-il été placé sous les yeux du malheureux?" Ces renseignements obtenus, il faut ensuite se poser la question primordiale: "Cette personne a-t-elle agi avec l'intention de tuer?" Si la réponse est positive, il faut que les forces constabulaires arrêtent ce meurtrier ou cette meurtrière pour le ou la livrer à la justice».

Comme on peut voir, le jeune homme a pris grand soin de faire comprendre à ses lecteurs que le meurtrier, s'il existe, peut être aussi bien une femme qu'un homme.

Plus tard, Honoré Beaugrand confie à son jeune journaliste que c'est la rédaction de ce dernier paragraphe qui l'a convaincu de l'embaucher.

Cependant, le soir même de la cérémonie du mariage, un peu avant six heures, les nouveaux époux montent dans l'express de nuit du Vermont Central qui va de Boston à Montréal, avec arrêts à Farnham, Sherbrooke, Acton, Saint-Hyacinthe et Saint-Jean. C'est le premier voyage au Canada des nouveaux mariés. Pour eux, comme pour un grand nombre d'Américains, c'est une terre lointaine, nordique, froide et peu peuplée. La seule différence, pour ces Franco-Américains, c'est qu'ils y ont encore des attaches.

Lorsque Tran et Modeste Godfrey montent dans leur wagon-lit et qu'ils s'étendent pour la nuit sur leur couchette, ils s'endorment rapidement dans les bras l'un de l'autre, excités comme des enfants par cette nouvelle aventure. Leur sommeil, bercé par le roulis régulier du train, est interrompu peu avant sept heures par le conducteur diligent. Lorsque enfin, ils mettent le pied sur le quai de la gare de Saint-Hyacinthe, où Hermine Macdonald, la sœur de Jeanne Godfrey, doit venir à leur rencontre, ils sont loin de s'attendre aux extraordinaires découvertes qu'ils s'apprêtent à faire pendant leur séjour au Canada.

9

En descendant du train à la gare de Saint-Hyacinthe, le lendemain matin, Tran et Modeste Godfrey éprouvent des sentiments confus. Ils se sentent en pays étranger, tout en retrouvant, par certains aspects, leur petit Canada. Les intonations des voix sont presque toutes françaises, mais la majorité des gens paraissent vêtus beaucoup plus pour la campagne que pour la ville.

Sur le quai, même à cette heure matinale, le va-et-vient est bruyant, incessant. La grosse locomotive noire, hors d'haleine, se repose, avant de s'élancer à nouveau sur la voie ferrée en direction de Montréal, son dernier arrêt. Ici et là, des bouffées de vapeur s'échappent entre les wagons, pendant que des porteurs, criant à tue-tête pour se faire entendre de leurs clients, transportent des bagages vers l'intérieur de la gare.

Tran a engagé les services de l'un d'eux qui a pris leurs valises et les a déposées sur son chariot en attendant les ordres. Des yeux, le jeune homme cherche, dans cette foule grouillante, une femme qui pourrait ressembler à sa mère. En effet, la tante Hermine, sœur de Jeanne, est censée les attendre à la gare pour les conduire chez elle, où ils logeront pendant leur séjour à Saint-Hyacinthe. Le porteur, qui connaît

Mlle Macdonald, ne semble faire aucun effort pour les aider à la repérer.

Tran, même à dix-huit ans, domine déjà toutes les têtes, mais il n'aperçoit pas pour autant sa tante dans la cohue. C'est bien compréhensible puisqu'il ne l'a jamais rencontrée, pas plus qu'il n'a jamais vu la famille canadienne de sa mère ou de son père. Il reste encore plusieurs voitures, surtout des cabriolets recouverts de capotes en toile noire. Leurs chevaux, attachés à une clôture, piaffent d'impatience en attendant leurs passagers.

— Vous savez, monsieur, je ne l'ai jamais vue. Vous allez m'aider à la reconnaître, dit Tran au porteur au bout d'un moment.

— Ah! mon cher monsieur, si vous la voyez pas, c'est qu'elle est pas encore arrivée. Si a l'était déjà icitte vous pourriez pas la manquer, dit l'homme avec un sourire entendu. Elle ressemble à personne.

Tout à coup, les chevaux s'excitent, hennissent, pendant qu'à quelques centaines de pieds, au bout du chemin qui mène à la gare, s'élève un bruit de sabots qui se rapproche dans un nuage de poussière. Sur le quai, les femmes en robes longues, comme c'est la mode de l'époque, et coiffées d'immenses chapeaux multicolores, portent vivement leur mouchoir à leur nez et se protègent de leur ombrelle contre ce tourbillon suffocant.

Les cris des cochers jaillissent de ce tumulte poussiéreux et une berline, capote abaissée, vient s'arrêter devant le quai de la gare, contrairement aux autres voitures qui sont stationnées à l'endroit qui leur est réservé. Lorsque le nuage commence à se dissiper au bout de quelques instants, apparaît d'abord la tête au port altier et sans chapeau d'une femme d'une remarquable beauté. Elle est debout dans la voiture et l'on se rend compte qu'elle tient encore les rênes des deux chevaux attelés à la berline. À mesure que le nuage se dissipe et que la scène s'éclaircit, on aperçoit les deux cochers qui, du siège arrière, donnaient des ordres à leurs bêtes, pendant que leur maîtresse, qui tenait solidement les cordeaux, les menait à un train d'enfer.

— C'est elle, monsieur, dit le jeune porteur à Tran.

Celui-ci, sans trop savoir pourquoi, a deviné la vérité. Médusé, il contemple la scène, l'œil incrédule. Cette amazone est donc la sœur de sa mère, l'excentrique tante Hermine, dont il a si souvent entendu parler. Il n'en croit pas ses yeux. Modeste attrape la main de son mari, comme si elle cherchait à se garder de quelque maléfice. Sur le quai, les gens se sont tus pour jouir du spectacle que l'arrivée de Hermine Macdonald ne manque jamais de produire lorsqu'elle surgit quelque part.

Cette magnifique créature de quarante-deux ans est vêtue d'une grande capote verdâtre en toile, comme en portent les soldats par mauvais temps, et qui la couvre jusqu'à mi-jambes, dégageant des bottes de cuir marron lacées jusqu'aux genoux. Ses longs cheveux noirs, fouettés par le vent, retombent sur ses épaules et à travers son visage. D'un geste élégant de sa main gauche, gantée de cuir fauve à petits crevés et portant cravache, elle balaie nonchalamment les mèches devant son front. Puis, avec une souplesse étonnante, elle est à terre, sans attendre l'aide de ses cochers, qui n'ont que le temps d'attraper les rênes qu'elle leur jette. Ayant repéré les deux jouvenceaux, parce qu'ils sont jeunes, qu'ils se tiennent par la main et qu'ils ont l'air d'étrangers, elle se dirige rapidement vers eux en souriant.

— C'est toi mon neveu et toi, ma nouvelle nièce, prononce-t-elle, tout en pointant sa houssine en direction du jeune couple qui, bouche bée, regarde s'approcher cette incroyable apparition.

— Vous êtes des Américains, cela se voit.

Hermine Macdonald n'a pas posé de question, elle le fait rarement. Elle procède généralement par des affirmations, même lorsqu'elle veut demander quelque chose.

— En plus, vous êtes très jeunes. Dix-huit ans au plus, leur dit-elle une fois arrivée devant le jeune couple. Tu es Tranquille et toi tu es Modeste. Vos parents n'ont pas eu la main heureuse dans le choix de vos prénoms. J'espère qu'ils ne correspondent pas à vos caractères. Enfin, c'est sans importance puisque vous voilà. Viens m'embrasser mon neveu, et toi aussi, ma nièce.

Avant que les jeunes gens aient eu le temps de réagir, la tante Hermine les prend tous les deux dans ses bras, et place sa tête entre les leurs.

— Ne vous laissez pas émouvoir par ce spectacle, je fais ça pour la galerie, leur murmure-t-elle en les embrassant l'un après l'autre sur les joues.

Cette remarque suffit à détendre les nouveaux venus qui lui sourient, rassurés.

— Cyprien, Roméo, montez les bagages de ce jeune couple dans la voiture, ordonne-t-elle à ses cochers.

Ceci fait, ils grimpent debout sur le pare-chocs arrière en se tenant aux montants qui retiennent normalement la capote. Tout en bavardant, la tante fait monter les nouveaux arrivés sur le siège arrière, pendant qu'elle s'installe devant, s'empare des guides et lance le signal du départ comme l'aurait fait n'importe quel charretier.

Pendant que les gens, qui sont habitués aux excentricités d'Hermine Macdonald, regardent s'éloigner la voiture dans un nouveau nuage de poussière, ils secouent la tête en souriant. Cette célibataire endurcie est fort populaire, surtout auprès des personnes de son sexe. Elle leur démontre avec éclat qu'il est possible d'être à la fois femme et en charge de sa propre destinée.

Même si la plupart des femmes n'atteindront jamais, au cours de leur existence, le niveau d'indépendance d'Hermine, elles peuvent quand même en rêver. Pour plusieurs d'entre elles, le fait d'avoir rencontré un être pareil est un sort beaucoup plus enviable que celui de leurs sœurs, qui n'ont jamais eu le privilège de la connaître. Quant aux hommes, mais ils ne l'admettent pas tous facilement, cette femme les fascine au point qu'un bon nombre d'entre eux ont développé des fantasmes qu'ils gardent précieusement au tréfonds d'eux-mêmes comme un lieu magique où ils peuvent s'évader, loin de leurs épouses acariâtres et de leurs enfants tapageurs.

Hermine Macdonald représente pour eux l'aventure qu'ils ne vivront jamais. En effet, si cette amazone avait une seule fois cédé aux avances des hommes entreprenants de Saint-Hyacinthe, son aura se serait évaporée à jamais et elle serait devenue un personnage comme un autre. Ils savent tous qu'elle va faire des séjours prolongés à Montréal; certains disent même qu'elle y a un riche amant qui lui a offert un luxueux pied-à-terre, mais personne ne l'a jamais prouvé. À Saint-Hyacinthe, l'enchantement que suscite, chez les mâles de tous âges, l'apparition, la présence, voire la seule mention de son nom, suffit à entretenir le mystère.

La voiture s'arrête enfin devant une élégante demeure, mélange heureux d'architectures victorienne et française, située au centre-ville. Nous touchons là un autre mystère. Hermine Macdonald a acheté cette propriété une dizaine d'années plus tôt, avec des fonds qu'elle a acquis dans des transactions boursières, une façon bien suspecte, selon l'Église catholique, de faire de l'argent, mais fort appréciée dans certains milieux anglophones et protestants.

Souvent, lorsque les dames de la bonne société prennent le thé, elles échangent ce bref dialogue: «Qu'est-ce quelle fait, Hermine Macdonald, pour gagner sa vie?» demande une dame patronnesse à une autre. Cette dernière, baissant les yeux et le ton, lui murmure à l'oreille: «Elle joue à la bourse.» Cette déclaration est généralement suivie de roulements d'yeux, quelquefois de signes de croix. La plupart de ces dames ne savent pas ce qu'est la bourse, mais le verbe jouer suffit à donner à cette activité une odeur sulfureuse.

— Vous montez à vos chambres et vous faites votre toilette. On mange à midi juste, déclare Hermine dès qu'ils ont franchi le seuil.

Des servantes s'emparent des bagages et avant même que les jeunes gens aient eu l'occasion de dire le moindre mot à leur tante, elle les entraîne vers le grand escalier central qui descend de chaque côté de l'immense vestibule conduisant à l'étage.

— Vous parlez français tous les deux, déclare Hermine pendant que les jeunes gens arrivent au pied de l'escalier.

— Oui, ma tante, répond simplement Tran en rougissant.

— Ma foi, tu te troubles bien facilement, mon jeunot, dit celle-ci en s'avançant rapidement vers lui et en plantant un bec sonore sur la joue coupable. J'aime ça. Et toi, ma jolie Modeste, tu devrais plutôt t'appeler Madone, car c'est à cela que tu ressembles. Je trouve que tu es ravissante. Tu vas faire tourner bien des têtes pendant ton séjour ici. Toi, Tranquille, il faudra que tu t'habitues aux manières canadiennes. Nos hommes sont moins farouches que les Américains, lorsqu'il s'agit des créatures. Avec une beauté comme celle-ci, tu vas devoir faire face à la concurrence.

Là-dessus, Hermine Macdonald leur serre le bras à tous les deux.

— Mais il ne faut pas vous effrayer. Je serai là pour protéger votre bonheur, ajoute-t-elle lorsqu'elle croit lire une certaine crainte dans les yeux des nouveaux mariés.

C'est à ce moment-là que Tran note, pour la première fois, le parfum capiteux que porte sa tante Hermine. Pendant un moment, la tête lui tourne, il s'empourpre encore, tout en serrant dans la sienne la main de Modeste, comme pour conjurer un sort qu'il commence à craindre.

Pendant que les jeunes gens montent l'escalier et sont conduits à leur chambre, la tante les regarde aller d'un air songeur. Ce neveu est bien mignon, sa femme plus ravissante encore, mais ils sont fort ignorants des manières du monde. Hermine Macdonald se promet de faire le nécessaire pour éclairer la lanterne de Tran et, par ricochet, celle de Modeste. «Ils sont bien jeunes pour s'être déjà promis l'un à l'autre pour toujours. Savaient-ils seulement ce qu'ils faisaient?» se dit-elle en les regardant s'éloigner.

Après le repas de midi, elle laisse ses jeunes invités flâner tout le reste de la journée. Pendant celui du soir, elle leur annonce qu'elle a invité à souper, pour le lendemain, les familles du père et de la mère de Tran. Le but de leur voyage n'est-il pas justement, pour le jeune homme, de rencontrer pour la première fois sa famille canadienne?

— Suivez-moi tous les deux dans mes appartements privés, dit la tante Hermine au jeune couple au moment où ils se lèvent de table. Il me faut vous préparer à la rencontre de demain.

Intrigués, ceux-ci obéissent, habitués qu'ils sont déjà, au bout d'une journée seulement, au style autoritaire de leur tante. Puis Hermine Macdonald, que ses amies intimes appellent Hermione, tourne les talons et s'enfonce dans son boudoir, entraînant les nouveaux mariés dans son sillage. C'est une pièce fort confortable du rez-de-chaussée, où elle passe le plus clair de son temps. Il contient des divans couverts de soie fauve, des fauteuils et des coussins marron, d'épaisses tentures de velours assorties aux sièges, des lampes aux abat-jour cramoisis qui laissent filtrer une lumière chaude, un pupitre portant un écritoire en cuir noir et, au-dessus de la cheminée, un portrait à l'huile de George Sand, acheté lors d'un voyage en Europe et dont les œuvres complètes sont rangées sur les étagères chargées de reliures de luxe; tout concourt à donner à cette pièce un air qui s'adresse à la fois aux sens et à l'esprit.

Pendant que Hermine s'allonge sur un divan Récamier recouvert de velours ocre, elle invite les jeunes gens à s'asseoir dans les fauteuils en face d'elle. À ses côtés, sur une table de fine marqueterie, sont rangés une pipe en porcelaine et un plateau en argent sur lequel sont déposées quatre minuscules boules blanches et deux aiguilles de même métal longues de deux pouces environ, ainsi que des allumettes, debout dans un minuscule vase en verre taillé.

Devant ses invités légèrement ahuris, Hermine, d'un geste nonchalant, prend la pipe sur le plateau et l'approche d'elle avec une révérence quasi religieuse. S'étant ensuite emparée d'une des aiguilles, elle y pique une des boules blanches qu'elle dépose au fond du fourneau assez peu profond de la pipe. Ensuite, elle gratte une allumette sous la table et approche la flamme de la boule blanche qui se met aussitôt à grésiller. En quelques instants, la pièce est envahie par une fumée grisâtre, accompagnée d'un parfum âcre et entêtant. Hermine Macdonald, enserrant avec délicatesse le mince tuyau de porcelaine dans l'étreinte de ses lèvres sensuelles, aspire longuement la fumée qu'elle retient le plus longtemps possible dans ses poumons, avant de l'expulser par les narines vers le plafond, la tête renversée en arrière.

Ce mystérieux cérémonial se déroule en silence, ce qui contribue à créer chez les nouveaux mariés un malaise inexplicable. Dans quel pays ont-ils mis les pieds, qui ressemble si peu au petit Canada de Salem, et dont la façon de faire a si peu à voir avec la vie quotidienne du 42 de la rue Harbord? Que peut bien leur révéler encore cette tante si peu ordinaire dont ils ne connaissent pas d'équivalent dans leur milieu américain?

— Tranquille, commence Hermine Macdonald après trois longues aspirations de fumée expulsée chaque fois avec la même grâce, je constate que mon beau-frère et ma sœur ne t'ont rien dit et que c'est à moi que revient la tâche de t'instruire de quelques petits détails.

Le jeune couple se regarde, intrigué et quelque peu alarmé après une entrée en matière aussi inattendue. La fumée a maintenant envahi presque toute la pièce. Son parfum trop aigrelet donne un léger haut-le-cœur à Modeste, sujette, à cause de sa grossesse, à des malaises passagers. Heureusement, elle se remet rapidement et, après quelques minutes, elle a retrouvé ses aises et son calme. Elle se sent bien et se serre amoureusement contre son mari qui lui entoure les épaules de son bras droit. Hermine ne semble pas remarquer cette démonstration de tendresse, lorsqu'elle tire une nouvelle bouffée de sa pipe.

— Ton père, reprend Mlle Macdonald, ton père d'abord.

Tran relève la tête brusquement, comme s'il avait été pris par surprise.

— Mon père? demande-t-il, légèrement agressif, Qu'a-t-il, mon père?

— Allons, ne t'énerve pas, mon cher neveu, tu verras que, lorsque tu sauras, il n'y a pas de quoi fouetter un chat.

Le jeune homme regarde sa tante, mais on le sent de plus en plus inquiet.

— Demain soir, poursuit Hermine Macdonald, lorsque tu reverras ton oncle Octave, le frère cadet de ton père, que tu n'as pas vraiment connu, puisque tu étais bébé, au moment de son départ de Salem, tu verras qu'il porte ici un nom légèrement différent du tien.

— Ah? Quel nom? demande Tran, la voix inquiète.

— À Salem, vous portez le nom de Godfrey, n'est-ce pas?

— Bien sûr, c'est notre nom.

— Pas tout à fait, mon garçon. C'est peut-être votre nom à Salem, mais ce n'est pas celui de ta famille, tel que porté au Canada.

Tran est tellement étonné par cette déclaration de sa tante qu'il la regarde, bouche bée, sans trop savoir quoi dire.

— Les Godfrey de Salem, au Canada, d'où ils sont issus, portent le nom de Godefroy, un nom bien français, s'il en est.

— Mais... Mais... comment...?

— Oh! Ne t'alarme pas.

— Oui, mais papa, dans tout ça...

— Ce n'est pas de la faute de ton père, interrompt la tante, si Godefroy est devenu Godfrey, mais plutôt celle de ton grand-père, Joseph-Napoléon, si faute il y a. Ce n'est pas lui qui a changé son nom, ce sont ses employeurs, probablement par ignorance.

Le jeune homme ne comprend pas davantage les explications d'Hermine.

— Lorsque ton grand-père est arrivé, le premier jour, pour travailler à la Naumkeag, le contremaître, qui faisait l'appel des ouvriers, a fait un arrêt quand il est arrivé au sien. Sur la feuille devant lui, était écrit: Joseph-Napoléon Godefroy. «Godfrey, wait for me after the call»[1], lui aurait-il dit. C'est ton père lui-même qui a rapporté l'incident. Obéissant, il a fait comme on le lui avait demandé.

— Mais comme ce n'était pas son nom, pourquoi y a-t-il répondu?

— Mets-toi à sa place. Dès le début, ce contre-maître irlandais, qui ne parlait pas français, faisait de son mieux pour prononcer des noms qui lui étaient étrangers, tels que LeBlanc, Landry, Poirier, Thibodeau, Ladouceur, Laverdure et j'en passe. Aussi, lorsqu'il est arrivé à celui de ton père, il s'est trouvé comme soulagé: enfin un nom qu'il reconnaissait presque, mais qui était probablement mal orthographié, comme c'était le cas de la plupart des noms français. Pour cet homme, Godefroy était devenu Godfrey et, à partir de ce jour, c'est ainsi qu'il a été connu, d'abord de ses patrons, puis de ses compagnons de travail qui, eux-mêmes, avec le temps, avaient fini par oublier le nom original.

Tran ne comprend pas. Sa tête tourne, ses idées s'embrouillent. Son nom, le mot par lequel il se définit, ou plutôt, par lequel il définit sa famille, est un faux? Il est près de se mettre en colère et de rétorquer vertement à sa tante.

— Je sais ce que tu ressens, mon petit, et au premier abord, on est un peu désemparé. C'est pour cette raison que j'ai voulu vous préparer tous les deux à cette révélation.

— Mais pourquoi mon grand-père n'a-t-il pas protesté, lorsque ce contremaître a mal prononcé son nom?

— Écoute, mon garçon, ce même homme avait, avant celui de ton grand-père, massacré tous les noms français qu'il avait appelés. Aucun d'entre eux n'avait protesté, parce que tous reconnaissaient son incapa-

1. Godfrey, vous m'attendrez après l'appel.

cité à faire autrement. Il n'y a pas de quoi en faire toute une histoire.

— Oui, mais plus tard, une fois les appels terminés, il aurait pu rétablir la vérité, exiger que l'on prononce son nom correctement.

— Mon petit, ici je t'appelle Tranquille. Comment t'appelle-t-on, chez toi, à Salem?

— On m'appelle Tran, dit le jeune homme en rougissant.

— As-tu protesté lorsqu'on t'a affublé de cet étrange prénom sans te demander ton consentement?

— Non, je...

— Bien sûr que non. Tu as accepté le changement sans rien dire ni rouspéter.

— Oui, mais c'était différent. Moi, c'est mon prénom, et cela ne touchait que moi. Tandis que pour mon père, c'était son nom de famille, un vocable qui englobe plus que sa seule personne. Il inclut tous ses enfants, tous ses descendants.

— Et alors? En quoi ce que je viens de te révéler te concerne-t-il?

— Comment, en quoi cela me concerne-t-il? demande Tran la voix tremblante d'émotion. Mais de toutes parts. Je ne suis donc pas celui que je croyais être?

— Allons, calme-toi. Pendant quelques minutes, nous allons garder le silence et vous allez réfléchir tous les deux à ce que je viens de vous dire. Pendant ce temps, je vais commander qu'on nous apporte une tasse de thé. Cela va nous détendre.

Hermine Macdonald tire un cordon, pendu derrière elle et, en quelques secondes, une servante surgit d'entre les tentures, à deux pas de sa maîtresse qui lui donne des ordres. Elle disparaît aussi discrètement qu'elle est venue. Pendant que se poursuit la méditation, Hermine reprend sa pipe dans laquelle elle place une autre de ces mystérieuses petites boules blanches, frotte une autre allumette et la fait grésiller aussitôt. Elle aspire quelques bouffées qu'elle souffle encore vers le plafond, les yeux fermés, comme si elle contemplait un univers intérieur qu'elle est seule à entrevoir. De leur côté, Tran et Modeste, qui se tiennent toujours par la main, se regardent dans les yeux. Peu à peu, le trouble du jeune mari disparaît, à mesure qu'il lit le calme dans les yeux de sa femme. Contrairement à lui, elle ne paraît pas du tout perturbée par les révélations de la tante.

Quelques minutes s'écoulent encore dans un silence paisible, enveloppé de la fumée âcre et de plus en plus supportable qui se mêle au parfum capiteux de la maîtresse de maison. Le boudoir d'Hermine a quelque chose d'irréel, de mystérieux pour ces jeunes gens, dont l'expérience du monde est encore bien mince. Tout à coup, d'entre les lourdes tentures, surgit à nouveau la servante. Cette fois, elle ne fait que retenir le rideau de velours grenat pour laisser passer une deuxième servante, beaucoup plus jeune, qui porte un plateau contenant une théière et trois tasses en porcelaine. Elle dépose le tout en silence sur la table basse qui fait face aux jeunes gens. Toujours avec la même discrétion, les deux femmes se retirent, en même temps que Mlle Macdonald ouvre les yeux.

— Sers-nous, Modeste, commande la tante. Je sais, cela devrait être ma tâche, puisque je suis l'hôtesse, mais vous êtes plus que des invités, vous êtes de la famille. Il vous faut vous mêler aux activités de cette maison.

Le silence se poursuit encore, pendant que la jeune femme verse le thé. Une fois qu'ils sont bien installés à nouveau, Hermine prend une petite gorgée de thé et dépose sa tasse sur la table en marqueterie placée à côté d'elle.

— Je vois que cette pause vous a donné le temps de réfléchir. Peut-être en êtes-vous venus à des conclusions plus raisonnées que les premières.

— Ma tante Hermine, commence Modeste qui, jusqu'à ce moment, n'a pas encore dit un mot, je ne vois là rien que de très normal dans la conduite de M. Godfrey... Oh pardon! M. Godefroy. Si vous connaissiez le petit Canada et ses habitants, vous verriez que plusieurs noms ont été estropiés par les Américains qui sont incapables de les prononcer comme nous le faisons. Il est pour eux naturel que Godefroy devienne Godfrey.

— Très juste, ma jolie, réplique Hermine Macdonald en étirant son corps voluptueux sur le Récamier. Moi aussi, je n'y vois rien que de très naturel. La différence, pour le père de mon beau-frère et sa descendance, est qu'ils ont bénéficié de ce quiproquo. Aujourd'hui, ton père est un patron qui aurait été un ouvrier, si son nom avait été différent et s'il n'avait pas parlé anglais. Devait-il refuser cet avancement dû à l'ignorance de ses patrons? Bien sûr que non. Toute sa famille et un grand nombre de ses amis en ont profité. Grâce à son influence, des dizaines de Canadiens ont vu changer leur condition sociale et s'améliorer leur sort. En dépit de cela, ma sœur me dit que son mari se sent coupable de se trouver dans cette situation ambiguë. Il a l'impression qu'il vit un mensonge permanent. C'est à toi, mon neveu, de briser ce cycle ridicule de culpabilité.

Tranquille Godefroy ne paraît pas rassuré par les paroles de sa tante. C'est un être pur et idéaliste qui abhorre les situations troubles. Il n'est pas loin de porter sur son père un jugement d'une dureté qu'il ne soupçonnait pas en lui.

— Vous savez qu'il se fait appeler Emil, à l'anglaise, sans «e». Il me semble qu'il aurait pu empêcher cela.

— Mon garçon, reprend Hermine, c'est comme pour le nom de famille. Ils le prononceront toujours comme ils l'entendent. N'as-tu pas appris qu'aux États-Unis, c'est l'Amérique qui assimile les cultures, et non le contraire? Quand tu t'installes en ce pays, tu es mieux d'être prêt à perdre des plumes culturelles ou autres. Mais toi, Tranquille, tu es un Américain, tu connais votre capacité d'absorption des cultures étrangères.

— C'est que Tran et moi, continue Modeste, avons décidé de faire notre vie en français, aux États-Unis. Mon mari est journaliste à *L'Écho du Canada* et moi, j'entends enseigner le français dans l'école de Mlle Peabody[2].

— Il me paraît que si le français est si important pour vous deux, il vous serait beaucoup plus facile de l'utiliser au Canada où c'est la langue de la majorité[3].

Les jeunes gens réfléchissent aux paroles de leur tante, pendant que celle-ci aspire encore une bouffée de cette fumée grise et âcre qui s'échappe de sa pipe. Elle se renverse ensuite sur ses coussins et ferme les yeux. D'un geste de la main droite, et sans jamais lever les paupières, elle fait signe aux jeunes gens de s'en aller.

— Il faut maintenant que vous me laissiez seule, mes enfants. Je vous reverrai demain matin au déjeuner.

Pris de court par la fin si soudaine de l'entretien, Tran et Modeste se lèvent, se regardent et se demandent quoi faire au juste. Discrètement, sans le moindre bruit, ils quittent la pièce après avoir tamisé les lumières et déposé une douillette sur les jambes allongées de Hermine Macdonald. Celle-ci les remercie d'un léger grognement, accompagné d'un sourire. Une fois sortis, ils montent dans leur chambre pour discuter de ce qu'ils viennent de vivre.

---

2. Peabody: Elizabeth Peabody, belle-sœur du poète Nathaniel Hawthorne, fut l'une des premières éducatrices de la Nouvelle-Angleterre.
3. La remarque de Mlle Macdonald est quelque peu inexacte. À cette époque, les populations anglaise et française du Canada étaient, à peu de choses près, égales en nombre.

Tandis que Modeste ne semble pas s'embarrasser d'un nom déformé, Tran, de son côté, éprouve encore beaucoup de culpabilité.

— Que vas-tu faire, lorsque tu reverras ton père?

— Je ne sais pas.

— Vas-tu lui jeter le nom de Godefroy à la face comme une trahison?

— Je ne sais pas. C'est pourtant ma première réaction.

— Ou bien, vas-tu l'accueillir comme d'habitude, c'est à dire avec affection et tendresse?

— C'est bien ce que je voudrais le plus faire, mais j'hésite.

— Parce que, si tu faisais cet acte d'amour, tu te croirais complice d'un geste de ton père que tu juges sévèrement?

— Oui, c'est vrai.

— Pourquoi ce jugement si dur?

— Parce qu'il ne nous a pas tout dit, qu'il nous a caché des choses sur son passé.

— S'il avait voulu te le cacher, comme tu dis, tu crois qu'il nous aurait laissés venir ici?

Tran réfléchit et son âme tourmentée ne le laisse pas en paix un seul instant. Il voit bien que ses arguments manquent de poids même si ce que son père a fait n'est pas impeccable.

— S'il avait protesté auprès de celui qui a prononcé son nom à l'anglaise la première fois, comment crois-tu qu'il aurait été reçu?

— Mal, très mal, je n'en doute pas. C'est vrai, tu as sans doute raison, je n'ai pas à juger mes parents et mes grands-parents. Ils ont fait pour le mieux, même si, dans ma tête, je vois les choses autrement.

Ce soir-là, les jeunes époux finissent par s'endormir paisiblement dans les bras l'un de l'autre, la discussion sur le nom familial ayant été complètement épuisée.

Le lendemain soir, vers sept heures, en l'honneur des nouveaux mariés, l'excentrique Hermione Macdonald reçoit, à un somptueux souper, huit invités de sa propre famille et un seul de celle des Godefroy. Parmi les premiers, à part Hermine et ses parents, Howard et Eugénie, tous deux ayant passé le milieu de la soixantaine, sont présents Sévérine et son mari Ron Stewart, ainsi que ses deux frères, Bernard et Paul, avec leurs épouses, Mary-Ann et Élizabeth. Du côté des Godefroy, Octave, veuf depuis six ans, est présent, le seul membre de la famille vivant au Canada. Après leur exode à Salem, au tournant du siècle, les grands parents, maintenant décédés n'avaient jamais donné signe de vie à la famille restée au Canada. L'oncle Octave, depuis son retour au pays il y a plus de quinze ans maintenant, n'a jamais cherché à reprendre contact avec elle. L'initiative de Tran, en venant au Canada, avait pour but la reprise des relations. Quant aux Macdonald, il y a bien des grands-oncles et grands-tantes, mais comme la brisure avec eux s'est produite lors du mariage de Howard et Eugénie en 1829, ils ne sont même pas prévenus.

Dès l'arrivée des invités, l'atmosphère est à la fête, ce qui n'est guère surprenant pour ceux qui connaissent la famille Macdonald. Ce sont tous des gens très liants, cordiaux et rieurs. Octave, le seul Godefroy à part le marié, est plus réservé. Il se laisse pourtant emporter dans le mouvement et s'amuse autant que les autres pendant le repas. Seul Ron Stewart participe peu à la conversation, étant donnée sa pauvre connaissance du français utilisé pendant presque toute la soirée. Ce n'est pas le cas de Mary-Ann, née Logan, qui parle français couramment, puisque elle a étudié chez les Ursulines de Trois-Rivières.

À trois ou quatre reprises, Modeste remarque que l'oncle Octave, un bel homme dans la quarantaine, à la chevelure blond cendré, abondante et largement ondulée, au regard noisette et vagabond, l'observe fréquemment à la dérobée. La jeune femme en est d'abord flattée, mais lorsque les œillades se font insistantes, elle éprouve un certain malaise. L'oncle Octave, qui lui avait d'abord paru jovial et sympathique, a maintenant perdu, à ses yeux, cet attrait initial. Ce comportement l'indispose un peu et elle décide d'en faire part discrètement à son mari.

— Comme ça, Émile joue toujours au gentleman anglais, intervient Octave, après que Tran eut raconté une visite qu'il avait faite avec sa famille à Boston, deux ans auparavant.

— Octave, intervient Hermine sur un ton un peu sec qui laisse à penser aux jeunes mariés que les relations de l'excentrique célibataire et du veuf ne sont peut-être pas dictées par les liens familiaux, tu viens de faire une insinuation blessante pour mes invités. Je regrette d'avoir à te le rappeler devant tout le monde, mais je ne tiens pas à ce que ce repas de famille finisse en une de ces chamailleries dont tu as le secret.

— Tu exagères, Hermione, dit celui-ci qui ne semble pas prendre au sérieux les paroles sévères de son hôtesse. Il est de notoriété publique que mon grand-père, Joseph-Napoléon Godefroy, a bénéficié d'une erreur administrative pour améliorer son sort.

— Je ne te crois pas l'âme assez claire et sans tache pour faire des remarques semblables sur ton grand-père.

— Oui, mais c'est que mon frère lui-même a perpétué ce mensonge. Je veux seulement savoir si mon neveu, son fils ici présent qui, je le découvre, n'était pas au courant de la supercherie jusqu'à sa venue chez nous, a l'intention de la continuer.

Tran, que toutes ces nouvelles révélations ont jeté provisoirement dans un état de confusion, sent bien que son nom et celui de sa famille est attaqué; il en rougit violemment, mais Hermine Macdonald se rend bien compte que, cette fois, ce n'est pas l'embarras, mais plutôt la colère qui agite le jeune homme. En hôtesse habile, elle intervient rapidement pour détourner le cours de la discussion.

— Cette fois, mes enfants, reprend-elle en s'adressant au jeune couple, je vais vous faire voir Montréal. C'est un peu comme Boston, mais c'est encore plus gros et plus actif.

— Dis donc, Tranquille, ton père te parle-t-il des fois du Canada? intervient encore Octave qui ne semble pas vouloir lâcher sa proie.

Hermine, qui l'a fait asseoir à ses côtés, se retourne vers lui le regard plein de reproches. Mais Tranquille, qui ne connaît pas encore assez l'homme, répond honnêtement à la question, tout en ignorant les paroles provocantes qui ont précédé.

— Oui, mon père nous en parle. En plus de cela je travaille à un journal qui s'appelle justement *L'Écho du Canada*. Nous vivons à Salem, mais nous habitons le petit Canada. Ça devrait répondre à votre question.

— Ah oui, quand j'habitais Salem, évidemment...

La voix d'Octave traîne un peu après ces quelques mots, mais il se tait lorsqu'il sent la main d'Hermine qui, sous la table, lui donne un coup pour le faire taire ou l'inciter à changer de sujet. Tran est fort intrigué par ce bref échange et se demande bien ce que l'oncle était sur le point de dire. Le jeune journaliste qu'il est garde ce renseignement en mémoire, dans le but de poursuivre, à un autre moment et dans un autre cadre, ce sujet si intrigant.

Puis, la conversation joyeuse reprend de plus belle pendant que le vin coule à flots: c'est une autre des excentricités d'Hermine. Il y a quelques années, revenant de son premier voyage en Écosse et en France, elle avait rapporté une grande quantité de caisses de vin, et pris l'habitude d'arroser presque tous ses repas des meilleurs crus et des plus grands millésimes. La compagnie ne s'en plaint pas. Cependant, les libations sont si abondantes que, à un certain moment du souper, le ton monte assez haut.

Octave ne s'adresse à Ron Stewart qu'en anglais, parce que, prétend-il, le français de celui-ci est trop mauvais et lui écorche les oreilles. La chose, évidemment, vexe Ron et une fois au dessert, on sent qu'il n'en peut plus.

— Si tout le monde t'écoutait, Octave, personne n'apprendrait le français. On ne le parle jamais assez bien pour toi.

Stewart a prononcé ces paroles en français, avec un accent fort respectable. Il a sûrement été compris de tous.

— Mais vous parlez très bien français, mon oncle Ron, dit Modeste qui, jusqu'ici, n'a presque pas participé à la conversation.

Tous se tournent vers elle et lui sourient. Tran se rend compte que Octave est seul à penser comme il le fait, car les autres abondent dans le sens des paroles de Modeste.

— Bien, et ce voyage à Montréal, qui va y aller? demande Octave, sans doute désireux de revenir sur la discussion antérieure.

— Papa et maman n'iront pas, reprend Hermine en regardant ses parents qui sont restés silencieux pendant presque tout le repas.

— Oui, nous sommes trop vieux pour ces voyages, prononce le grand-père en prenant la main de sa femme.

Tran examine ses grands-parents avec attention. Voilà bien un rebelle, quelqu'un qui, à l'âge du jeune marié, justement, s'est opposé aux vœux et aux préjugés de sa famille pour suivre son cœur et sa conscience en épousant Eugénie Grondin, une Beauceronne. Celle-ci, dans le temps, n'eut pas moins de mal à faire accepter son mariage à sa propre famille. Même lorsque Howard s'était converti au catholicisme et avait appris le français, la bonne entente n'était pas venue tout de suite. Avec un entêtement tout paysan, peut-être même normand, les Grondin attendirent de voir des preuves de sa constance, avant de l'accepter pour de bon dans la famille. S'il avait réussi dans ce cas, ses parents, eux, n'avaient pas oublié les transformations d'Howard. Mais, grâce à Hermine surtout, ses frères et sœurs avaient gardé le contact avec le rebelle et sa papiste d'épouse et semblaient vivre en parfaite harmonie avec elle et sa famille.

La discussion qui, un moment, avait paru dévier vers le drame, est maintenant revenue à la normale. Ce n'est que vers une heure du matin, après avoir bien bu, bien mangé et joué plusieurs parties de cartes que les invités se retirent, mais pas tous, car les parents Macdonald, qui habitent Sutton, passent la nuit chez Hermine, comme prévu.

Le lendemain matin, quelle n'est pas la surprise de Tran, qui s'est levé tôt, de trouver, en entrant dans la salle à manger pour le petit déjeuner, nul autre que Octave Godefroy, rasé de frais et dont la belle chevelure épaisse est soigneusement léchée vers l'arrière. Le jeune homme, après les salutations matinales, s'assoit à table à côté de son oncle. Celui-ci dégage un parfum agréable qui rappelle un peu l'odeur du citron. C'est la première fois que Tran remarque cela chez un homme, une découverte de plus à noter dans ses carnets de voyage. Ce qu'il y inscrira aussi soigneusement, c'est la conversation qu'ils ont à la table, avant l'arrivée des autres.

— Comme ça t'étais pas au courant que vous étiez pas des Anglais, toi et toute ta famille? déclare Octave, sous forme de question.

— C'est vrai, je ne le savais pas. Mais c'est seulement une fois arrivé ici, au Canada, que je suis devenu un Anglais.

— T'es un descendant de Français qui fait semblant d'être un Anglais. Tu dois être plutôt mêlé.

— Chez moi, à Salem, je suis un Américain. Nous ne faisons pas les distinctions que vous semblez favoriser ici.

— Oh! C'est bien beau tout ça, mais il reste que ton grand-père, puis ton propre père ont bénéficié d'un malentendu. Depuis ce temps-là, Émile pète plus haut que le trou.

Tran se rend maintenant compte de l'hostilité de son oncle et pense que ce n'est pas par hasard qu'il se trouve, ce matin, confronté au frère de son père, le seul, de la famille, qui ait décidé de revenir au Canada en dépit des conditions économiques difficiles de l'époque. Si la chose intrigue le jeune journaliste, elle déconcerte encore plus le neveu.

— Pourquoi n'êtes-vous pas resté à Salem, avec les autres?

— Tu y vas pas par quatre chemins, mon garçon. J'aime ça, tu vas droit au but. Ton père t'a jamais raconté notre chicane?

Le jeune homme fait signe que non.

— C'est justement sur ce sujet-là qu'on s'entendait pas.

— Quel sujet?

— Ben, celui du nom de famille naturellement.

Tran ne dit rien et attend la suite. Il pense que l'affaire du nom de famille n'a pu être un sujet d'une importance suffisante pour causer une telle brouille familiale. Il doit y avoir une autre raison et il pense qu'il est sur le point de la connaître.

— Comme j'avais insisté, à la Naumkeag, pour dire que j'étais Canadien[4], poursuit Octave toujours sur le même ton légèrement sarcastique, ils m'ont donné la job la plus difficile et la plus sale. Rien de ça pour ton père, évidemment, qui trônait dans un bureau, à additionner des chiffres, les mains propres, et à toucher un gros salaire.

— Oui, c'est vrai, mais il s'était donné le mal d'apprendre la comptabilité. Ce n'était là que sa juste récompense.

— Ah! Comme tu parles bien. Ton vrai père, instruit et tout et tout.

— Vous ne vous entendiez pas avec lui?

— Comment as-tu deviné ça? C'est quelqu'un qui te l'a dit?

— Bien, ce sont plutôt vos propos qui me l'ont suggéré.

— Oui, bien t'as raison, c'est vrai, ton père et moi on s'entendait pas du tout. On avait quatre ans de différence et Émile, dans ce temps-là, disait toujours que j'étais l'enfant gâté de la famille. C'était pas vrai. Les jumeaux, Eudore et Eudipe l'étaient beaucoup plus que moi. Mais c'était pas ça l'important.

— C'était quoi l'important alors? demande Tran lorsque son oncle s'arrête soudainement et devient songeur.

— Vois-tu, mon garçon, quand j'ai décidé de revenir au Canada, en 1868, je l'ai surtout fait parce que ton père et moi, on avait échangé des gros mots.

— Quelle sorte de gros mots?

— Tu sais, des chose qu'on dit parce qu'on est en colère, mais qu'on pense pas nécessairement.

— Mais encore, qu'est-ce que vous vous êtes dit?

---

4. Il faut se rappeler qu'à cette époque, le mot Canadien voulait nécessairement dire un Canadien français.

— Bon, j'crois bien qu'avec toi, Hermine a raison, tu vas toujours au bout de ton affaire. D'ailleurs, ça ne me fait rien, je suis plutôt content de l'occasion qui m'est offerte par ta visite. Comme ça, j'peux donner ma version des faits.

— Profitez-en, mon oncle, je vous écoute.

— Eh bien, dans l'temps, Ben Laverdure, notre voisin, avait l'âge de ton père et était très ami avec lui. Mais, lorsque j'ai eu dix-sept, dix-huit ans, Ben est devenu mon ami aussi, je dirais même qu'il ne voyait presque plus jamais Émile.

— Comment cela se fait-il?

— Ouais! Faudrait pas penser que c'est la seule raison, mais c'est surtout dû au fait que ton père aimait pas boire et que Ben et moi, on aimait ça.

— Y'a rien là qui peut causer une brouille.

— Oui, j'le sais. Aussi, il y a une autre raison. Ben s'était mis dans la tête d'acheter un commerce sur la rue Essex, près de la Commune, en plein chez les Anglais. Il avait besoin d'argent pour ça et il s'est tourné vers ton père. La somme qu'il cherchait à recueillir était assez considérable, il me semble, mais je ne me rappelle plus le montant exact. Toujours est-il que ton père a refusé de la lui prêter. Ben, qui était maintenant mon ami, a pensé que ton père lui avait opposé un refus à cause du refroidissement de leur amitié. Aussi il m'a demandé de plaider sa cause auprès d'Émile. J'ai accepté, mais j'étais pas certain de réussir. Pourtant nous avions une solution de rechange, Ben et moi, qui aurait pu convaincre ton père.

— Ah? Quelle sorte de solution de rechange?

— Attends, mon garçon, va pas trop vite; une chose à la fois. J'ai commencé par parler à ton père en lui faisant valoir la vieille amitié qui les unissait, Ben et lui, mais ça ne l'a pas ébranlé. J'ai essayé encore pendant une heure de le faire fléchir, mais il n'y croyait pas. Il trouvait que le goût de Ben pour la boisson allait sûrement le perdre et entraîner sa ruine. C'est là que j'ai pensé que le temps des grandes manœuvres était arrivé.

Octave s'arrête à ce point de son récit et regarde son neveu pour voir l'effet produit par ses paroles. Il ne rencontre que des yeux pleins de curiosité. De son côté, Tran pressent qu'il va entendre un secret de famille. Il se demande s'il ne vaudrait pas mieux qu'il ne le connût pas. Mais il n'a même pas le temps de s'interroger que l'autre continue de plus belle.

— La rencontre suivante a eu lieu quelques jours plus tard. Cette fois Ben était présent. C'est lui qui a annoncé à Émile que, comme il ne crachait pas l'argent, il allait se voir obligé de dénoncer ton père auprès des grands patrons de la Naumkeag.

— Dénoncer mon père? Pour quel méfait?

— Pour fausse représentation.

Cette fois le jeune homme comprend de moins en moins.

— On t'a appris, depuis que tu es arrivé, que ton vrai nom est Godefroy, non pas Godfrey. À cause de cette confusion, vous vivez à Salem comme des pachas, dans une maison de patrons de la compagnie, alors que ton père est pas mieux que moi ou ses frères et sœurs. J'ai été le seul à me tenir debout et à proclamer mon nom. Tu vois où ça m'a mené? Vers une job peu payante et fort éreintante.

Tran n'en croit pas ses oreilles. Il a l'impression qu'il a peut-être mal compris et que tout va s'éclairer dans un moment.

— Sûrement que ça pouvait pas faire la moindre différence à ses patrons.

— C'est là que tu te trompes, mon garçon. J'suis plus certain comment ça se passe aujourd'hui à Salem, mais laisse-moi te dire qu'il y a une quinzaine d'années, quand j'suis parti, les choses auraient mal tourné pour ton père, si Ben avait parlé.

— Avez-vous tenté de l'en empêcher?

— Moi? Pourquoi? Comme j't'ai déjà dit, ton père et moi...

— Oui, je sais, mais ne serait-ce que par solidarité fraternelle, vous auriez pu tenter de le protéger?

— C'est facile de dire ça, quand on est éloignés de l'incident.

— Mais, mon oncle, ça s'appelle du chantage ce que vous avez fait. C'est criminel.

— Wow! Wow! mon neveu, monte pas sur tes grands chevaux. Mes aïeux! Tu y vas pas par quatre chemins: le chantage, le crime. C'est pas rien tout ça. C'est des grosses accusations. Écoute, Ben avait déjà fait deux demandes d'argent à ton père, en ajoutant ses menaces, quand Émile a décidé de faire un conseil de famille. Comme papa et maman étaient décédés, il a invité nos frères et nos sœurs avec leur femme ou leur mari. Là, il leur a expliqué ce que faisait Ben Laverdure et l'a traité de maître chanteur. On savait pas ce que le mot voulait dire, mais ton père s'est chargé de nous l'expliquer. Ensuite, il a qualifié les activités de Ben de malhonnêtes et criminelles. C'est là que je me suis emporté et que je lui ai dit des choses très sévères.

— Que vous êtes-vous dit exactement?

— Bon! ben, j'ai dit à ton père qu'il était jaloux parce que je lui avais volé son ami. Il m'a répondu que c'était pas la jalousie qui le faisait parler, mais plutôt notre habitude, à Ben et moi, de nous enivrer.

— C'était vrai?

— Ben voyons, deux jeunes hommes, célibataires et remplis d'énergie, on voulait avoir du bon temps. Ben savait comment s'amuser, laisse-moi te le dire. En tout cas, d'une chose à l'autre, ton père pis moi, on a fini par se dire des insultes qu'on pensait pas vraiment.

J'ai dit à ton père que j'allais tout faire pour le détruire, lui et sa vie d'hypocrite. C'est ta tante Prudence qui a pris l'initiative et proposé une solution. Elle a suggéré que je retourne au Canada, à Saint-Hyacinthe où ton père, grâce à ses contacts anglais, pouvait me trouver du travail.

— Ça vous a paru acceptable?

— Mets-toi à ma place. J'avais un petite job misérable et mon seul ami était Ben Laverdure, avec qui je passais mon temps à boire. J'étais pas un cadeau.

— Tiens, mon oncle, il me semble que je reconnais ici un peu de repentir.

— Ben, repentir, repentir, j'irais pas jusque-là, mais j'étais assez intelligent pour savoir de quel côté ma tartine était beurrée.

— Comment ça, tartine beurrée?

— Ouais, ton père avait doré la pilule avec une somme d'argent suffisante pour m'aider à m'établir. En plus, comme pour m'assurer de garder sur ton père un certain pouvoir, j'ai emporté avec moi ce qu'on appelle les papiers de la famille qui, normalement sont sous la garde de l'aîné des garçons.

— Quels papiers?

— Ben, tu sais, des papiers de famille.

Tran regarde son oncle et hausse les épaules, comme pour l'encourager à poursuivre son sujet.

— Donc, je reviens à mon histoire. Pas longtemps après mon arrivée à Saint-Hyacinthe, j'ai épousé Valéda Dumontier. Malheureusement, le bon Dieu est venu la chercher bien de bonne heure. Ça faisait tout juste un an qu'on était mariés qu'à l'est morte de la tuberculose. Elle était déjà prise des poumons, quand on s'est connus, mais a me l'avait jamais dit. Pourtant, toute sa famille était au courant. Quand ses parents sont morts, l'année suivante, ils ont divisé leur héritage en deux, la moitié pour la sœur de Valéda et le reste pour moi.

— Finalement, le retour au Canada, pour vous, a tourné en votre faveur.

— Ouais, c'est vrai, peut-être encore plus que tu penses.

— Que voulez-vous dire, mon oncle?

— J'sais pas... Tu t'en rendras bien compte par toi-même; t'as pas besoin d'un dessin. Mais ce que je voulais ajouter, c'est que ton père a dû être ben soulagé quand il a appris la mort de Ben Laverdure. Ça l'arrangeait tellement bien.

— Comment ça, ça l'arrangeait?

— Voyons donc, Tran, t'es plus intelligent que ça. Y paraît que t'es journaliste. Les écrivailleurs comme toi, ça invente, quand c'est pas capable de tout savoir. As-tu jamais pensé que la mort de Ben signifiait pour ton père la fin de la menace qui pesait tout ce temps-là sur sa tête?

Ces paroles sont à peine prononcées que la porte de la salle à manger s'ouvre doucement et dans l'embrasure apparaît Hermine Macdonald, déjà moulée, à une heure si matinale, dans un fourreau de soie blanche, le visage savamment maquillé et la coiffure si bien ordonnée que Tran pense qu'il s'agit peut-être d'une perruque. Puis, il lui revient à l'idée que, en dépit de tous leurs bavardages, il n'a pas appris, de façon sûre, la vraie nature des relations entre le frère de son père et la sœur de sa mère. L'arrivée de cette dernière transforme aussitôt l'atmosphère de conspiration qui a régné dans la pièce depuis le début de la conversation entre les deux hommes.

— Je suis désolée. Je sens que je suis une intruse. Enfin, vous trouverez bien un autre moment pour continuer vos histoires d'hommes.

— Ne t'en fais pas, ma chérie, nous venions juste de finir notre conversation. Hein, Tranquille?

Le jeune homme, légèrement décontenancé par le vocable si intime adressé par son oncle à Hermine, fait signe que oui, presque en automate. Au même moment, Modeste, à son tour, entre dans la salle à manger. Elle n'a ni fourreau de soie ni maquillage savant pour la mettre en valeur. Elle n'en a pas besoin, car l'éclat de son teint, la magie de ses yeux brûlants, son port altier et son extrême jeunesse, ravissent Octave et Tran, en dépit du trouble créé chez le jeune homme par les dernières paroles de son oncle.

Dans le train qui ramène les nouveaux mariés vers Salem, Tran et sa femme regardent défiler en silence la campagne canadienne, puis celle de la Nouvelle-Angleterre. Modeste lit pour tromper le temps, ou bien tricote de petites chaussettes pour le bébé à venir. Quant à Tran, il est écrasé dans son fauteuil, les yeux perdus dans le vague, tournés vers le plafond de leur compartiment. Il ne prête pas plus d'attention au paysage qu'aux bavardages de sa femme. Les quelques rares fois où Modeste a tenté de le tirer de sa torpeur, de sa rêverie, elle n'a obtenu que des grognements fort peu encourageants. Elle ne serait certainement pas étonnée de voir la confusion dans la laquelle il se trouve, si elle savait ce qui mijote dans la tête de Tran et à quelles conclusions il en arrive.

«Ainsi, pense Tran, mon propre père est à ajouter à la liste des suspects. Il avait un motif de tuer Ben Laverdure, mais je suis incapable d'y souscrire.»

Le pauvre garçon en est venu à se demander vers qui il pourrait bien se tourner pour parler de cette affaire. Après avoir repassé dans sa tête les noms et les visages des gens en qui il a le plus confiance, il n'en retient aucun. Il se sent bien seul avec son secret qui le dévore intérieurement et qu'il ne peut partager. Peu à peu, épuisé par le remue-ménage de ses sentiments, il s'endort jusqu'au moment où Modeste l'éveille afin de se rendre au wagon restaurant pour le dîner. Il semble que ce sommeil l'a détendu et lui a apporté une certaine paix, sinon du réconfort. En fait, il est heureux du bavardage de Modeste qui commente les péripéties du voyage qu'ils ont fait à Montréal, l'avant-veille, avec des cousins et des cousines.

— Comme j'étais la seule femme mariée du groupe, j'ai souvent été l'objet d'attentions nombreuses, de la part des filles, qui voulaient connaître les dessous de la vie d'un couple. Elles m'enviaient, c'était évident car, pour la plupart d'entre elles, la seule porte de sortie hors de la maison familiale, c'est le mariage. Je sais, tu vas m'objecter que ce n'est pas le cas de ta tante Hermine, et c'est vrai. Mais c'est une exception. Presque toutes les filles avec qui j'ai parlé n'ont d'autre ambition que le mariage et j'ai pu les rassurer sur les joies de ce merveilleux état. Tu te souviens de Henriette Dessaulles?

Avant de poursuivre, Modeste jette un coup d'œil du côté de son mari qui ne réagit pas.

— Tu sais qui je veux dire: c'est la jolie petite blonde avec les grands boudins que tu avais remarquée le matin de notre départ. Elle n'a que quatorze ans, mais elle fait montre d'une grande maturité pour son âge. Chaque fois que le hasard nous plaçait l'une à côté de l'autre, elle n'a cessé de me poser des questions sur le mariage.

Un autre regard vers Tran qui reste silencieux, le regard perdu, comme s'il n'avait pas entendu.

— Te souviens-tu de son cousin, Maurice, qui était aussi du voyage?

Le jeune mari ne réagit toujours pas.

— D'ailleurs, Henriette sait déjà qu'elle veut être sa femme, continue Modeste, sans se préoccuper de l'air distrait de son époux.

— Henriette? prononce finalement Tran, tout comme s'il sortait d'un long sommeil.

— Mais oui, tu sais Henriette Dessaulles, la fille de ton oncle Casimir[5]...

— Ça n'est pas mon oncle.

— Oui, oui, je sais, mais c'est plus simple ainsi. Je n'arrive pas encore à démêler toutes les ramifications de cet immense arbre généalogique. Ici, il y a tant d'enfants dans les familles que c'est à n'y plus s'y retrouver. Je disais donc qu'Henriette Dessaulles[6] s'est prise d'une grande amitié pour moi. Elle est presque toujours accompagnée de son cher cavalier, Maurice Laframboise, également son cousin. Lorsque celui-ci s'éloignait, ce qui n'était pas fréquent, nos propos devenaient plus intimes, plus confidentiels. Henriette est une jeune fille fort intelligente et qui fera de grandes choses, j'en suis sûre. Elle sait, bien sûr, que tu es journaliste. Ça la fascine. Je lui ai suggéré, puisqu'elle y portait un si grand intérêt, de te parler de ton métier, mais elle m'a dit être beaucoup trop timide pour seulement t'aborder et t'adresser la parole. Alors, c'est moi qui ai dû répondre, du mieux que j'ai pu, à ses questions. Je lui ai parlé de tes articles, parus dans *L'Écho du Canada*, au sujet de la mort de papa et elle m'a avoué avoir trouvé cela fort romantique, ce que je n'arrive pas à comprendre.

— Qu'est-ce que tu n'arrives pas à comprendre?

— Qu'elle trouve romantique la mort de papa. Mais elle s'est rendu compte de sa maladresse et s'est excusée tout de suite. Quand je lui ai dit que cela ne changerait rien à notre amitié, elle m'a paru contente. D'ailleurs, le lendemain, peut-être dans le but de faire oublier ce que j'appellerais son étourderie, elle a tenu

---

5. Georges-Casimir Dessaulles était Seigneur et maire de Saint-Hyacinthe.
6. Plus tard, Henriette Dessaulles aura une chronique hebdomadaire dans le quotidien *Le Devoir*, fondé et dirigé par Henri Bourassa, un arrière-petit cousin.

absolument à me faire un cadeau à moi et à ma bessonne.

— Tiens donc! murmure Tran distraitement.

— Justement, je l'ai avec moi, continue Modeste qui semble intarissable à propos de sa nouvelle amie. De plus, elle m'a confié qu'elle vient de commencer à tenir un journal.

Là-dessus, Modeste s'arrête, s'attendant, en prononçant le mot journal, à attirer l'attention de son mari. Mais, curieusement, il ne réagit pas.

— Tu sais, un journal personnel, pas un journal comme *L'Écho du Canada*. Un journal, c'est comme une confidente pour une jeune fille de son âge. Elle peut y écrire toutes ses pensées intimes, ses plus chers secrets, ceux qu'elle n'oserait même pas confier à sa meilleure amie. Elle m'en a donné un pour moi, puis un deuxième à remettre à Mélodie, afin de nous inciter à tenir, nous aussi, notre journal personnel. N'est-ce pas gentil?

Ce disant, Modeste tire de son sac deux jolis cahiers recouverts de maroquin, un vert pour Modeste, et un autre rouge pour Mélodie. Les mots «MON JOURNAL», sont inscrits en lettre d'or sur la couverture. Tran, distraitement, prend celui en cuir rouge et le feuillette.

— Mais il n'y a rien d'écrit, remarque-t-il au bout d'un moment.

— Bien sûr que non, poursuit Modeste en riant, Mélodie ne l'a même pas encore vu. Ne t'en fais pas, elle saura bien le remplir.

Tran ne répond pas, le regard lointain.

— Tu me parais préoccupé aujourd'hui. En fait, depuis notre retour de Montréal, tu ne sembles pas dans ton assiette.

— Oui, c'est vrai, ma chérie, j'ai appris des choses, au cours de ce voyage, qui m'ont beaucoup troublé.

— Ne veux-tu pas les partager avec moi qui suis ta femme et ta compagne?

— Tu sais, ma chérie, il y des questions qui sont vraiment des affaires d'hommes. Celles-là, pour leur plus grand bien, les femmes doivent s'en tenir éloignées.

Après cette repartie inattendue, Modeste reste silencieuse, et prend un air très sérieux, ce qui attire l'attention de son mari. Elle qui, jusque-là, avait été si bavarde et si enjouée!

— Tu ne dis plus rien. Ai-je dit quelque chose qui t'a déplu?

— J'ai pris des leçons de ta tante Hermine. Elle n'aurait pas toléré un seul instant que tu prononces ces dernières paroles dans sa maison sans te semoncer vertement.

— Qu'ai-je dit de si extraordinaire? Qu'il y a des problèmes qui n'appartiennent qu'aux hommes? Mais, ma chérie, tu devrais te réjouir que ton mari veuille te protéger de tout contact avec ces horreurs.

— Ah! Tu crois que je suis d'une nature trop fragile pour supporter la vérité? Eh bien, laisse-moi te dire, Tranquille Godefroy que la faible créature que je suis va souffrir encore cinq mois pour former dans son sein un enfant qui sera le nôtre. Les hommes n'en font pas autant. Non! Non! Ne proteste pas, je sais que tu vas dire que tu le voudrais bien, mais que c'est la nature qu'y s'y oppose. Balivernes que tout ça. C'est un joli paravent, la nature, derrière laquelle vous vous abritez, tout en prétendant que vous n'êtes que force, et nous, les femmes, que faiblesse. Eh bien, ce n'est pas vrai. Tu n'as qu'à regarder ta tante Hermine pour te rendre compte qu'elle n'a pas eu besoin d'hommes pour acquérir biens et propriétés et se créer une vie fort agréable, tu dois l'admettre.

— Oui, mais ce n'est pas la vraie vie. Il n'y a d'existence enrichissante pour l'homme et la femme que dans le mariage, la voie naturelle des humains.

— Il y a un mois, avant notre voyage au Canada, je pensais de cette façon. Cette visite à Saint-Hyacinthe et à Montréal m'a ouvert les yeux. J'ai appris qu'il y a un vaste monde en dehors du petit Canada et de Salem. J'ai bien l'intention de le connaître et de l'explorer tant que je pourrai avant de mourir. Ce qu'on nous enseigne, dans notre milieu, n'est qu'un façon de voir les choses. Il y a bien d'autres manières d'envisager la vie.

Tran reste songeur après cette tirade enflammée de sa femme. Il est fort préoccupé par ce qu'il a appris lui-même à Saint-Hyacinthe. Il tente de se rappeler un sujet abordé par l'oncle Octave, au cours de leur conversation du déjeuner, mais auquel il n'a pas prêté attention sur le moment. Il est très ennuyé, car il semble incapable de s'en souvenir.

— Nous ne nous arrêterons pas à Salem. Je veux rentrer ce soir même à Fall River, dit-il lorsque lui revient en mémoire la question des papiers de famille auxquels Octave a fait allusion.

Modeste hoche la tête en signe d'acquiescement. Le reste du voyage se fait en silence. Entre le couple, s'installe un malaise indéfinissable. Pourtant, lorsque, en fin d'après-midi, le train entre en gare de Fall River, la bonne humeur est revenue entre les jouvenceaux.

10

Quelques semaines après son retour de voyage de noces, Tran Godfrey s'entretient avec ses patrons, Honoré Beaugrand et le Dr Alfred Mignault. Ce dernier est aussi leur médecin à lui et Modeste.

— Si la nouvelle de la grossesse de ma femme et de notre mariage précipité a fait des heureux dans ma famille, je ne peux en dire autant de celle de Modeste, déclare-t-il dès qu'il est assis dans le bureau du rédacteur en chef.

— Par la famille de votre femme, vous voulez parler de Matante, sans doute, précise le médecin.

Beaugrand et Mignault, cofondateurs de *L'Écho du Canada*, ont autant d'intérêts l'un que l'autre dans l'entreprise. À cause de l'ampleur qu'a pris l'affaire de la montgolfière, grâce aux découvertes et aux articles écrits par Tran, les deux fondateurs ont décidé de mettre la main à la pâte. La partie est importante et peut être dangereuse. Mais, comme pour jeter un baume sur leurs craintes, le journal a augmenté son tirage de quelques centaines de numéros. Tout le petit Canada de la Pointe et même le second, encore embryonnaire, au Mill, se passionne pour cette mort dite naturelle, mais que ce jeune journaliste s'entête à relancer et à contester.

Dans la dernière édition, celle du samedi 17 juillet, Tran Godfrey a signé un article où il pose plus de questions qu'il n'apporte de réponses. Le tableau des possibilités qu'il brosse, dans son papier, alimentent les ragots et les potins. C'est bien ce qui inquiète les copropriétaires de l'hebdo. Ils croient toujours en leur jeune poulain mais, à certains moments, ils se demandent s'il ne va pas trop loin.

— Les journaux de Salem, pas plus que ceux de New York ne nous suivent dans cette aventure, dit Beaugrand.

— C'est pas surprenant, ils ne nous lisent pas.

— Oui, je sais, reprend le d^r^ Mignault, ils ne lisent pas le français. Mais les gens parlent. Ben Laverdure, à cause de son commerce, était un citoyen éminent du tout Salem, même s'il habitait le petit Canada. Leurs journalistes pourraient rapporter ces propos.

— Les gens qui parlent sont ceux du petit Canada, dit Tran, et ils le font toujours en français entre eux. Les journalistes de Boston et de New York ne viennent jamais s'y promener. Même s'ils le faisaient, ils n'y comprendraient goutte. D'ailleurs, je les vois mal s'aventurer seuls sur la Pointe, à travers des rues où grouille tout un monde qui leur est étranger.

Les deux hommes regardent en même temps leur reporter vedette et se demandent quoi faire par la suite.

— Dans ce cas, mon garçon, lis-nous ton article à haute voix. Nous on va t'écouter les yeux fermés sans t'interrompre. On n'en parlera qu'après. Ça te va?

— Oui, bien sûr.

— Alors vas-y, ajoute Beaugrand, pendant que les deux hommes s'enfoncent dans leurs grandes bergères en cuir, ferment les yeux et attendent la suite qui ne tarde pas à venir.

La voix de Tran s'élève dans la pièce, d'abord hésitante, puis de plus en plus ferme:

«LA DERNIÈRE VISION DE BEN LAVERDURE

Lorsque Bénoni Laverdure s'est levé le dimanche matin du 7 septembre 1873, il ne se doutait pas que ce serait sa dernière journée sur la planète Terre. J'emploie cette expression à dessein, car M. Laverdure avait déjà quitté cette planète au moment où il a rencontré son Créateur. Il s'était élevé au-dessus des autres hommes par voie d'un ballon propulsé à l'hydrogène, qu'on appelle communément charlière. C'est au cours de ce vol, que j'ai déjà décrit à nos lecteurs lors d'une édition précédente, qu'il a trouvé la mort.

Dans un numéro subséquent, j'ai rapporté les délibérations du coroner et l'instruction des témoins. Leurs propos nous ont appris beaucoup de choses. Hélas, ils ne nous ont pas livré la clef du mystère entourant la mort de l'épicier-boucher. Je prie le lecteur de se référer à la conclusion de mon article précédent.

Bien sûr, le verdict de mort naturelle, rendu par le coroner, était à prévoir, étant donné les découvertes qu'il avait faites au cours de ses audiences. Cependant, il ne lui appartenait pas d'aller au-delà de son mandat et de poursuivre les criminels. C'est aux forces de l'ordre que revient cette tâche. Quant au journaliste, lui, qui a suivi ces assises et dont c'est le rôle de les rapporter à ses lecteurs, il a aussi le devoir de poser des questions, pour arriver à la vérité. C'est ce droit que je m'arroge, c'est ce devoir que j'accomplis, lorsque je demande: La vue de quelle personne ou de quelle chose a causé, chez M. Laverdure la crise cardiaque fatale? Si c'est une personne, qui est-ce? Si c'est un objet, par qui a-t-il été placé sous les yeux du malheureux? Ces renseignements obtenus, il faut ensuite se poser la question primordiale: Cette personne a-t-elle agi avec l'intention de tuer? Si on répond par l'affirmative, il faut que les forces constabulaires arrêtent ce meurtrier ou cette meurtrière, pour le ou la livrer à la justice. J'utilise ici les deux genres car, jusqu'à ce jour, on ne connaît pas plus l'identité que le sexe du meurtrier éventuel.»

— Tu as raison de rappeler ce dernier paragraphe; tu y avais fort bien posé le problème dans son ensemble, dit Beaugrand, passant outre aux consignes tout juste énoncées. Le coroner peut être satisfait, et avec bonne raison, d'avoir découvert que Ben Laverdure est mort d'une crise cardiaque, ce qui arrive fréquemment chez un grand nombre de gens et ne conduit pas nécessairement à une enquête de police. Cette découverte confirmée par le médecin légiste, il s'en est suivi la conclusion logique que M. Laverdure est décédé de mort naturelle.

— Allons, Honoré, nous ne devions pas l'interrompre, dit son collègue.

— Tu as raison, Alfred. Pardonne-moi, Tranquille. Continue, je te prie.

«Sans disputer la conclusion du coroner Brown, le journaliste doit se poser d'autres questions, pour aller au-delà des conclusions du magistrat. À cette fin, je me référerai, encore une fois, à mon article déjà cité où j'ai décrit, pour nos lecteurs, le déroulement de l'enquête du coroner. J'ai été particulièrement intéressé par les derniers témoignages, ceux de deux experts. Je veux parler ici du photographe et du médecin légiste. Plus loin, j'aurai l'occasion de revenir sur le témoignage du premier.

Aujourd'hui, je voudrais m'attacher davantage aux propos échangés entre le coroner Brown et le médecin légiste Flynn. Je transcris ici les notes que j'ai prises lors de ces audiences et que j'avais déjà reproduites dans ces pages. Comme je n'avais pas insisté là-dessus, elles sont passées inaperçues. Je les reprends pour un examen plus approfondi. C'est le Dr Flynn qui parle:

"Les artères ont pu jouer un rôle indirect, mais je doute fort qu'elles aient été la cause de cette mort. Ben Laverdure était un homme d'une constitution robuste, mais ses artères étaient sans doute en mauvais état à cause d'une consommation abusive d'alcool, je l'admets. Cependant, elles ne l'étaient pas suffisamment pour causer, à elles seules, un arrêt du cœur. Cela serait venu quelques années plus tard. Non, je crois que M. Laverdure, d'où il était placé, a dû voir quelque chose qui l'aura fortement contrarié, au point de lui causer un choc qui aura occasionné un coup de sang; c'est ce qui l'aura emporté."

L'éminent praticien dit bien que la mort de Ben a été causée par une crise cardiaque. Or, une crise cardiaque est effectivement une cause naturelle de mort et le coroner s'en est prévalu. Je suis fort intéressé par les paroles qu'il a prononcées ensuite, juste avant qu'il ne rende son verdict, et que je viens de citer.

Ben Laverdure a vu quelque chose d'assez étonnant pour lui causer un choc tel qu'il en a perdu la vie. Si, par hasard, une personne connaissait cette faiblesse cardiaque chez le marchand, elle aurait pu s'en servir à cette occasion-là. Mais qui aurait été assez lâche pour en vouloir à Bénoni Laverdure au point de souhaiter sa mort?

Je me suis promené, cette semaine, dans le petit Canada où habitait M. Laverdure. J'ai parlé à des dizaines de personnes qui se disent ses amis. Pas une seule fois je n'ai entendu un commentaire désobligeant à son endroit. Il ne m'a pas davantage été donné de percevoir la moindre animosité chez qui que ce soit à l'égard de Ben Laverdure.

J'ai passé toute une journée à FINE FOODS, afin d'y rencontrer sa clientèle, qui le connaissait depuis plus de dix ans. Là aussi, je n'ai entendu qu'éloges et compliments qui l'auraient sûrement fait rougir s'il les avait entendus. J'arrive donc à la conclusion que Bénoni Laverdure n'avait aucun ennemi connu. Si c'est le cas, pourquoi une personne encore inconnue aurait-elle voulu lui causer une frayeur telle qu'elle allait le tuer? Il faut donc que Ben Laverdure ait eu au moins un ennemi.

Ainsi, ayant épuisé toutes les ressources de ma logique, j'en arrive à un cul-de-sac. Qui donc est cet ennemi?» (À suivre.)

Lorsque le jeune journaliste a terminé la lecture de son article, ses deux auditeurs ouvrent les yeux et poussent un grand soupir. Honoré Beaugrand croise ses mains, qui jusque-là ont reposé sur les bras de la bergère, et les dispose au-dessus de son énorme ventre.

Quant à Alfred Mignault, un homme grand et mince, à la chevelure abondante et grise, il se distingue par ses costumes sombres et leur coupe toujours sobre. D'une extrême politesse et d'un naturel réservé, il ne tutoie que quelques personnes, dont son collègue Beaugrand, mais pas Godfrey. C'est un homme pondéré qui parle peu et pèse toujours ses mots avant de les prononcer.

Après la lecture de l'article, Tran se prépare à entendre M. Beaugrand, car c'est toujours lui qui prend la parole en premier. Cette fois, ce n'est pas ce qui se produit.

— M. Godfrey, commence le Dr Mignault sur son ton habituel, ainsi, au cours de vos recherches, vous n'avez trouvé, chez aucune des personnes interrogées, un ennemi à Ben Laverdure?

— C'est juste.

— Y croyez-vous à cet amour universel pour notre boucher-épicier?

Tran est un peu surpris par le ton de la question et ne sait pas trop quoi répondre. S'il devait faire la liste complète des suspects, elle devrait probablement comprendre le nom de Emil Godfrey, mais il n'a encore eu ni l'audace ni le courage de faire face à cette possibilité. Son propre père, qui aurait tué ou participé au meurtre du père de sa femme est un drame si difficile à concevoir qu'il a préféré, jusque-là, ne pas y penser. Plutôt que de répondre, il baisse les yeux et rougit comme une fillette ce qui, malgré tout, ne lui arrive plus aussi fréquemment qu'autrefois. Alfred Mignault, de toute façon, n'y prête pas la moindre attention. Il attend patiemment une réponse à sa question pendant qu'il regarde le jeune homme par-dessus les besicles perchées sur la pointe de son nez.

— Non, monsieur, je n'y crois pas.

— Comme c'est intéressant, poursuit Mignault en s'adressant à son collègue. Voici un jeune homme qui s'ingénie, pendant deux jours, à prouver une chose à laquelle il ne croit pas.

— Explique-toi, Alfred, reprend Beaugrand que les propos du coéditeur n'ont pas éclairé.

— Mais vous, jeune homme, m'avez-vous compris?

— Oui, monsieur.

— Fort bien. Vois-tu, Honoré, notre reporter est très futé, mais c'est un rêveur, ce qui n'est pas une très bonne qualité pour un journaliste.

Cette fois, le visage de Tran tourne au cramoisi.

— Et savez-vous pourquoi, mon jeune ami, je pense comme cela, ou bien faudra-t-il que je vous l'explique?

— Un moment, Alfred, intervient Beaugrand, n'es-tu pas un peu dur à l'endroit de notre reporter qui s'est déjà mérité quelques lauriers?

— C'est juste, mon ami. Tran Godfrey a déjà des fleurons à sa couronne de jeune reporter et je regrette d'avoir omis de les reconnaître. Dont acte. Cependant, si notre as veut aller de l'avant, il se doit de rechercher la vérité, à quelque prix que ce soit, en quelque lieu qu'elle se trouve. Puis, il est de son devoir de la révéler par l'instrument de sa profession, qui est sa plume, achève-t-il en brandissant la sienne au bout de son bras.

Pendant un moment, Tran a l'impression que le Dr Mignault a deviné ses pensées et que par quelque sortilège qui lui échappe, il est au courant de ce qu'il a appris de l'oncle Octave à Saint-Hyacinthe.

— En effet, monsieur, commence Tran avec lenteur, comme pour gagner du temps, j'ai passé des jours à chercher des ennemis à Ben Laverdure et je n'en ai pas trouvé. Pourtant, je lui en connais un. Si j'avais pu en repérer un autre, peut-être aurais-je pu éviter de mentionner le premier.

— Moi, je ne vous suis plus ni l'un ni l'autre, interrompt Beaugrand pendant que son collègue hoche la tête en souriant.

— Laisse-moi t'expliquer, cher ami, poursuit Mignault. J'aurai moins de mal à le faire que notre jeune ami, que la chose embarrasse un peu. Il est arrivé qu'il s'est laissé distraire par autre chose, parce que la vérité, qu'il avait cru entrevoir, le mettait mal à l'aise. Je m'explique. Tran Godfrey, ici présent, s'est donné du mal pendant des jours à chercher quelque chose qu'il savait bien ne pas trouver là où il regardait. Car Tran savait que Ben Laverdure n'avait qu'un ennemi, et qu'il le connaissait.

— C'est vrai? demande Beaugrand abasourdi par la perspicacité de son collègue. Qui est-ce? demande-t-il encore, en se tournant vers Tran.

— Mlle Doiron, répond Mignault.

Tran, qui est resté figé sur son siège, attendant que le coéditeur sorte le nom de son père, comme un magicien tire un lapin de son chapeau, éprouve un immense soulagement lorsque le nom de Matante est évoqué.

— Quoi, la vieille fille, la belle-mère de ta femme? dit Beaugrand, comme si la chose lui paraissait invraisemblable.

— Elle a toujours détesté son beau-frère, répond Tran qui a retrouvé son calme. Les bessonnes m'ont dit que cela datait de leur naissance. Ce jour-là, leur mère, la sœur de Mlle Cédulie, est morte en les mettant au monde. Pour quelque raison que je ne m'explique pas, elle en a toujours voulu à son beau-frère dont elle déplorait les agissements et les fanfaronnades.

— Elle est bien contente, en tout cas, d'hériter d'un commerce bien établi et prospère, reprend Beaugrand, heureux d'apporter enfin un élément à la conversation. Lorsque tu as commencé ta série d'articles, Tran, j'ai fouillé un peu ici et là et j'ai découvert que Ben Laverdure, par testament, laissait tout à ses filles, mais leur donnait sa belle-sœur, Mlle Doiron, comme tutrice, avec devoir de leur rendre leur héritage le jour où elles entreront dans leur vingt-deuxième année. De plus, il a laissé la gestion de toutes ses affaires à Mlle Doiron, pour qu'elle organise tout comme elle l'entend. Il ne lui a donné aucune directive au sujet du commerce. J'ai pris pour acquis qu'elle était déjà très au fait de la bonne marche à suivre et qu'il avait confiance en son sens des affaires. Ceci vous éclaire-t-il?

— Énormément, cher ami, reprend son collègue. Nous avons une meurtrière possible et un mobile.

— Oui, peut-être, mais ce que nous ne savons pas c'est si Mlle Doiron connaissait le contenu du testament. Car, pour l'inculper, il nous faudrait prouver qu'elle était au courant des arrangements de son beau-frère. Et je crains fort que ce soit impossible à faire.

— Comment cela, impossible?

— Je ne vois pas comment nous pourrions arriver à la faire parler.

— La police?

— Non, nous ne sommes pas prêts à aller à la police. Nous ne possédons pas d'informations qu'ils n'aient déjà eux-mêmes. Dans ces conditions, ils vont nous renvoyer chez nous en riant de notre naïveté et ils auront bien raison. Toi, Tran, ne pourrais-tu pas t'arranger pour la faire parler? demande Beaugrand.

Il est bien évident que le jeune homme est fort mal à l'aise lorsque son patron lui fait cette demande.

— Laisse, Honoré. Tran a déjà beaucoup fait dans cette affaire. Ce n'est pas à lui d'accomplir cette tâche, car il est l'époux de Modeste, elle-même fille de Ben et nièce de Mlle Doiron. Celle-ci, d'ailleurs, d'après ce que je me suis laissé dire, considère les jumelles comme ses propres filles. Est-ce bien exact? ajoute-t-il en se tournant vers le jeune homme.

— Oui, monsieur, c'est très juste.

— Alors, tu vois bien, dit Mignault à Beaugrand, il nous faut trouver une autre stratégie.

— Tu sembles persuadé de sa culpabilité et tu crois pouvoir la lui faire avouer?

— Je ne sais pas comment la faire passer aux aveux. C'est affaire d'experts, ce que je ne suis pas. Quant à sa culpabilité, je n'entretiens aucun doute.

— Mais qu'aurait-elle fait voir à Ben qui lui aurait causé sa crise cardiaque?

— C'est bien là, justement, le morceau du casse-tête qui nous manque encore.

— Et si Mlle Doiron n'avait eu qu'à se montrer pour susciter chez Ben le coup de sang qui l'a emporté? Il me semble que c'est là l'explication la plus plausible, termine Beaugrand en s'allumant un cigare qu'il tournait dans ses gros doigts boudinés depuis quelques minutes.

— J'aimerais avoir ta simplicité, mon ami, reprend le Dr Mignault, mais je crois que la réalité est beaucoup plus compliquée que ça.

— Vraiment! s'exclame Beaugrand, légèrement piqué par la remarque de son ami. Et toi, Tran, puisque tu es sur cette affaire depuis ses débuts et que tu connais mieux que nous tous la famille Laverdure, crois-tu que Cédulie Doiron soit coupable du meurtre de son beau-frère, d'après ce que l'on vient de dire?

Le jeune homme hésite avant de répondre. Il joint ses longs doigts blancs, effilés, des doigts d'artiste, et les porte devant ses lèvres épaisses et sanguines qu'aucun duvet ne vient encore assombrir.

— Je ne sais pas... Je ne crois pas, dit-il enfin, en levant les yeux en direction des deux hommes.

— Vous ne savez pas ou vous ne croyez pas? Lequel des deux?

Tran secoue vigoureusement la tête comme s'il voulait se débarrasser d'une idée qui l'ennuie.

— C'est pourtant vous, jeune homme, qui avez attiré notre attention sur la dernière phrase du coroner qui se demandait ce qui avait pu causer la crise cardiaque, dit Mignault en observant attentivement Tran. Je suis médecin, moi aussi et, dans ces cas-là, on cherche toujours à connaître les causes. Dans le cas de Laverdure, le médecin légiste dit que ses artères n'étaient pas encore assez obstruées par l'abus d'alcool pour lui causer des problèmes avant plusieurs années. Il faut donc que la cause soit extérieure à la victime.

— Tu as sans doute raison, conclut Beaugrand. Alors, on continue ou on s'interrompt?

— Il faut continuer, intervient Tran. J'ai déjà écrit «à suivre», à la fin de mon dernier article. Les lecteurs s'attendent à une suite.

— Oui, c'est vrai, mon garçon, ils s'attendent à une suite. Nous la trouverons bien. Il nous faudra savoir la reconnaître lorsqu'elle se présentera.

La rencontre est terminée sans qu'aucune conclusion définitive à ce mystère n'ait encore été trouvée. Lorsqu'il quitte le journal, ce soir-là, Tran marche lentement vers son logis, qui n'est qu'à deux pas, au centre de Fall River, où Modeste et lui ont élu domicile tout de suite après leur mariage. L'idée de sa femme lui est douce et réconfortante, mais il ne s'y arrête pas. Plutôt, il revoit le voyage en ballon dans son esprit, car il croit que c'est là que réside la réponse à leurs questions: «Qui a tué Ben Laverdure, et comment?» La seule apparition de Matante était-elle suffisante pour donner à Ben le coup au cœur qui l'a emporté? Bientôt, Tran arrive chez lui, tout en se promettant de faire d'autres recherches sur les péripéties du fameux vol de la charlière.

Quelle n'est pas sa surprise, en entrant à la maison, d'y trouver sa belle-sœur Mélodie.

— Je ne t'attendais pas sitôt, explique le jeune homme lorsque son étonnement est trop manifeste.

— Modeste avait besoin de moi, dit-elle simplement.

Tran regarde sa femme qui secoue la tête en signe d'assentiment.

— Mais comment as-tu...

Il s'interrompt et regarde les jumelles comme s'il les découvrait pour la première fois. Elles se tiennent debout, le corps droit, le visage angélique. Il l'a déjà observé auparavant, ces deux êtres communiquent entre elles d'une façon qui lui échappe complètement. Mais il y a peut-être une autre explication plus logique à la présence de Mélodie. Comme les nouveaux mariés n'étaient pas allés à Salem depuis plusieurs semaines, la jeune fille avait pu décider, par elle-même, de venir aux nouvelles.

— Bon! Bon! Je sais, ce sont des affaires de bessonnes, comme vous dites. N'empêche que pour les autres, c'est pas facile à avaler.

Elles sourient toutes deux en regardant Tran déposer sa grande carcasse dégingandé dans un fauteuil.

— Alors, Mélodie, quel message, exactement, Modeste t'a-t-elle envoyé?

— Viens, j'ai besoin de toi pour m'aider dans les derniers mois de ma grossesse.

— Mais il reste encore cinq mois avant l'accouchement! s'exclame Tran qui croit qu'il y a une autre raison.

— Je crains des complications, dit Modeste.

— Des complications? Tu ne m'en avais pas parlé.

— Je sais, je ne voulais pas t'alarmer.

— Ma chérie, tu l'oublies, mais je suis ton mari. Tu peux tout me confier. C'est mon rôle.

C'est au tour des jumelles de paraître embarrassées.

— Mélodie et moi sommes si habituées à vivre presque comme une seule personne, que cette nouvelle existence a complètement chambardé l'ancienne. Cela prendra du temps, mais les choses finiront par s'arranger.

— Comprends-moi bien, Mélodie, je suis heureux que tu sois là pour aider Modeste dans les derniers mois de sa grossesse. Je trouve seulement que cinq mois, au cours desquels je ne serai plus seul avec ma femme, c'est bien long pour un jeune mari si amoureux.

Les jumelles baissent les yeux à l'unisson, pendant que Tran, parcouru d'un frisson, éclate de rire avant de se mettre à table.

Un soir, peu après, en entrant chez lui pour le souper, Tran annonce son départ par train, le lendemain matin pour Salem. Discrète comme toujours, Modeste ne lui pose pas de questions sur son voyage.

— M. Beaugrand m'y envoie, afin d'aller m'entretenir avec Matante.

— Avec Matante? Pourquoi? demandent en même temps les jumelles.

— Parce que Matante est, semble-t-il, le seul témoin qui ait vu tomber M. Laverdure. Oh! Excusez-moi mes belles, je suis gauche et malhabile.

— Non, tu n'as pas à t'excuser Tran, lui dit Modeste en pressant contre lui son corps sinueux et souple comme une chatte siamoise. Pour Mélodie et moi, et je suis certaine que Matante est de notre avis, tu fais ton travail et tu le fais bien. Il est possible, que grâce à toi, nous apprenions toute la vérité sur la mort de papa.

— Je l'espère, ma chérie, lui répond son mari qui lui rend, discrètement, les caresses rassurantes qu'elle lui prodigue.

Du coin de l'œil, Tran observe sa belle-sœur qui lui sourit, de l'autre côté de la table de la cuisine. Il a tout à coup cet étrange sentiment de tenir sa femme dans ses bras en même temps qu'il la voit en face de lui. Sans trop de brusquerie, il dégage son étreinte et rit pour cacher son trouble.

Le lendemain avant midi, vers onze heures, Tran Godfrey pénètre chez ses parents, rue Harbord, à Salem, où il a l'intention de dîner avant d'aller rendre visite à Cédulie Doiron. Toute la famille est présente pour le repas, comme c'est la coutume. Chacun lui pose mille questions sur son travail et la vie à Fall River. Puis, comme il s'agit de sa première visite dans sa famille depuis le voyage de noces, la conversation s'engage rapidement sur Saint-Hyacinthe et la tante Hermine, pour laquelle il n'a que des compliments, ce qui rend Jeanne heureuse. Lorsque son père lui parle d'Octave, Tran réussit à cacher son malaise et évite complètement la question. Comme pour changer de sujet, il parle de Mélodie, qui communique à distance avec sa jumelle sans moyen apparent.

Pas une fois, cependant il ne parle des discussions qu'il a eues avec ses patrons sur l'enquête qu'il mène sur la mort de Ben Laverdure.

— Un homme est venu hier. Il voulait te voir, lui dit sa mère, au milieu du repas.

— Oh? Qui était-ce?

— Un Anglais. Un certain Léo Briggs, il est photographe. Je lui ai dit que tu habitais maintenant Fall River.

— Mais oui, je le connais. Il était à bord de la nacelle, avec nous, lors du voyage. Il a témoigné, à l'enquête du coroner. C'est là que j'ai déjà vu les photos que lui et son collègue, qui étaient avec nous au premier rang, avaient prises du moulin. Je me demande bien ce qu'il me veut.

— Peut-être a-t-il des photos qu'il n'a montrées à personne?

— C'est curieux que tu dises cela car, lorsqu'il a témoigné à l'enquête du coroner, il a admis n'avoir pris aucune photo. Enfin, je verrai bien. Qu'a-t-il dit d'autre?

— Que si jamais tu repassais par Salem, d'aller le voir chez lui. Il a laissé son adresse sur un petit bout de papier. Il n'habite pas le petit Canada, continue Jeanne en fouillant dans la grande poche qui pend du côté gauche de son tablier et qui est gonflée de mille objets hétéroclites. Il est plutôt du côté de North Salem. Tiens, justement, j'ai son adresse ici. Il habite la rue Dearborn.

Elle tend le morceau de papier à son fils qui le prend, le considère un moment et le glisse dans la poche de sa veste. Dès le repas terminé, il ne sort pas par la porte arrière de la cuisine, qui aurait conduit, à travers le jardin, chez Cédulie Doiron. Sans songer que, de toute façon elle serait probablement à la boucherie, il sort par l'avant et se dirige lentement vers Salem nord et le numéro 22 de la rue Dearborn où il arrive un peu après deux heures.

C'est Léo Briggs lui-même qui lui répond. C'est un jeune homme à peine plus âgé que Tran et qui a commencé son métier de photographe l'année précédente. Il travaillait en tandem avec un collègue lorsqu'ils avaient accompagné l'expédition de la charlière. Tran se souvient très bien d'eux, car ils occupaient chacun un coin de la nacelle d'où ils devaient tenter de prendre le moulin de la Naumkeag.

— C'est très difficile à faire parce que, à bord du ballon, ça bouge constamment, dit Léo Briggs, une fois les salutations d'usage terminées.

Lui aussi se souvient très bien de Tran et de son ex-patron Laverdure. Il regrette de n'avoir pas eu l'occasion, pendant le vol, de parler davantage avec Tran, mais il avait été trop occupé par ses fonctions. Il était un peu nerveux car c'était non seulement sa première expédition en ballon, mais aussi sa première affectation d'importance depuis qu'il avait commencé ce travail.

— Es-tu content de ce que tu as fait? s'enquiert Godfrey.

— De ce que j'ai fait? Mais tu le sais bien, j'ai déjà dit au coroner que je n'avais pas réussi à prendre une seule photo à cause du mouvement.

— Ah oui, c'est juste.

Mais alors, se demande Tran, s'il n'a rien de plus à me dire, qu'est-ce que je fais ici?

— Je sais, Tran, tu dois bien te demander pourquoi j'ai pris la peine de m'arrêter chez toi et de dire à ta mère que je voulais te parler.

Le photographe paraît mal à l'aise et ne semble pas savoir par où commencer.

— Tu as quand même tenté de prendre une photo, mais elle n'est pas réussie? suggère le jeune Godfrey.

— Oui, c'est ça, répond Briggs avec soulagement. Tu comprends, mon patron ne le sait pas et je crois qu'il m'aurait congédié si j'avais avoué que j'avais raté un cliché.

— Puis-je le voir?

— Oui, bien sûr, c'est pour cela, justement, que je voulais te rencontrer. Mais je dois te prévenir, si tu n'es pas au courant, tu ne comprendras rien à ce que tu verras, car nous bougions constamment.

— Ça, je m'y attends. Mais pourquoi crois-tu que cette photo, que tu décris comme un échec, pourrait me concerner?

— Parce que, depuis l'enquête du coroner, je sais que tu t'intéresses à la mort de Ben Laverdure. Mais j'aurais rien fait si ma blonde, qui habite le petit Canada, m'avait pas fait lire *L'Écho du Canada*, dans lequel tu as écrit plusieurs articles sur le sujet.

— Elle te les a traduits?

— Non, je sais lire et parler le français.

Tran est fort étonné, puisque leur conversation, jusque-là, s'est déroulée en anglais.

— Où as-tu appris le français? s'enquiert Tran, mais en français cette fois.

— Mon vrai nom c'est Léonce Labrie. J'ai été adopté par les Briggs, à l'âge de treize ans, quand mes parents, originaires de Québec, sont morts dans un accident de bateau.

Tran ne sait quoi dire après ces explications.

— Alors, cette fameuse photo? dit-il gauchement après un moment. On peut la voir?

— Oui oui, je vais te la montrer, lui dit Léo en l'entraînant vers l'arrière de la maison où est installé son atelier de photographe, avec une chambre noire et des bacs pleins d'acides qui dégagent dans la pièce une odeur âcre qui prend Tran à la gorge et le fait tousser.

— Ça durera pas, dit son nouvel ami pour le rassurer.

Ce disant, il approche une lampe de la table où sont étalés plusieurs clichés déjà développés et imprimés.

— Voici pourquoi je n'ai rien dit à l'enquête du coroner. Je ne devais pas me servir des appareils de mon patron pour photographier autre chose que les installations de la Naumkeag, dit-il en montrant les clichés du moulin. Mais, sans en parler à personne, même pas à l'autre photographe qui était avec moi, j'ai pris une photographie des maisons du petit Canada, croyant que j'allais prendre celle de ma blonde. Hélas, mais tu pourras en juger par toi-même, elle n'est pas réussie. Aussi, je l'ai tenue cachée jusqu'ici et l'ai gardée pour moi.

En entendant ces paroles, Tran ne peut retenir sa curiosité. Il frétille presque, se tenant tantôt sur une jambe, tantôt sur l'autre, ne sachant où mettre ses grands bras, ses longues mains.

— Bon! Bon, je m'arrête, je vois que tu t'impatientes. Tiens, voici la fameuse photo qui, en fait, n'en est pas une car elle est trop sombre.

Tran prend dans ses mains une feuille de huit à neuf pouces sur dix environ et regarde une image effectivement sombre, traversée presque complètement d'une ligne blanche de forme régulière, aux extrémités desquelles apparaissent des formes assez vagues entourées de taches blanches ou lumineuses. Pendant quelques secondes, il n'arrive pas à donner un sens à l'image qu'il a devant les yeux.

— Allons à la lumière du jour, nous aurons une meilleure idée de la photographie et de ce qu'elle représente.

Sitôt dit, sitôt fait. Le jeune journaliste scrute longtemps l'impression qu'il a dans les mains, la tourne et la retourne dans tous les sens durant quelques minutes. Léo, patient et silencieux, ne tente ni de le presser ni de lui faire des suggestions.

— Voici ce que je vois, dit enfin Tran. Tu étais dans le coin sud-est de la nacelle, n'est-ce pas, lorsque tu as pris le cliché?

— Oui, en effet. Sous moi, à ma gauche s'étalaient les bâtiments de la Steam Cotton, et à ma droite ou presque devant moi, j'apercevais les rues Perkins, Congress et Naumkeag.

— Bien! Et la ligne blanche qui traverse une grande partie de la photo...

— Oui, elle va de la nacelle jusque passée la rue Naumkeag. Si mes calculs sont exacts, cela veut dire qu'elle s'arrête dans la cour arrière des Laverdure.

— C'est bien dommage que l'image soit si sombre. C'est ce qui nous empêche de relever d'autres détails. Pourtant, il ne faisait pas encore nuit à ce moment-là. Si je me souviens bien, le soleil couchant frappait le ballon. Peut-on éclairer encore plus cette image?

— Je ne sais pas, Tran. Je suis nouveau dans ce métier. Mais attends. Je pense à quelque chose. Si je faisais une réimpression avec la lumière, mais que je laissais le papier moins longtemps dans l'acide qui développe l'image, je crois qu'elle serait plus pâle. Ce que je ne sais pas c'est si, en enlevant l'image de l'acide, j'interrompts le processus de développement.

— Essayons donc!

Les deux jeunes hommes, enthousiasmés par l'expérience, se mettent aussitôt au travail. Dix minutes plus tard, Léo retire du bain d'acide un papier sur lequel une image encore pâle apparaît, mais plus détaillée que la précédente et le dépose rapidement dans le bain de fixatif qui arrête le processus de développement. Comme le jeune photographe l'avait espéré, la photo reste pâle et révèle des détails qui n'apparaissait pas avant.

— Regarde, lance Léo triomphalement, j'avais bien raison, la ligne lumineuse va de la nacelle à la cour arrière des Laverdure. Elle touche à une forme humaine qui se tient debout au pied d'un arbre.

— En effet, reprend Tran, c'est Mlle Doiron, je la reconnais, malgré sa longue robe. On dirait une tunique blanche avec de grandes taches. Elle se tient au pied du bouleau dans sa cour. Mais il me semble qu'il y a une tache noire à ses pieds. Qu'est-ce que ça peut bien être?

— C'est difficile à dire. Il reste plusieurs coins sombres sur la photo. C'est peut-être la corneille morte que lui a lancée M. Laverdure.

— Et la ligne blanche, qui va de la nacelle jusqu'à Mlle Doiron?

— Je suis trop nouveau dans ce métier. En réalité, je ne sais pas.

— Mais pour causer une ligne, n'aurait-il pas fallu que la lumière s'arrête sur un objet épousant cette forme?

— Pas nécessairement. Elle pourrait être la trajectoire d'un objet en chute libre, éclairée par le soleil couchant. Nos appareils de photographie ne sont pas aussi rapides que l'œil humain.

— Mais quel pourrait être cet objet?

— Ça, ce n'est plus de mon domaine. C'est à toi de trouver.

— Puis-je garder ce dernier cliché? J'en prendrai grand soin, puis je te le rendrai.

— Tu peux le garder. Je suis heureux de te le donner. Mais ne révèle sa provenance à qui que ce soit. Je pourrais perdre mon emploi.

Les nouveaux amis se séparent en promettant de se revoir. De retour chez lui, Tran monte dans sa chambre pour analyser longuement et plus à loisir la photographie qu'il vient de recevoir. Grâce à une loupe, il en scrute chaque pouce. Lorsqu'il a terminé, il est déjà près de quatre heures et, à ce temps de l'année, le jour baisse déjà.

Il sort dans le jardin avec une vague idée de ce qu'il cherche, mais il n'est pas capable de lui donner un nom. Enfin, avec hésitation et la ridicule impression d'être un intrus, il traverse du côté des Laverdure où il croit que l'objet en question devrait logiquement se trouver. Léo Briggs a bien dit que la ligne blanche représentait peut-être la trace de la chute d'un objet. Or cette ligne, sur la photo, se termine au pied du bouleau dans la cour des bessonnes. Matante, en plein après-midi, est encore à l'épicerie et ne rentrera pas avant six ou sept heures. Il a tout le temps de chercher sans être interrompu.

Hélas, ses efforts ne sont pas récompensés car, au bout d'une demi-heure de fouilles, il n'a rien trouvé qui puisse ressembler à un objet tombé de la montgolfière. Tran scrute plus attentivement un espace d'une dizaine de pieds autour du bouleau, mais il revient complètement bredouille, les chaussures couvertes de boue.

Déçu, il se prépare à rentrer chez lui, lorsqu'il entend la voix d'un enfant dans la cour d'à côté. C'est Romuald, un garçonnet de six ans, le plus jeune fils de leur voisin, Roméo Landry.

— J'te vois, Tran! J'te vois, Tran! répète l'enfant de sa voix encore fluette, tout en regardant le jeune homme à travers une lunette d'approche.

Tran s'arrête pour parler au gamin qui semble s'amuser beaucoup.

— Tu regardes par le mauvais bout, Romuald. Retourne ta lunette et tu me verras plus gros encore.

Le petit ne comprend pas, mais Tran s'approche de lui et tend la main pour lui montrer comment s'y prendre. D'abord, l'enfant refuse carrément de se départir de l'objet.

— Je t'assure que je veux seulement te montrer comment jouer avec. Après je te la rendrai.

Enfin convaincu, Romuald remet sa trouvaille à Tran, mais avec une certaine hésitation. C'est une lorgnette de dix pouces de long environ et elle est couverte de boue dans toute sa longueur.

— C'est toi qui as nettoyé les verres? demande Tran lorsqu'il tient la lunette dans ses mains. Pourquoi estelle si sale?

— Ben, parce qu'elle était dans la vase c't'affaire.

— Dans la vase?

— Oui, là, dit l'enfant en montrant du doigt le pied du bouleau dans la cour des Laverdure.

Comme la porte percée dans la clôture qui sépare les deux propriétés est constamment ouverte, on peut aller et venir comme on veut d'une cour à l'autre. Le gamin, bien entendu, ne fait pas encore toute la différence entre les frontières. Pour lui, le bouleau fait partie de son univers et c'est là qu'il a trouvé la lunette.

— Est-ce que je peux te l'emprunter? demande Tran à l'enfant.

— Non, c'est à moi. C'est moi qui l'ai trouvée.

— Oui, je sais, je ne veux pas te l'enlever. Je veux seulement l'emprunter pour une heure.

— Non! répond Romuald qui s'enfuit à toutes jambes vers sa demeure.

Le soir, après souper, Tran traverse chez les Landry. Il leur explique aussitôt le but de sa visite et leur demande s'il peut emprunter la longue-vue que Romuald a trouvée dans la cour arrière des Laverdure. Les parents acquiescent une fois qu'il a promis de la rapporter dans quelques jours. Il rentre aussitôt chez lui avec le précieux objet qu'il nettoie soigneusement. La lunette, un tube conique et télescopique est faite dans un métal brillant blanc argent, sans doute un alliage qui lui est inconnu. Personne, chez les Godfrey n'a jamais vu cet objet auparavant. C'est une tout autre histoire lorsqu'il rend visite à Matante, vers huit heures, après son souper. Elle reconnaît tout de suite la lorgnette comme ayant appartenu à son beau-frère, Ben Laverdure. Il la gardait dans un tiroir de son bureau, dans l'épicerie-boucherie.

— En fait, ajoute Matante, je m'étais demandée où elle était passée, lorsque j'ai fait l'inventaire de ses effets, après la mort de Ben. Mais attends un peu, il lui manque quelque chose.

— Ah? Quoi donc?

— La courroie en cuir dont on se servait pour la suspendre à son cou.

— Vous êtes certaine de ça?

— Absolument. C'est la lunette de Ben, mais il lui manque sa courroie. Tiens. Regarde ici, sous le cercle de métal à la petite extrémité. Ne vois-tu pas qu'il y a deux espaces? C'est là qu'étaient ancrés les bouts de la courroie.

— Matante, lorsque vous regardiez passer le ballon au-dessus de votre maison, avez-vous pu apercevoir M. Laverdure, de l'endroit où vous étiez?

— Je ne l'ai pas repéré tout de suite, mais quand j'ai pris ma longue vue à moi...

— Ah bon! Vous aussi, vous aviez une lunette d'approche.

La vieille fille regarde le jeune homme et hausse les épaules. Celui-ci comprend maintenant pourquoi, lors de l'enquête du coroner, Cédulie, qui est myope, avait affirmé qu'elle avait tout vu distinctement.

— Je connaissais assez mon beau-frère pour avoir deviné qu'il me préparait un mauvais coup. C'est comme ça que j'ai pu le voir qui se tenait debout sur la plate-forme, mais hors de la nacelle. Puis, j'ai vu qu'il jetait quelque chose dans ma direction.

— Et cet objet, c'était la corneille morte?

— Justement.

— Que faisiez-vous au juste à ce moment-là?

— Comment, qu'est-ce que je faisais? Je regardais venir la chose, bien sûr.

— À quel endroit vous teniez-vous exactement dans la cour?

— Près du bouleau.

— Pourquoi aviez-vous choisi cet endroit?

— Comment pourquoi? En v'la une question. J'sais-t'y, moi, pourquoi j'étais là? Ça devait être parce que la vue était meilleure.

— Pourtant, c'est un endroit où la terre est détrempée. Vous auriez mouillé vos chaussures.

Cédulie jette à Tran un regard où se lisent à la fois l'irritation et l'exaspération.

— Mais pourquoi M. Laverdure a-t-il choisi ce genre de plaisanterie de mauvais goût, à votre avis? reprend Tran pour ramener la conversation sur un terrain plus sûr.

La vieille fille a un reniflement désagréable, destiné à transmettre l'opinion qu'elle a toujours eue de son beau-frère.

— C'était un vantard, un ivrogne et un fanfaron. C'est le genre d'homme qu'il faut rayer de la liste des humains.

— Votre souhait est déjà réalisé, fait Tran ironiquement.

La vieille fille renifle encore plus dédaigneusement, mais ne relève pas la justesse de l'observation.

— Mais vous parlez du père des bessonnes, Matante.

— C'est peut-être le père, mais il ne compte pas pour grand-chose. C'est Marguerite, ma sœur, qui les a produites et c'est moi qui les ai élevées. La part de Ben Laverdure dans ça? Une petite goutte de semence, minuscule encore. Non vraiment, son rôle est insignifiant. Comme lui.

— Vous le détestiez donc tant que cela?

Cédulie Doiron serre les lèvres, pousse un grand soupir et jette les yeux dans le vide, comme pour chasser au loin le souvenir de ce beau-frère détesté.

— Où est-ce que tu l'as trouvée? dit-elle enfin en brandissant la lorgnette, comme pour reprendre la conversation.

— C'est pas moi qui l'ai trouvée, c'est le petit Landry. Il croit qu'elle lui appartient. Vous croyez que vous pourriez la lui donner? Il s'attend à ce qu'on la lui rende.

Après une hésitation, ce qui est bien dans sa nature, la vieille fille accepte et Tran rentre chez lui heureux de sa découverte. Il ne doute pas un seul instant qu'il s'agit là de l'objet tombé de la nacelle et dont la chute a tracé la ligne lumineuse présente sur la photo. Ce soir-là, il éprouve de grandes difficultés à s'endormir. Il ne sait pas où le conduira sa découverte, mais il ne doute pas que ce soit vers une autre trouvaille non moins étonnante que celle qu'il a faite aujourd'hui. Et puis, surtout, cette lorgnette n'éloigne-t-elle pas de son esprit, de façon définitive, l'intolérable soupçon qui s'était formé en lui de la culpabilité de son père? Tourmenté par des sentiments contradictoires qui se bousculent dans sa tête, le jeune homme finit par s'endormir d'un sommeil agité.

11

Le lendemain matin, lorsqu'il se réveille en sursaut et trempé de sueur, Tran Godfrey a encore à l'esprit le cauchemar dans lequel il se débattait, il y a juste un moment. Encore à demi conscient, il se sent envahi par l'impression désagréable d'être au mauvais endroit. Il regarde sa montre; il n'est que six heures quinze, encore bien trop tôt pour continuer ses recherches sur la mort de Ben Laverdure. Aujourd'hui, il s'est promis de rendre visite aux policiers qui ont procédé à l'enquête officielle sur la mort de son beau-père.

Mais, ce jour-là, les choses ne se passent pas comme prévu. En descendant déjeuner, il fait une chute en manquant la dernière marche de l'escalier. Heureusement, il ne se casse rien, mais se retrouve avec une ecchymose au front après avoir heurté la rampe. Puis, quelques minutes plus tard, il renverse, par mégarde, sa tasse de thé sur sa culotte et manque de se brûler la jambe.

— Il y a quelque chose qui te tracasse ce matin? lui demande Jeanne, surprise par de telles gaucheries.

Ordinairement, Tran a des gestes sûrs. C'est un garçon posé qui agit lentement, sans se presser, alors qu'aujourd'hui, il est nerveux, distrait et maladroit.

— Oui, maman, j'ai fait un mauvais rêve et je me suis éveillé en sursaut. Depuis que je suis levé, j'ai l'impression que je ne me contrôle plus.

— Tu veux dire que tu n'es plus maître de tes gestes?

— Oui, c'est ça. Je crois poser la main sur le dossier de la chaise, elle passe à côté. Je veux déposer un verre près de l'assiette, et le voilà dans l'assiette même.

— C'est à Matante que tu devrais raconter ça. Elle t'expliquerait le sens du message qu'on tente de te faire parvenir.

Jeanne ne fait pas d'ironie. Elle croit vraiment que Cédulie possède des pouvoirs hors du commun.

— Je ne sais pas au juste pourquoi, mais ce dérèglement dans mes mouvements m'a fait penser à elle.

— Tu devrais aller la voir, insiste Jeanne.

— Non! Je rentre à Fall River, déclare Tran d'une voix si forte que sa mère, depuis le poêle où elle s'active, se tourne complètement vers lui.

Disant cela, le jeune homme se redresse si brusquement que sa chaise se renverse, accrochant ainsi une assiette remplie d'œufs, qui s'écrase par terre en morceaux.

— Tu vois, maman, il est temps que je parte, avant de mettre la maison sens dessus-dessous, dit-il avec un petit rire pour dissimuler sa nervosité.

Car Tran ne peut se le cacher, il n'est pas bien où il se trouve. Il voudrait à l'instant être transporté dans sa maison de Fall River avec sa femme. Sans d'autre explication, il prend la route de la gare après avoir fait ses bagages rapidement. À onze heures, il est à Boston et à trois heures, après avoir changé de train, il entre en gare de Fall River où il saute dans une voiture de louage. Il est loin de se douter de ce qui l'attend à la maison où, quelques jours plus tôt, il a laissé les bessonnes occupées à jouer les futures mamans.

Lorsque le cocher le dépose devant sa demeure, il est étonné par un spectacle inattendu: la porte avant est toute grande ouverte et deux ou trois femmes bavardent à voix basse dans le vestibule. Il pose un billet dans la main du cocher et, sans attendre sa monnaie, il se précipite, sac en main, vers les marches du perron qu'il gravit rapidement.

— Qu'est-ce qui se passe? demande-t-il, dès l'entrée, aux femmes qui ont déjà interrompu leurs bavardages en le voyant descendre de voiture.

— Oh! Mon pauvre M. Godfrey, dit l'une d'elles qui doit être une voisine, car son visage lui paraît familier.

Le jeune homme est aussitôt alarmé par un tel accueil. Il regarde les femmes avec ahurissement. Elles ont toutes un air solennel et composé.

— C'est votre belle-sœur, Mlle Mélodie. Si jeune et si vite.

— Quoi? Quoi? Qu'est-ce qu'elle a, Mélodie?

Les femmes se consultent du regard un moment avant de répondre à nouveau.

— C'est arrivé tôt ce matin, continue la voisine. Votre femme a fait venir le docteur, mais il était trop tard.

— Trop tard pour quoi? s'exclame le mari qui se refuse encore à comprendre.

Sur ces paroles et sans attendre la réponse, il repousse les femmes qui gênent son passage et se précipite vers l'escalier.

Tout en haut, il aperçoit Modeste, vêtue de la robe noire qu'elle portait à la mort de son père. Derrière elle se tiennent deux femmes d'un certain âge, sans doute d'autres voisines. Les longs cheveux noirs et soyeux de la jeune femme sont défaits, son visage est noyé de larmes. En descendant l'escalier pour aller à la rencontre de son mari, elle s'agrippe à la rampe en hoquetant fortement, ce qui secoue sa fragile silhouette. Pour la première fois, Tran remarque un gonflement du ventre. En dépit des pleurs et du triste tableau qui s'offre à lui, il ne peut s'empêcher d'éprouver une bouffée de fierté à la vue de cette première manifestation de la présence de son enfant. Mais il est vite repris par le visage défait de Modeste et le chagrin qu'elle manifeste. Lorsqu'ils se rencontrent enfin, sur le palier, il la prend dans ses bras et la serre contre lui. Tendrement, il lui murmure des douceurs à l'oreille pour l'apaiser.

— Là, là, tout doux, ma chérie. Ne pleure plus, je suis là. Tout ira bien maintenant.

Peu à peu, la jeune femme se calme et ses hoquets cessent. Elle regarde Tran droit dans les yeux. Le jeune homme n'y lit pas de la tristesse, comme on aurait pu s'y attendre, vu la manifestation bruyante du chagrin, mais plutôt de la peur, presque de la terreur, comme celle de la bête traquée.

— Modeste, que s'est-il passé? demande Tran lorsque sa femme a repris son aplomb.

Celle-ci, plutôt que de répondre, le prend par la main et l'entraîne vers l'étage et la chambre à coucher. Les deux femmes s'écartent devant eux. Lorsqu'ils arrivent à l'entrée, Tran s'arrête net à la vue du spectacle: sa belle-sœur, Mélodie, repose, terriblement immobile, sur des draps blancs fraîchement repassés, les paupières baissées, le visage de la couleur de la cire. Elle est vêtue d'une longue robe blanche et dans ses mains jointes sur sa poitrine, est entrelacé son chapelet de première communiante. Tran n'a pas besoin de plus d'explications.

— Oh! Ma chérie, dit le mari en se tournant vers sa femme et en la prenant à nouveau dans ses bras.

Ces jeunes gens, des adolescents encore, font face à un second deuil en l'espace de quelques mois. Le père d'abord et maintenant la fille. Modeste frissonne dans les bras de son mari. Tran la connaît suffisamment bien pour savoir qu'il ne doit pas la brusquer ou poser de questions trop directes.

— Tu me diras tout en temps et lieu, ma chérie, rien ne presse.

Elle fait signe que oui, pendant que les larmes recommencent à couler. Tran la serre encore sur son cœur. Les jeunes mariés restent longtemps à contempler l'image de celle qui, il y a quelques jours à peine, donnait tous les signes de vitalité et d'entrain d'une fille de son âge. Il se tourne vers sa femme, dont les yeux rougis et pleins d'effroi, le rappellent à la terrible réalité. Avec des gestes lents et délicats, il se dégage d'elle lentement, puis se dirige vers le lit et touche le front de la morte. Il en éprouve une impression étrange qui le bouleverse.

— Quand est-ce arrivé, au juste?

— Il était six heures et quart, car la pendule, qui sonne toutes les quinze minutes, s'est fait entendre au même moment.

— Au même moment? Tu étais donc présente lorsqu'elle est morte? demande Tran sans s'arrêter à la coïncidence troublante, pourtant, de l'heure de la mort de Mélodie avec celle de son réveil à Salem.

— Oui, bien sûr. Je partage le lit de Mélodie pendant ton absence.

— Heureusement, ma chérie. Tu étais avec elle pour ses derniers moments.

— Oui, c'est vrai, mais ça n'a pas été facile, continue la jeune femme, la voix étranglée par les sanglots.

— Tu me donneras les détails plus tard, dit son mari doucement, quand tu en auras la force. Cela peut attendre.

— Non, Tran, j'aime mieux en parler maintenant. Je suis encore sous le choc et ça m'est plus facile. Plus tard, je ne sais pas si je le pourrai.

— Comme tu veux, ma chérie.

— Donc, un peu après six heures, j'étais encore à moitié endormie lorsque j'ai senti, tout à coup, la main de Mélodie qui attrapait la mienne. Elle la serrait si fort que je n'ai pu retenir un cri. J'ai vite fait de la lumière et je me suis tournée vers ma bessonne: ses traits étaient déformés par une trop grande souffrance. Sa main droite était crispée sur sa poitrine, comme si c'était là qu'était le mal. J'avais beau lui parler, lui demander ce qu'elle avait, il était bien évident qu'elle ne pouvait pas me répondre, soit qu'elle souffrît trop, soit qu'elle ne fût déjà plus tellement consciente de ce qui lui arrivait. Elle râlait légèrement, comme si elle se retenait ou comme si elle étouffait. Rapidement, pendant que je la tenais dans mes bras, son visage prit une couleur sombre, j'allais dire bleu foncé. Inutile d'ajouter que j'étais au bord du désespoir. Je ne savais plus si je devais la laisser, l'abandonner à son sort pour aller chercher du secours, ou continuer à la tenir dans mes bras, ce qu'elle semblait préférer. De toute façon, je n'ai pas eu le temps de prendre une décision, car elle a eu un bref sursaut et est retombée, inerte, en même temps que le carillon de l'horloge sonnait le quart d'heure. Ensuite, elle ne s'est plus relevée et n'a plus bougé. Je l'embrassais partout en pleurant, en l'appelant par son nom, en la priant de revenir, mais tout cela n'a rien donné. J'ai dû me rendre à l'évidence: elle était morte.

À ces mots, la jeune femme recommence à sangloter, pendant que Tran lui murmure des paroles apaisantes.

— As-tu quand même envoyé chercher le médecin?

— Oui, le Dr Mignault est venu et n'a pu que constater le décès.

— Qu'a-t-il dit?

— Qu'elle est morte d'un arrêt soudain du cœur, comme papa. Il a ajouté, car pour lui cela paraissait évident, que c'est congénital. Je lui ai demandé ce que cela signifiait. Il a dit comme ça: «Ah! Ça court dans certaines familles.» Je lui ai demandé si moi aussi j'avais la même chose. Il m'a dit «probablement». Je lui ai alors demandé si, comme pour papa, on allait faire une autopsie. Il m'a répondu que non, que cette mort n'était ni accidentelle ni suspecte et il a signé un papier qui, paraît-il, est nécessaire à l'enterrement. Je n'ai pas aimé le fait qu'il trouve tout naturel que Mélodie, une femme si jeune encore, meure comme ça un beau matin, sans avertissement aucun.

— Il ne faisait probablement que de te donner son opinion médicale, ma chérie. Il ne faut pas lui en vouloir.

— Je ne lui en veux pas. Je trouve seulement qu'il a conclu bien vite à la cause de son décès.

Tran serre à nouveau sa femme sur sa poitrine pour la consoler et la calmer. En même temps, il songe aux paroles de Modeste et se demande s'il y a un lien autre que médical entre ce nouveau décès et celui de Ben Laverdure.

— Qu'as-tu fait d'autre?

— C'est alors que des voisines, alertées par le Dr Mignault, sont venues pour me consoler et m'aider. Ensemble, nous avons fait sa toilette. J'agissais presque en automate. J'ai tenu à la laver moi-même, de la tête aux pieds comme nous faisions lorsque nous étions toutes petites. Matante nous avait montré comment faire et depuis ce temps, nous nous sommes toujours lavées de cette façon. Puis, nous l'avons revêtue de la robe blanche qu'elle aimait tant, mais que Matante ne voulait pas qu'elle porte avant le jour de son mariage. J'attends maintenant les gens chargés des funérailles. Le docteur les a fait quérir il y a déjà plusieurs heures.

— Oh ma chérie, c'est atroce. Tu étais seule pour faire face à ce drame. J'aurais dû être avec toi. Je m'en voudrai toujours d'avoir mis mon travail avant ma famille. Je te promets, je ne le ferai plus jamais. Allons, descendons et tu me raconteras les événements de la journée d'hier.

— C'est ma bessonne. C'est comme une partie de moi qui meurt et j'ai si mal.

— Je te comprends, ma chérie. Allez, viens!

Ils descendent lentement l'escalier et se dirigent naturellement vers la cuisine qui, comme chez les Godfrey et les Laverdure, est le centre de la vie familiale. Des femmes, causant à voix basse, comme on fait dans la chambre d'un malade, s'affairent autour de la cuisinière pour préparer à manger aux nombreuses personnes qui ne vont pas manquer de venir pour la veillée funèbre. En voyant entrer les jeunes époux, elles se retirent par discrétion et les laissent seuls. Une fois installée à la table, devant une tasse de thé, Modeste raconte son horrible aventure.

— La journée d'hier s'est très bien passée. J'ai fait tout ce que tu m'avais demandé d'accomplir en ton absence. J'ai vu le Dr Mignault, comme tu as tellement insisté que je le fasse. J'ai donc eu mon premier examen médical qui n'a fait que confirmer que j'étais enceinte de plus de quatre mois et que ma grossesse est on ne peut plus normale.

— Mélodie était-elle avec toi?

— Non. Elle a choisi de rester à la maison. Elle s'est dite un peu lasse. Mais ce n'était pas la raison. C'est à cause de ce que Matante nous avait raconté sur ces genres d'examens. Elle trouvait cette procédure horrible et humiliante. De plus, je crois que Jos aussi s'opposait à la visite au médecin, mais pour d'autres raisons.

— Ah! Pourquoi donc?

Modeste paraît embarrassée par la question de son mari. Celui-ci la regarde jusqu'à ce qu'enfin elle lui réponde.

— Eh bien, elle n'était plus vierge et elle ne voulait pas que la nouvelle s'ébruite.

— Oh! dit Tran en souriant, ce n'est que cela.

Sans doute à cause des circonstances, il ne fait plus la leçon à sa femme au sujet de sa méfiance vis-à-vis des médecins en général et du Dr Mignault en particulier.

— Mon Dieu, c'est terrible pour Jos aussi, pas seulement pour nous, reprend Tran, soudainement conscient des conséquences, pour son ami, de la mort de sa belle-sœur. Et Matante! Il faudra leur annoncer la nouvelle. Mais enfin, je m'écarte de notre sujet. Continue plutôt ton récit des événements de la matinée. Donc, tu es allée chez le médecin hier. Et ensuite?

— Je suis rentrée à la maison et j'ai préparé à dîner pour Mélodie et moi. Nous avons mangé avec beaucoup d'appétit et je n'ai éprouvé aucune nausée. L'après-midi, nous sommes restées à la maison et nous avons tricoté tout le reste du jour. Il commençait à faire noir et nous avons allumé les lampes pour souper. Au début de la soirée, M. Beaugrand est passé pour savoir exactement quand tu rentrerais. Je lui ai dit que je t'attendais dans deux ou trois jours. Il m'a fait promettre de te dire d'aller au bureau dès ton retour. Tu vois, j'avais oublié ce détail.

— C'est sans importance, ma chérie. J'irai le voir dès que je le pourrai. J'ai trop à faire ici pour l'instant.

Au moment où les jeunes époux ont cette conversation, un fourgon noir, tiré par deux chevaux, s'arrête devant l'entrée. Ce sont les gens des pompes funèbres qui viennent discuter des détails de l'enterrement. Ce sont eux qui, dès le lendemain, transporteront le corps de Mélodie à Salem pour les funérailles.

Le reste du jour, Tran Godfrey le passe avec Modeste, après avoir fait parvenir à M. Beaugrand une petite note dans laquelle il lui annonce son retour précipité. L'éditeur se présente chez le jeune couple vers le début de la soirée.

— Qu'allez-vous faire maintenant? s'enquiert-il après les condoléances et les explications.

— Nous allons aller à Salem pour les funérailles.

— Oui, ça, je n'en doute pas. Ce dont je voulais parler, c'était de vos plans d'avenir.

— Eh bien, Modeste et moi, nous allons rester à Fall River tant que j'aurai cet emploi chez vous. C'est ici que nous allons commencer d'élever notre famille.

— Bravo, dit Beaugrand avec enthousiasme, tu réponds aux aspirations du curé Labelle.

— Le curé Labelle?

— Oh, c'est un prêtre du Québec qui prêche le retour à la terre, mais il fait surtout la promotion des familles nombreuses.

Tran ne semble pas comprendre l'allusion. Il n'est à *L'Écho du Canada* que depuis quelques mois. Les nouvelles du pays, au nord, intéressent beaucoup plus les parents de Tran que ceux de sa propre génération. Surtout qu'Emil ne fait pas souvent allusion à cette terre du Canada qu'il a quittée à l'âge de cinq ans. Il n'est surtout pas question de retour. «Mes enfants sont des Américains», dit-il fièrement, ce qui sous-entend qu'ils le resteront.

— Revenons à ton travail, celui de tes articles sur la mort de Ben Laverdure. La police a cessé de s'intéresser à l'affaire, tandis que toi, tu continues à poser des questions et tu n'es pas d'accord avec les conclusions du coroner.

— C'est-à-dire, monsieur Beaugrand, que je suis d'accord avec la conclusion du coroner: mon beau-père est mort d'une crise cardiaque. Je ne suis pas d'accord avec l'idée que c'est une mort naturelle. Je suis d'avis que c'est une mort provoquée.

— Hélas, tu ne peux pas le prouver.

— N'en soyez pas si sûr. Je ramène, de mon voyage à Salem, un objet fort intéressant.

— Ah! s'exclame Beaugrand, surpris par la nouvelle. Et que rapportes-tu?

Tran va dans la pièce voisine, qui lui sert de cabinet de travail, et revient avec un sac qu'il dépose sur les genoux de son visiteur en l'invitant à l'ouvrir. Beaugrand, intrigué, dénoue la corde qui ferme le sac, y met la main et en retire une lunette d'approche en métal brillant. Il la prend dans ses mains, la retourne dans tous les sens et va même jusqu'à regarder par les deux extrémités. Tous ces gestes ne lui livrent pas la réponse qu'il brûle d'entendre.

— Alors, dis-moi ce qui se cache derrière cette lorgnette.

Tran lui fait le récit de sa découverte providentielle et de sa théorie sur le rôle qu'elle a joué dans la mort de l'épicier-boucher.

— Voici comment je pense que les choses ont dû se passer. Le photographe nous commande de nous ranger tous d'un même côté de la nacelle dans la position que vous savez et qui a été déterminée à l'enquête du coroner. Nous avons tous obéi, sauf Ben Laverdure. Dès que celui-ci voit que les autres lui tournent le dos, il attache à sa ceinture le sac de toile grise contenant la carcasse de la corneille. Rappelez-vous que ce sac était encore sur sa personne, lorsque qu'on a recouvré son corps empalé sur la croix de l'église. Donc, enfin prêt, il enjambe le garde-fou, la lorgnette suspendue à son cou par une longue courroie de cuir.

— Mais je ne vois aucune courroie de cuir sur cette lunette.

— Oui, mais lorsque je l'ai fait voir à Matante elle m'a fait remarquer ses ancrages, ici, autour de ce cercle. Ils sont encore visibles et hier soir, avec un couteau, j'en ai détaché un petit morceau de cuir qui y était resté incrusté.

— C'est donc dire qu'un coup très sec aura été tiré sur la lorgnette.

— Sans doute. Il est probable que les attaches, déjà bien usées, n'ont eu besoin que d'un léger coup pour se casser.

— Une chose m'intrigue, cependant, dans les propos de Matante. Si elle est myope, comment a-t-elle pu voir Ben aussi clairement.

Tran apprend à son patron que la vieille fille avait aussi une lunette d'approche.

— Mais je reviens à ma théorie des événements, poursuit-il après ces explications. Donc, Ben est debout sur la plate-forme de la nacelle, en dehors du garde-fou. Ses pieds reposent sur une bordure d'une dizaine de pouces, tout au plus. C'est assez pour y poser solidement les pieds, mais il n'a pas une très grande marge de manœuvre et doit les placer l'un devant l'autre. Je présume qu'il se tient au garde-fou avec la main gauche et qu'avec la droite il scrute, dans sa lorgnette, les cours des maisons que nous survolons. Il a certainement repéré la sienne, car lorsque nous passons au-dessus, il est assez habile pour lancer la carcasse de l'oiseau mort juste aux pieds de Matante, comme elle l'a témoigné à l'enquête du coroner. Il a donc dû regarder par la lorgnette et a aperçu Mlle Doiron qui regardait passer le ballon grâce à sa propre lunette.

— As-tu demandé à Matante si elle a vu venir l'oiseau de loin?

— Oui. Elle m'a avoué avoir vu venir un objet, sans savoir ce que c'était. Elle ne l'a identifié que lorsqu'il est tombé à ses pieds. Hélas, je n'ai pu tirer d'elle quoi que ce soit d'autre qui pourrait nous éclairer. Qu'a vu Ben Laverdure, par sa lorgnette, qui lui a causé une crise cardiaque? Je ne le sais toujours pas.

— À moins, suggère Beaugrand, que sa crise cardiaque ait été causée simplement par la peur de l'altitude.

— C'est la théorie du coroner. Je connaissais très bien M. Laverdure et je puis vous assurer qu'il n'était pas sujet au vertige. Ma femme vous le confirmera.

— Enfin, Tranquille, tu as fait suffisamment de découvertes pour que je t'encourage à continuer. D'autant que ce que tu as appris n'invalide en rien ta théorie. Au contraire, cela semble plutôt la confirmer. Qu'entends-tu faire d'autre?

— Je voulais vous suggérer une façon de procéder. Modeste et moi, nous partons pour Salem demain pour assister aux funérailles de Mélodie. J'ai l'intention d'y passer plusieurs jours, voire plusieurs semaines, si nécessaire, sous le prétexte que Modeste veut rester près de Matante pendant quelque temps.

— Qu'y feras-tu?

— Je suis persuadé que c'est là que se trouve la réponse à notre problème.

— Parfait, mon garçon. Le journal te soutient complètement. Je veux seulement te recommander la prudence.

— La prudence? demande celui-ci, dubitatif.

— Écoute Tran, il y a déjà deux cadavres, depuis que cette affaire est commencée...

— Comment deux cadavres? Il n'y a que M. Laverdure...

— Que fais-tu de Mélodie?

Le jeune Godfrey regarde son patron, l'air sérieux.

— Vous voulez dire que...

— Je ne sais pas si les deux décès sont reliés, mais il y a plusieurs raisons de se le demander.

Comme Tran, très intéressé, continue de regarder Beaugrand, celui-ci poursuit de plus belle.

— D'abord, les deux victimes sont le père et la fille. Ensuite, les morts ont eu lieu dans un espace de temps assez rapproché.

— Iriez-vous jusqu'à dire que s'il y a eu meurtre les deux fois, le meurtrier peut être le même?

— Je n'en serais pas surpris. Si nous pouvons trouver le mobile du premier meurtre, peut-être aurions-nous la solution au deuxième.

Tran Godfrey est hésitant. Il éprouve de grandes difficultés à accepter que Mélodie ait pu être assassinée.

— Monsieur Beaugrand, je n'en suis pas si certain. Si c'était vrai, cela innocenterait Matante et ferait de Modeste le suspect principal de ce nouveau meurtre. Ça, je ne puis l'accepter.

— N'oublie pas, mon garçon que tu es journaliste et que tu es à la recherche de la vérité, où qu'elle soit et quelle qu'elle soit.

Le jeune homme est effondré. Il se sent désemparé. Lorsque son patron prend enfin congé, Tran le reconduit jusqu'à la porte.

— Prends tout le temps qu'il te faudra à Salem pour mener à bien tes recherches. Si tu as besoin de fonds, n'hésite pas à m'écrire. Par train, une communication ne prend pas deux jours. Nous pouvons nous écrire fréquemment.

Une fois Honoré Beaugrand parti, Tran s'en va trouver Modeste qui ne manque pas de remarquer son air préoccupé.

— C'est la conversation avec M. Beaugrand qui t'a rendu comme ça?

Il fait signe que oui.

— Que t'a-t-il dit?

Aussitôt, Tran lui résume son entretien avec l'éditeur en omettant toutefois l'hypothèse d'un lien éventuel entre les deux morts.

— Il n'y a pas de quoi te tourmenter, mon chéri, lui dit Modeste. Je serai très heureuse d'aller passer quelques semaines à Salem. Pas toi?

— Oui, ma chérie, je serai content pourvu que je sois près de toi.

— Donc, c'est entendu. Nous y resterons après les funérailles. J'aurai aussi besoin de ta présence pour supporter cette nouvelle absence. C'est quand même curieux. En l'espace de deux mois, j'ai perdu mon père et ma sœur.

Tran secoue la tête, tout en baissant les yeux. Il se sent coupable d'avoir caché quelque chose à sa femme, surtout qu'il s'agit d'un soupçon. Ce soir-là, il ne dort pas bien et fait des cauchemars. Modeste met cela sur le compte de la mort de Mélodie et du retour inattendu à Salem.

Il n'empêche que, ce soir-là, en faisant l'amour, Tran a fait en sorte, au cours d'un moment particulièrement agité, de toucher du doigt l'endroit du sexe de Modeste où se trouve l'excroissance qui la distingue de sa bessonne. L'ayant reconnue, il a continué ses ébats comme si de rien n'était.

Le lendemain, tel qu'entendu, les Godfrey prennent le train pour Salem où ils arrivent en fin d'après-midi. Honoré Beaugrand et sa femme sont venus pour les funérailles et décident de rester jusqu'au lendemain.

Ce n'est qu'après le départ de son éditeur que Tran se retrouve seul, face aux éléments nouveaux de sa vie. Il n'en est pas très heureux.

La première préoccupation du jeune homme est de s'entretenir en tête-à-tête avec Jos Poirier. Si la théorie de M. Beaugrand peut être vérifiée, c'est un endroit comme un autre pour commencer.

Dès qu'il a appris la nouvelle de la mort de Mélodie, Jos est tombé dans une profonde mélancolie. Une journée plus tard, il ne paraît pas encore possible de l'en tirer. Tout le jour, il se promène, l'air perdu, le regard triste et défait. C'est un peu comme s'il venait de perdre une partie de lui-même. Tran se met aisément à sa place et sent combien il serait désemparé lui aussi, si Modeste venait à partir.

Les deux amis sont assis à la taverne Seven Gables où, attablés devant une bière, ils sont plus à l'aise pour causer. Ils sont penchés l'un vers l'autre, leurs visages rapprochés au-dessus de la table. Ils n'ont pas besoin de parler fort pour être compris, en dépit des conversations des autres buveurs.

— C'est pas juste, répète pour la dixième fois le pauvre Jos Poirier. On meurt pas à cet âge-là.

C'est son refrain. Il n'est pas encore prêt à accepter la réalité.

— Parle-moi de Mélodie.

— Ah, ça c'est facile, reprend Jos.

Il ne demande pas mieux que de parler de Mélodie, qu'il appelle maintenant son «sweet sorrow[1]».

— Raconte-moi votre dernière journée ensemble, avant qu'elle prenne le train pour venir trouver sa sœur à Fall River.

— Tu veux que je te raconte tout, du commencement à la fin?

— Oui, tant que tu voudras.

Heureux de l'occasion de parler de celle qui, même morte, occupe toujours ses pensées, Jos Poirier se lance dans le récit des trois heures du jeudi précédent, la veille de son départ pour Salem. Car, en dépit de l'opposition de Matante, les deux jeunes gens se considéraient depuis longtemps comme promis l'un à l'autre. Ainsi qu'il en avait été à chaque fois, la vieille fille n'avait pas voulu qu'il vienne la chercher à la maison

1. «Doux chagrin».

pour la conduire à la gare. Ils s'étaient donc rencontrés vers trois heures de l'après-midi et s'étaient séparés vers six heures, au moment où Mélodie était montée dans le train en partance pour Boston.

— Dans le détail?

— Oui, dans le détail, Jos. Le moindre geste, le moindre mot. Je veux tout savoir.

Le jeune ouvrier de la Naumkeag raconte leur visite à la buvette, ce qu'ils ont commandé, tout en répétant le plus fidèlement possible chacune des remarques échangées. Au début, raconte-t-il, Mélodie lui a parlé de l'excitation qui s'est emparée d'elle à l'occasion de son voyage à Fall River. C'est la première fois qu'elle se trouvait éloignée de sa bessonne pendant une aussi longue période. Le voyage de noces n'avait duré qu'une semaine. Ces deux jeunes filles étaient littéralement indissociables, presque des siamoises. Matante répétait souvent qu'elles n'étaient séparées que lorsqu'elles allaient au confessionnal. Elle exagérait, sans doute, mais à peine.

— Son enthousiasme était très grand. Elle allait visiter sa sœur, une femme mariée, habiter chez elle avec l'époux de celle-ci, dans une ville étrangère. Elle était assise à côté de moi, tout contre. Je pouvais sentir la chaleur de sa cuisse contre la mienne, à travers le tissu de sa robe et celui de ma culotte. Mon cœur battait fort, aussi fort que la fois, où l'année d'avant...

Jos s'arrête soudainement en plein milieu de la phrase. Il se rend compte qu'il s'est écarté de son sujet et qu'il a commencé à révéler quelque chose qu'il avait l'intention bien arrêtée de garder pour lui-même. Tran le regarde en silence, attendant la suite.

— Ah et puis c'est *too bad*, j'ai commencé maintenant, je continue. Mais y'a personne d'autre à qui je conterais ce que je vais te confier. Promets-moi que tu vas pas le répéter.

— Jos, je fais une enquête pour mon journal sur la mort de Ben Laverdure, comme tu sais. Si jamais ce que tu me dis se rattache à mon affaire, je ne peux rien te promettre.

— Ah non, non! Ce que j'ai à te raconter n'a rien à voir avec la mort de M. Laverdure.

— On sait jamais. Mais j't'aurai prévenu.

— Oui, oui, je sais tout cela et je m'en sacre. J'ai besoin de raconter ça à quelqu'un et t'es mon meilleur ami. Ça fait que j'me lance. Mélodie et moi, eh bien, tu sais, elle et moi, pas dans un lit la première fois, mais dans le petit hangar près de la rivière South, un beau dimanche soir de l'été passé que Matante avait envoyé les bessonnes aux vêpres. Mais c'est pas à l'église que Mélodie et moi on est allés.

Tran continue de regarder son ami en silence. Celui-ci se dit que l'autre connaît peut-être la vérité, mais il ne s'attarde pas à cette idée.

— Tu sais, ça devait être à peu près en même temps que toi et Modeste...

— Oui, probablement, reprend Tran, à peine moins embarrassé que son ami par cette révélation à mi-mots.

On a beau être de grands amis, les meilleurs du monde, le discours intimiste reste généralement non dit. Le mot qui désigne une action, habituellement sexuelle, est toujours presque impossible à énoncer. On s'exprime alors par périphrases, codes, gestes, regards. Le mot lui-même n'est jamais prononcé. Celui qui reçoit la confidence doit, en retour, donner une réponse dans le même registre, pour montrer sa connivence. Tran et Jos ne font pas exception. Le langage sexuel, au XIXe siècle, est encore occulté.

— Alors comment as-tu trouvé ta première expérience? demande Tran à son ami.

— Oh! Bonne, très bonne, dit-il le regard vague.

— Mais quoi?

— Je ne sais pas au juste. Je te le dirai quand j'aurai trouvé. Et toi, ta première fois?

— Ah! Moi, j'étais aux anges. J'avais déjà, dans ma tête, vécu à l'avance ce que cela serait. Mais je dois t'avouer que je n'étais pas préparé aux surprises qui ont été les miennes.

— Comme quoi, par exemple?

— Ben, j'sais pas, le côté physique, je crois bien.

Les deux amis restent silencieux, méditant, chacun de son côté, les dernières paroles de Tran. Il était allé assez loin dans son explication. Ces garçons, qui n'hésitent pas un instant à se dévêtir complètement les uns devant les autres lorsqu'ils ne sont qu'entre hommes mourraient de honte ou d'embarras s'ils se faisaient prendre en cet état par une fille. Le dénuement de l'âme, c'est une tout autre histoire. C'est pour eux un monde obscur, mal défini, dans lequel ils s'embarquent comme des aveugles, cherchant à tâtons les vérités et les plaisirs qui n'ont lieu que dans l'obscurité.

— Mais toi, avant Modeste, j'imagine que tu... que tu... dit Jos, brisant un long silence, et touchant légèrement son sexe à travers son épaisse culotte de laine.

— Ben... répond l'autre en haussant les épaules comme pour dire que cela allait de soi.

Nouveau silence, nouvelles réflexions intérieures. Il n'est pas dit que leurs pensées ne cheminent pas dans la même direction. Bien au contraire. Ces demi-révélations, ces quelques mots échangés à cause de l'atmosphère intime qu'ils ont créée entre eux, véhiculent les mêmes informations que s'ils les avaient clairement formulées.

— Moi, quand j'ai grandi, reprend Jos, c'est la période que j'ai le plus aimée.

— Que veux-tu dire? T'aimes pas mieux maintenant?

Jos regarde son ami avec surprise. Comment a-t-il pu oublier si facilement?

— Oh! excuse ma gaucherie, Jos. C'est si nouveau que j'oublie que Mélodie... enfin tu sais ce que je veux dire.

— Oui, oui! Je ne t'en veux pas. Depuis que j'ai appris la nouvelle, je ne fais que me rappeler du temps d'avant qui était très bon.

Les deux jeunes hommes laissent là leurs confidences. De toute façon, ils veulent en revenir aux bessonnes qui les préoccupent tous les deux.

— Mais toi, tu as toujours la tienne, reprend Jos. Et pour moi, même si Mélodie est morte, il me semble que je ne l'ai pas tout à fait perdue, puisqu'il y a Modeste.

Tran ne sait pas comment réagir à cette remarque de son ami. Il veut être compatissant, mais à la fois, il lui semble que Jos veut faire jouer à Modeste un rôle qu'elle n'est peut-être pas prête à accepter et, qu'en tout cas, lui-même verrait d'un assez mauvais œil.

— Qu'est-ce que tu veux dire par là?

Si Tran a prononcé ces mots sur un ton qu'il tâche de garder le plus neutre possible, Jos saisit quand même, dans sa voix, une inquiétude causée par l'incertitude. L'alarme de son ami le porte à sourire.

— Non, ce n'est pas ce que tu penses. Je ne te demande pas de partager Modeste avec moi. Je veux seulement que tu saches que parce que Modeste est ton épouse, tu es encore plus mon ami.

Autrement dit: «Je t'aime encore davantage.» Pendant quelques instants, flotte dans l'air une émotion insaisissable, ambiguë qui les rend tous deux mal à l'aise.

— Revenons à ta conversation avec Mélodie, avant son départ pour Fall River. Qu'est-ce qu'on disait?

— Que j'avais ma cuisse collée contre la sienne et c'est à partir de là qu'on a parlé de...

— Oui, oui, je sais reprend vivement Tran, qui ne veut pas revenir sur le sujet. Mais après, qu'avez-vous fait ou dit d'autre?

— On a parlé du jour où nous aussi on allait se marier. Évidemment, on se cachait pas que les difficultés étaient nombreuses, avec Matante qui est tellement contre. Depuis la mort de M. Laverdure, nous avons perdu notre meilleur allié. Je crois qu'il aurait réussi à faire prévaloir notre point de vue et que Matante aurait été obligée de céder.

— Ah? J'avais pas pensé à ça, dit Tran, soudainement sérieux.

— Pensé à quoi?

— Ben, que c'est un motif de plus que pouvait avoir Matante de faire disparaître Ben.

— Tu penses toujours que la vieille y est pour quelque chose?

— Oui. Mélodie le pensait aussi et elle est morte, suggère Tran, en pensant à M. Beaugrand.

— Quoi? Tu veux pas dire que Matante aurait aussi éliminé Mélodie...? Ah non, voyons, pas à distance comme ça. T'es complètement fou.

— Elle a bien réussi avec Ben, et à bonne distance encore. Tu vois que ce n'est pas un obstacle.

— Oui, mais ce n'est pas la même chose. Dans un cas, c'est une centaine de pieds de distance, dans l'autre c'est cinquante milles. C'est quand même pas une sorcière, la vieille.

Tran ne dit rien et regarde son ami. Pendant quelques instants, les idées les plus folles se débattent dans leur tête.

— Bon, disons que j'exagère peut-être un peu, mais ce sont quelquefois les hypothèses les plus folles qui finissent par s'avérer être vraies. C'est M. Beaugrand qui le dit. Ensuite, de quoi d'autre avez-vous parlé?

— Ben, on faisait toujours des plans pour se marier, avoir des enfants.

— Pourquoi vous avez pas fait comme nous. Une grossesse aurait pu forcer la main de Matante.

— J'en doute. Elle a pas la même réaction avec toi qu'avec moi.

— Oui, je sais et c'est bien dommage. Avez-vous déjà pensé vous enfuir quelque part pour aller vous marier?

— Il aurait fallu mentir sur notre âge.

— Au Canada, et même en Acadie, on n'aurait pas regardé d'aussi près. Il t'aurait suffit de trouver un prêtre accommodant.

— Oui, je le sais, mais la grosse difficulté, c'est que Mélodie ne voulait pas vivre éloignée de Modeste.

— Tu me le dis. Les premières semaines à Fall River ont été difficiles pour ma femme.

— Oui, ça été le cas jusqu'à ce qu'elle et Mélodie se mettent à se parler et à communiquer à distance. Justement, à propos de ces façons qu'elles avaient de se parler, Mélodie m'a raconté qu'elle écrivait, dans son cahier, une question destinée à Modeste. Puis elle attendait. Tout à coup, lorsqu'elle sentait la réponse de sa bessonne lui arriver dans la tête, elle l'écrivait ensuite dans le même cahier. Modeste, m'a-t-elle dit, faisait la même chose de son côté. Lorsqu'elles se rencontraient, elles comparaient leurs notes et il paraît qu'elles étaient semblables.

— Quoi? Mais je n'ai jamais entendu parler de ça. Modeste ne me l'a jamais dit. T'es sûr de ça?

— Absolument. Tu me connais, j'suis pas le genre à inventer des affaires pareilles.

— Non, ça, je le sais. Mais en as-tu déjà vu de ces écrits dont tu parles?

— Non, pas une fois. J'avais demandé à Mélodie de m'en faire voir. Elle m'avait dit oui, mais elle est morte avant.

— Tiens! Encore une chose qu'elle n'a pu faire, parce qu'elle est morte trop tôt. À qui cela pouvait-il rapporter.

— Oh Tran! T'es vraiment obsédé par cette affaire. Si tu crois que Mélodie a été assassinée, je voudrais bien que tu trouves le meurtrier. Mais il me semble que ça fait beaucoup de cadavres dans un si petit Canada.

Les garçons restent silencieux après cette phrase, comme s'ils avaient épuisé le sujet.

— En tout cas, Tran, notre conversation m'a fait du bien. Je sais que je n'ai plus ma Mélodie, mais je suis moins triste.

— Peut-être que tu veux m'aider dans mon enquête pour le journal?

— J'sais pas vraiment comment. J'travaille toute la journée à la factrie. On finit jamais avant six, sept heures, comme tu sais. Souvent un peu plus tard en hiver, mais des fois plus tôt en été.

— Oui, eh bien justement, tu pourrais me raconter ce que les gens disent à la shoppe entre eux, à propos de la mort de Ben. Ils ne parleront pas devant toi de celle de Mélodie pour ne pas te faire de peine. Ce sera à toi de les encourager à le faire. Si tu parles constamment de Mélodie avec eux, comme c'est ton droit, puisque tu es en deuil, les gens éprouveront de la compassion et s'ouvriront à toi.

— Tu le penses?

— J'en suis convaincu.

— J'essaierai à partir de demain.

Lorsque les deux amis se séparent, Jos rentre chez ses parents et Tran retrouve Modeste chez Matante, où ils logent pendant leur séjour à Salem. Évidemment, le jeune homme n'a pas à aller très loin lorsqu'il veut retrouver sa famille qui habite la propriété adjacente.

Cédulie a déjà préparé le souper et Tran se met à table peu après son arrivée. Le repas se passe en silence, sauf quelques paroles échangées pour les besoins du service. Il en était ainsi du vivant de Ben, et c'est encore le cas, surtout depuis la disparition de Mélodie.

Il y a une atmosphère à la fois de tension et de mélancolie, de gêne et de tristesse. Pendant les longs moments de réflexion auxquels les trois convives sont forcés, Tran est peut-être le seul à éprouver une certaine peur. Il ne sait pas au juste ce qu'il devrait craindre, mais il sait qu'il lui faut rester ici même, sur place, pour garder Matante à l'œil.

— Josse est venu cet après-midi, pendant ton absence, dit Modeste, au moment le plus animé du repas.

— Ah? Que voulait-il? demande Tran en se tournant, comme par hasard, dans la direction de Cédulie.

Celle-ci, ne se sachant pas observée, jette, à ce moment-là, sur Modeste, un regard si noir que Tran éprouve un frisson qui le parcourt tout entier.

— Je ne sais pas, en fait, il ne l'a pas dit.

— Voulait-il me voir?

— Non, je crois que c'est à toi, Matante, qu'il voulait parler, dit Modeste innocemment.

— Ah bon! dit Tran du ton le plus naturel possible, après la réaction de colère qu'il vient de surprendre, ce garçon vous aime bien Matante, n'est-ce pas? Vous l'estimez aussi.

La vieille fille ne réagit aucunement, comme si l'autre n'avait pas parlé. Pour bien montrer qu'il n'a pas accordé d'importance à ce faux pas de Modeste, le jeune homme change de sujet.

Pendant que le repas s'achève dans le silence et que les deux femmes s'affairent au ménage et à la vaisselle, Tran se prépare à sortir.

— Je vais faire un tour à côté, dit-il avant de partir.

— J'irai te rejoindre quand nous aurons fini la vaisselle, lui dit Modeste lorsqu'il est sur le pas de la porte.

Le jeune mari s'arrête un moment comme s'il réfléchissait.

— Oui, oui, bien sûr. Je t'attendrai avant de revenir.

Sur ces paroles, il quitte la maison, traverse la cour et entre chez ses parents.

— Modeste viendra me retrouver dans une demi-heure. Quand elle arrivera, dites-lui de m'attendre. J'ai une course à faire et je ne rentrerai pas tard.

Tran repart aussitôt. Plutôt que de sortir par la porte de la cuisine, comme il en a l'habitude, il utilise la sortie avant de la maison, descend les marches du perron et tourne à droite le long de la rue Harbord. Il ne va donc ni chez les jumelles, comme il l'avait donné à penser, ni chez Jos Poirier, puisqu'il n'a pas tourné à gauche. Tran Godfrey marche d'un pas décidé, pendant cinq à six minutes, jusqu'au carrefour de la rue Gardner. Il s'arrête devant le numéro quatre, la résidence des Thibodeau.

12

Tout en se dirigeant vers la résidence de Josse Thibodeau, Tran repasse dans sa tête la façon dont il va aborder la conversation avec son ami. Il veut apprendre ce que le jeune homme est venu faire chez Matante, et ce dont il s'est entretenu avec elle, en plein après-midi, alors qu'il a tant d'occasion de lui parler au travail où elle est sa patronne. D'autant plus que, comme ils sont maintenant seuls dans la boutique, la chose devrait être encore plus aisée. Il a donc fallu un motif tout-puissant pour obliger la vieille fille à fermer le magasin en pleine semaine, pendant deux heures, et à se retirer chez elle avec son employé. Pour quelque raison, elle a jugé qu'ils seraient plus à l'aise à la maison de la rue Harbord pour parler. Voilà bien une question qui intrigue le jeune journaliste.

C'est un jeune frère de Josse qui ouvre la porte à Tran lorsqu'il sonne. De la cuisine, parviennent des rires et des bruits de vaisselle qui s'entrechoque. C'est la fin du repas et pendant que la mère et ses filles sont en train de laver la vaisselle, le père est assis dans une chaise berçante, qu'il fait aller doucement, tout en fumant sa pipe et en buvant une tasse de thé à petites lampées.

— Josse est dans la grange, dit Siméon Thibodeau, lorsque Tran s'enquiert de son ami.

— Merci, Monsieur Thibodeau. Je vais y aller tout de suite.

— T'as ben l'temps de t'asseoir pour une petite jaserie, insiste le père.

— J'vous remercie, Monsieur Thibodeau, mais ça sera pour une autre fois. Il me faut voir Josse tout de suite.

— Comme tu veux, mon garçon, dit-il en riant. Tu connais l'chemin.

Tran, après un bref salut, sort dans la cour arrière et se dirige vers ce que les Thibodeau appellent la grange. En réalité, ce n'est qu'une petite remise qui a déjà servi à abriter un cheval autrefois, mais que les occupants actuels utilisent pour d'autres fins. Depuis qu'il travaille pour Fine Foods, Josse a commencé un petit commerce d'élevage de volailles et de pondeuses. Il écoule ensuite ses produits à l'épicerie-boucherie. Cette initiative, encouragée par toute la famille, rapporte au jeune garçon une jolie somme chaque mois.

Tran ne se cache pas que la conversation entre Josse et la vieille fille aurait très bien pu porter sur le commerce. Pourtant, pourquoi ne pas la tenir rue Essex, où se déroulent les affaires? Ou encore, ici même, rue Gardner, comme s'il s'agissait de parler de l'élevage des volailles vendues à la boucherie? Il en aura le cœur net dans un moment, car il aperçoit Josse qui, en compagnie de son plus jeune frère, est en train de plumer une douzaine de poules qu'ils viennent de tuer.

— Salut Tran. Viens te salir les mains avec nous autres, dit Josse joyeusement en apercevant son ami.

— Oui, j'veux bien. Mais j'veux pas enlever le travail de Gary.

— Non non! Tu lui enlèves rien. Le père va être content. Il attendait qu'il ait fini pour sortir avec lui.

— Bon, puisque c'est comme ça, donne-moi ton banc, Gary.

Quelques instants plus tard, les deux amis, maintenant seuls et assis côte à côte, se mettent au plumage des poulets, un métier que tout jeune garçon, dans le petit Canada, connaît parfaitement. Au début, ils travaillent en silence. Tran, indécis sur la façon d'aborder son propos, attend encore que lui vienne l'inspiration. Finalement, il n'a pas besoin de chercher bien loin: Josse lui tend involontairement une perche.

— Mlle Doiron, a l'aime ben mes poulets.

— Ça doit être parce qu'ils sont bons.

— Oh, a saurait pas, a n'en mange jamais.

— Mais elle rapporte toujours de la viande de poulet à la maison. Il doit bien se trouver quelqu'un pour en manger.

— Pu asteure que M. Ben est mort et que les bessonnes... Oh excuse moi, Tran, j'ai pas pensé à ta belle-sœur.

— Non, non! Ça va. T'as pas à t'excuser.

— Bon ben, maintenant, a vit toute seule, mais a l'emporte encore des poulets à la maison, mais pas du magasin.

Tran ne comprend pas et regarde son ami d'un air intrigué.

— Ben oui, par exemple, l'autre jour, a voulait que j'lui apporte une poule vivante chez elle, rue Harbord.

— Une poule vivante? Tu veux dire une pondeuse?

— Non, non! Pas une pondeuse. Il fallait que ce soit une jeune poule qui n'a pas encore commencé à pondre, mais qui ne va pas tarder. J'en ai pas toujours de cet âge-là.

— Sais-tu pourquoi elle voulait ce genre de poulet?

Josse fait signe que non de la tête, mais il baisse ses yeux vairons en même temps, en gardant toujours son éternel sourire. «Tiens, se dit Tran, il ne me dit pas tout.» Les amis de Josse ont appris, depuis longtemps que, lorsque son œil gauche pétille, tandis que l'autre reste froid, soit que leur ami leur prépare un tour, soit qu'il leur cache quelque chose.

— Mais si elle n'en mange pas, qu'est-ce qu'elle a fait de l'oiseau?

— J'sais ty, moi?

Le ton de Josse, cette fois, manifeste un léger agacement, perceptible seulement par ceux qui le connaissent bien. Et Tran est son ami depuis trop longtemps pour se tromper. Cependant, il ne pousse pas davantage dans cette direction, pour l'instant du moins.

— Dis donc, depuis l'temps où je travaillais à Fine Foods, vous êtes devenus bons amis, toi et Matante.

Josse hausse les épaules en signe d'indifférence.

— Je m'rappelle que tu l'appelais «la vieille» et que tu te vantais de la mettre à ta main assez facilement. C'est-y toujours le cas?

— C'que j'voulais dire dans l'temps, c'est que Matante me faisait confiance à moi, mais pas à Jos qu'elle pouvait pas sentir. Demande-moi pas pourquoi a pense comme ça, je l'sais pas. C'était rien qu'à moi qu'a confiait les bessonnes pour les sortir. T'étais ben content, dans l'temps, quand, à la cachette de Mlle Doiron, je vous amenais Modeste et Mélodie à toi et Jos.

— C'est vrai, convient Godfrey. Tu nous as rendu de grands services.

— Aujourd'hui, c'est ma patronne. J'suis mieux de filer doux si j'veux garder ma job.

— Ça veut dire quoi, filer doux?

— Ben, ça veut dire de faire comme a demande.

— Qu'est-ce qu'elle peut te demander? Que des choses qui ont rapport au travail?

Le jeune Thibodeau réfléchit longuement tout en regardant Tran à travers ses cils, pour dissimuler son œil gauche qui pétille plus que jamais.

— Oui, des choses qui touchent le travail. J'suis boucher, a me d'mande des affaires de boucher.

— Est-ce que c'étaient des questions de boucherie qu'elle a discutées avec toi, l'autre jour, chez elle, en plein après-midi?

— Pourquoi tu me demandes toutes ces questions, Tran? As-tu quelque chose contre moi?

— Non, j'ai rien contre toi, Josse. T'es toujours mon ami. Mais je suis journaliste et mon travail c'est de chercher la vérité et de la publier.

— Mais quelle vérité?

— Ben, oublie pas, Josse, que y'a déjà eu deux morts en moins de six mois, du monde en bonne santé, le père et la fille. Tu trouves pas ça curieux?

— Y'a du monde qui meurt tous les jours, et des plus jeunes encore que Ben et Mélodie. Faut-y que tu fasses des enquêtes sur tout ce monde-là?

— Non, mais dans le cas de M. Laverdure et de sa fille, c'est autre chose pour moi. Lui c'était mon beau-père, elle c'était ma belle-sœur. Tu vois que j'ai un intérêt personnel dans cette affaire.

— Oui, mais le juge, il a dit que Ben était décédé de mort naturelle et le médecin a dit la même chose pour Mélodie. A souffrait de la même maladie de cœur que son père.

— Oui, oui! Je sais tout ça. Mais rien n'empêche...

— Quoi?

— Ben, rien n'empêche qu'aujourd'hui, Matante est à la tête d'un beau petit commerce prospère et elle n'a plus à endurer son beau-frère qu'elle détestait.

— Oui, mais a va devoir le donner aux bessonnes, quand elles auront vingt et un ans.

— Non, pas aux bessonnes, à Modeste seulement. Tu oublies que Mélodie a été commodément éliminée par une mort naturelle. Il ne reste plus que Modeste dans son chemin pour devenir propriétaire en son nom personnel de Fine Foods et de tout ce qui va avec. Tu trouves pas que la nature fait bien les choses pour Mlle Doiron?

Josse Thibodeau est sidéré. Son visage même, autrement souriant, a pris un air incrédule et effrayé à la fois.

— Je vois que tu n'avais jamais vu les choses de cette façon.

— Mais Matante, dans tout ça? Tu veux pas dire qu'a l'a fait mourir Ben, pis Mélodie ensuite? A l'était même pas là. Faut pas pousser.

— Oui, j'le sais qu'a l'était pas avec la victime à chaque fois. Mais t'oublies que dans le cas de Ben, a l'avait pas besoin d'être sur place. Elle a fait voir quelque chose à Ben qui a causé sa crise cardiaque.

— Mais comment voulais-tu qu'a lui montre quelque chose qui lui aurait fait peur? Lui était dans le ballon, puis elle à sa maison.

— Dans le jardin.

— Bon, dans l'jardin. Mais Ben aurait rien pu voir qui aurait pu lui donner un choc. Il était trop loin.

— C'est vrai, mais Ben avait une lorgnette avec lui, pendant le voyage en ballon. Je suis d'avis qu'il l'avait apportée avec lui afin de voir précisément où il allait jeter la corneille morte.

— Comment sais-tu ça? T'as vu la lorgnette? demande Josse la voix soudainement alarmée.

— Oui, je l'ai vue. Je l'ai même en ma possession.

— Ah?

— Oui! Figure-toi que lorsque Ben a vu ce quelque chose à travers sa lunette, il a eu sa crise cardiaque et a laissé échapper l'instrument qu'un enfant a retrouvé, il y a quelques jours, couvert de boue, dans la cour des Laverdure.

Cette fois, Josse Thibodeau paraît ébranlé par les révélations de son ami.

— Bon, ben disons que ça explique M. Laverdure, mais ça explique pas la mort de Mélodie, reprend Josse qui n'arrive pas à croire tout à fait à cette histoire de meurtres. A l'était à Fall River et Matante à Salem.

— Oui, je l'sais. C'est bien ce qui est difficile à expliquer. Mais si je prends pour acquis qu'on a pu tuer à distance une première fois, pourquoi pas une deuxième?

Josse ne paraît pas convaincu.

— Y'a distance et distance. Dans le cas de Ben, Mlle Doiron et son beau-frère n'étaient séparés que par une centaine de pieds, avec possibilité de se voir, puisque tu dis qu'il avait une lunette. Peut-être que Mlle Doiron aussi avait une lorgnette. Y as-tu pensé?

Tran fait signe que oui.

— Mais, entre Salem et Fall River, y'a des dizaines de milles. Y'a pas une lorgnette qui peut couvrir cette distance. Si t'expliques le premier et le deuxième cas par la crise cardiaque, les circonstances sont pas les mêmes.

Cette fois, c'est au tour de Tran d'être ébranlé. Et qui plus est, il l'est par Josse Thibodeau, un garçon de gros bon sens, admet-il en lui-même, mais dont la logique, ordinairement, ne se manifeste pas aussi clairement qu'aujourd'hui.

— Bon, disons que j'ai pas réponse à toutes tes objections, Josse, mais je crois quand même que je ne me trompe pas sur les points principaux.

— Qu'est-ce que c'est ça?

— Ben, la théorie qu'il y eu meurtre, deux meurtres.

— Mais tu peux pas l'prouver.

— C'est pour ça que je voudrais que tu me racontes ta conversation avec Matante, l'autre jour, lorsque vous êtes venus chez elle et que vous avez parlé pendant deux heures.

— Te raconter quoi? Y s'est rien passé, dit Josse en baissant les yeux, car son œil marron s'est remis à pétiller.

— Dis-moi au moins pourquoi Matante a fermé boutique en plein après-midi pour te parler chez elle pendant deux heures.

— A voulait parler d'affaires.

— Quelles affaires?

— Ben, du magasin, pis d'la volaille que je lui apporte.

— Alors, pourquoi n'êtes-vous pas allés chez toi, où tu élèves tes poulets?

— Parce que...

— Parce que quoi?

— Parce que c'était pas d'élevage qu'a voulait parler.

— De quoi, alors?

Josse s'entête dans un silence obstiné.

— C'était t'y parce qu'a voulait que tu lui apportes un de tes jeunes poulets qui n'ont pas encore pondu?

Josse fait signe que oui. Il a maintenant relevé les paupières et regarde son ami droit dans les yeux.

— C'était quel jour exactement?

— Ben, j'suis pas certain, mais c'est pendant que Mélodie était partie chez vous à Fall River. A m'a dit comme ça qu'on s'rait pas dérangés.

— Lui as-tu apporté le poulet?

— Oui, j'ai été le chercher chez moi, sans que personne me voie.

Le jeune Thibodeau s'arrête net, embarrassé, croyant avoir trop parlé.

— Pourquoi fallait-il qu'on ne te voie pas?

— J'ai pas dit ça.

— T'as dit que personne ne t'a vu. C'était important?

— Matante voulait ça comme ça, pour pas être dérangés.

— Alors t'es allé chercher le poulet, puis t'es revenu rue Harbord. Ensuite que s'est-il passé?

À nouveau, Josse baisse la tête et reprend son air renfrogné. Cette fois, en plus, il serre la mâchoire, un signe évident pour Tran que son ami n'a plus l'intention d'ajouter un seul mot.

— Et Mélodie, dans tout ça? demande Godfrey à tout hasard, ne sachant plus quelle question poser.

— Quoi, Mélodie? Qu'est-ce qu'elle a à voir là dedans? A l'est plus là Mélodie, a l'est morte.

Cette fois, le ton est brusque, tranchant. C'est une façon de parler qui est si peu coutumière à l'Acadien que Tran éprouve de la surprise. A-t-il mis le doigt sur un point sensible? Si oui, il lui faut y aller doucement.

— J'sais pas, j'demandais ça, juste pour savoir. Après tout, tu passais tes journées entières au magasin. T'étais souvent seul avec Mélodie. Vous avez dû devenir plus que des amis.

Tran a touché juste, il le sait. Son ami se raidit et devient rouge comme un coq. Il est sur le point de répliquer, mais il se ravise et se renferme à nouveau dans son mutisme. Le silence dure presque une minute, pendant laquelle les deux jeunes hommes se regardent, l'un, les yeux remplis de défi, et l'autre, le regard neutre, s'armant de patience.

— Mon maudit...

C'est la voix de Josse, basse et intense, qui siffle ces deux mots entre ses dents serrées. Tran continue de le regarder et attend la suite, mais elle ne vient pas.

— Excuse-moi, j'me suis trompé, finit par dire Tran qui ne sait plus comment faire redémarrer la conversation.

— Oui, tu t'es trompé, reprend Josse, toujours aussi agressif. J'ai jamais essayé d'enlever Mélodie à Jos. Jamais, jamais. T'entends? Pas une seule fois, maudit.

Tran est estomaqué par la violente sortie de son ami, lui habituellement si doux.

— T'aimais Mélodie, hein?

Maintenant calmé, Josse fait oui de la tête.

— Ben gros?

Même signe affirmatif, pendant que de grosses larmes commencent à rouler sur les joues du jeune homme qui serre fortement les mâchoires pour garder le contrôle de soi.

— J'm'en étais jamais aperçu, confesse Tran à son ami. J'ai été bien aveugle. Le savait-elle?

— Oui! J'lui avais dit l'année passée.

— Et comment a-t-elle réagi?

Les larmes recommencent à couler en silence sur les joues de Josse.

— A l'a ri de moi.

— Et qu'est-ce que ça t'a fait?

— Mal, ben mal. J'en ai pas dormi pendant des semaines.

— En as-tu parlé à quelqu'un?

— À qui t'aurais voulu que j'en parle? Pas à Jos, en tout cas.

— Non, mais à moi, par exemple. J'suis ton ami.

— T'es le mari de Modeste. Alors, j'sais pas si, en te parlant, j'aurais fait la bonne chose.

— Tu l'aimes toujours?

— Oui, mais à quoi ça me sert?

— Tu veux toujours pas me dire ce que vous vous êtes raconté, toi et Matante, lorsque vous êtes allés chez elle?

Josse lève vers son ami des yeux plein de larmes, tout en se mouchant avec le revers de sa main.

— Ah, et pis, pourquoi pas? J'ai pas fait d'serments à personne. Y'a rien que Matante qui m'a dit qu'y fallait pas en parler, mais j'ai rien promis.

— Alors, raconte.

— Bon, eh ben, c'est pas la première fois que Matante me demandait de lui rendre ce service.

— Quel service?

— Ben, le poulet. A m'avait déjà demandé, autrefois, de lui apporter un poulet vivant.

— Autrefois? Quand ça?

Josse paraît embarrassé de répondre à cette question. Il hésite un moment avant de parler.

— L'année passée, au mois de septembre.

— Au mois de septembre? Le 7 peut-être?

— Non, pas le 7, mais la veille, le samedi 6 septembre.

— Un poulet vivant, mais pourquoi donc?

À nouveau Josse Thibodeau redevient silencieux, comme s'il regrettait d'en avoir déjà trop dit.

— Écoute Josse, tu t'es ouvert un peu, il faut que tu ailles jusqu'au bout. Pourquoi Mlle Doiron voulait-elle avoir un poulet vivant?

— Ben pour le tuer, c't'affaire. Pas pour le garder dans la maison, évidemment.

— Évidemment. Mais si elle voulait le tuer je sais que ce n'était pas pour le manger, elle ne consomme pas de viande.

— Non, mais Ben et les bessonnes en mangeaient. Peut-être qu'elle voulait leur en faire cuire.

— Josse, cesse ce petit jeu de cache-cache. Tu sais aussi bien que moi que l'intention de Matante n'était pas de faire cuire le poulet.

— Bon disons que t'as raison, mais elle voulait se faire montrer comment on tue un poulet..

— Et tu lui as enseigné comment?

— Oui. J'ai attaché le poulet par les pattes et je l'ai suspendu, la tête en bas, à un crochet dans la remise. J'ai saigné le poulet par le palais et Matante se tenait devant avec un bassin pour recueillir le sang.

À ce moment du récit de son ami, Tran est légèrement confus. Il pense qu'il vient d'entendre quelque chose d'important, mais il n'est pas certain de ce que c'est.

— Qu'est ce qu'elle voulait faire avec le sang du poulet?

— J'sais-t-y, moi?

— Tu dois bien avoir une idée, quand même.

— A m'a rien dit.

— Bon, je suis d'accord, mais tu as dû penser à une explication, non?

Josse ne répond pas tout de suite et semble réfléchir. Il tord ses mains nerveusement et laisse échapper un gros soupir. Tran le regarde, attendant la suite.

— Bon, écoute. C'que j'va te dire, y faut que ça reste entre nous. Tu me le promets?

— Josse, je peux pas te promettre ça. Je suis journaliste. Si c'est important, je vais le publier. Mais si ça n'a rien à voir avec la mort de Ben et celle de Mélodie, je t'assure que je n'en parlerai jamais à qui que ce soit.

— Justement, j'pense que c'est relié à la mort de M. Laverdure.

— Dans ce cas-là, je crois que t'es mieux de me le dire à moi.

— Oui, mais si t'écris ce que j'va te dire dans ton journal, la police va être à mes trousses.

— Pas si je ne donne pas ton nom.

— Ah? Mais qui vas-tu dire qui t'a conté ça?

— Laisse-moi faire, je peux me débrouiller. Je peux dire, par exemple, que j'ai découvert ça moi-même, comme hypothèse. Mais pour ça, il faut que tu me racontes tout.

— Bon! Bon! J'crois bien que c'est pas si important que ça, après toutte. Mlle Doiron, a voulait le sang du poulet pour faire peur à M. Laverdure.

— Pour lui faire peur? Mais comment?

— J'le sais pas, a m'en a rien confié.

— Et t'as pas été assez curieux pour aller voir ce qu'elle allait en faire?

— Ben...

— Ben quoi?

— Ben, j'aurais bien voulu, mais j'aurais pas pu.

— Comment ça, t'aurais pas pu?

— J'avais charge des bessonnes, le jour de l'envolée en ballon, rappelle-toi.

— Ah oui, c'est vrai. Mais t'as pas une petite idée, quand même, sur ses intentions?

— Non, j'ai aucune idée. Mais tu connais Matante aussi bien que moi. A l'est pas facile, tu dois l'admettre. Y'a du monde qu'a l'aime, pis d'autre qu'a l'aime pas.

— Mais quand t'es allé chercher les jumelles pour les conduire à la Commune, le dimanche du vol de la montgolfière, t'as rien remarqué de différent, soit dans la maison, soit dans la cour arrière?

— Non, pas plus que toi. T'habitais juste derrière chez Matante, dans ce temps-là. Toi aussi, t'aurais pu voir quelque chose.

— Oui, mais tu sais que depuis chez nous, on ne peut voir ce qui se passe dans la cour des Laverdure à cause de la clôture, pis du gros bouleau qui nous les cache.

— Justement, le bouleau... dit Josse qui s'arrête.

— Ben quoi le bouleau.

— J'sais t'y moi? J'ai dit l'bouleau comme j'aurais dit...

— Non! Non! Josse, je te connais assez pour savoir que tu me caches quelque chose. Alors, ce bouleau?

Il est bien clair que le jeune Thibodeau est dans l'eau bouillante. Tran ne fait pas d'effort pour l'aider à s'en sortir. Il attend plutôt que l'autre lui tende la main. Josse a les yeux fermés si dur qu'ils plissent des deux côtés. Il paraît immergé dans un monde intérieur douloureux et troublé. Lorsqu'il en sort, il ne paraît pas plus rassuré, mais il semble avoir pris une décision.

— Ben, pendant le vol en ballon, j'ai laissé les jumelles se garder toutes seules une fois, avant que le ballon arrive au-dessus du petit Canada. J'avais donné comme excuse qu'il me fallait aller aux bécosses. J'ai couru jusqu'à la rue Harbord, pour voir ce que Matante faisait. Je suis rentré par votre propriété et j'ai regardé par la porte qui mène dans le jardin des bessonnes. A l'était ouverte comme d'habitude.

— Arrête-toi pas, c'est pas le moment, dit Tran pour l'encourager, lorsque son ami devient silencieux. Dis-moi plutôt ce que t'as vu.

— Ben, c'est pas facile à dire, parce que c'est quasiment pas croyable.

— Dis toujours, on verra après.

— Bon, quand je m'étais approché de la porte du jardin qui va chez les bessonnes, comme j't'ai dit, a l'était ouverte. Mais Matante semblait pas l'avoir remarqué. A l'était trop occupée à regarder vers le ciel, dans la direction du ballon qui approchait. C'était facile de me cacher et de ne rien manquer.

— Accouche, Josse, on n'arrivera jamais à la fin.

— Pousse pas, Tran. J'fais c'que j'peux. C'est toi qui veux savoir, c'est pas moi qui veux raconter. Ça fait que laisse-moi faire à ma vitesse.

— Oui, t'as raison. J't'écoute.

— Bon, ben Mlle Doiron, a l'était pas habillée comme d'ordinaire.

— Que veux-tu dire?

— A portait une longue robe blanche, attachée avec un cordon blanc à la ceinture.

— Une longue robe blanche? Peux-tu me la décrire?

— Je viens juste de te le dire. Une longue robe blanche qui allait jusqu'à terre, avec de la dentelle dans la partie basse. Ça lui montait jusqu'au cou. Ça ressemblait beaucoup à la robe blanche du curé le dimanche à la messe, sauf que Matante portait pas les vêtements en couleur qui vont par-dessus.

— Portait-elle autre chose qui aurait attiré ton attention?

— Non, j'crois pas... Oh attends! A portait, placé sur sa tête, et retenu avec des épingles, comme un mouchoir avec des taches un peu partout. Ça avait l'air d'un morceau de toile carré, pas autre chose.

— Puis quoi encore?

— Au pied du bouleau, il y avait un trou de creusé et sur le bord du trou, il y avait une boîte de métal noir ouverte, dans laquelle je pouvais apercevoir des rondelles blanches posées sur un livre, tout au fond.

— Des rondelles blanches? Qu'est-ce que tu veux dire?

— Ça ressemblait à des hosties. Y devait y en avoir six ou sept, je suis pas certain.

— Ensuite, que s'est-il passé?

— La poule était accrochée à une branche haute du bouleau, la tête en bas et touchait presque celle de Mlle Doiron. A l'a pris la tête de la poule, pis a y'a enfoncé le couteau dans le palais. Presque tout de suite, le sang s'est mis à pisser sur la vieille, sur sa tête, sa face, sa belle robe blanche. C'était écœurant. Quand je l'ai entendue qui disait des mots comme des prières, j'ai eu peur pis j'suis parti à la course vers la Commune, pour aller retrouver les bessonnes qui semblaient pas fâchées par ma longue absence. Je l'ai su seulement après, mais c'est pendant ce temps-là que le pauvre Ben a chuté.

Tran est complètement éberlué par les révélations de son ami.

— As-tu déjà parlé de ce que tu as vu avec qui que ce soit?

À nouveau, le jeune Louisianais reste muet. Il baisse la tête et reprend son air renfermé, dont on sait qu'il n'est jamais que de courte durée.

— Non, pas vraiment.

— Ça mon vieux, ça veut dire oui. Alors à qui en as-tu parlé?

— Ben, à Matante.

— À Matante? Mais c'était te mettre la tête dans la gueule du loup. Pourquoi à elle?

— Ben, parce que...

— Parce que quoi?

— J'avais compris que Matante était une sorcière et qu'a l'avait des dons.

— Est-ce que tu lui as dit ça?

— Non, t'es fou. J'lui ai seulement demandé si elle avait le pouvoir de faire que Mélodie devienne amoureuse de moi plutôt que de Jos.

— Lui as-tu raconté ce que tu avais vu dans le jardin, le jour du vol en ballon?

— Non. J'crois que j'aurais pas été capable.

— Alors, qu'est-ce qu'elle t'a répondu?

— A m'a pas répondu tout de suite. A m'a regardé dans les yeux ben longtemps, en me disant que j'avais les yeux de couleurs différentes et que c'était bon pour ce que je voulais. A m'a pus rien dit d'autre, pis j'ai pus rien demandé.

— Lui as-tu promis de faire quelque chose pour elle en retour?

— Non rien. J't'ai déjà dit tantôt, maudit, que j'avais rien promis.

La réponse du jeune Thibodeau est venue si rapidement et sur un ton si sec que Tran se demande s'il ne touche pas là le point principal de l'affaire.

— Bon! Bon! Choque-toi pas. J'te crois. Mais supposons, pour un moment qu'elle t'ait demandé un service en retour, qu'est-ce que ça aurait été?

— Maudit qu't'es sourd. J't'ai dit que j'y avais rien promis.

— Oui, oui, je sais, mais c'était juste une hypothèse.

— Une quoi?

— Une hypothèse. Une supposition. Tu sais bien, une question qu'on pose avec un si.

À partir de ce moment, Josse ne prête plus attention à ce que dit son ami. La conversation avec Tran l'a bouleversé, c'est évident. Il ne pense plus qu'à une chose: changer de sujet, ou bien s'en aller.

— Bon! Il faut que je rentre les œufs des pondeuses. Ma mère veut en avoir pour le souper. Tu vas rester à manger?

— Merci, Josse, mais j'peux pas. M. Beaugrand de Fall River est ici et il veut me voir.

— Ah les boss. J'sais ce que c'est. C'est exigeant.

— Tu veux dire Matante?

L'autre ne répond pas. Il prend plutôt son panier d'œufs, se redresse et regarde Tran, à nouveau souriant, comme d'habitude. Il lui fait signe de la tête qu'ils vont sortir, que leur entretien est terminé. Le jeune journaliste n'insiste pas, car il sait où trouver son ami s'il a d'autres questions à lui poser. Ils se séparent, après que Tran eut salué les Thibodeau. D'un pas aussi rapide qu'à l'aller, il repart chez ses parents où l'éditeur de *l'Écho du Canada* l'attend déjà.

Aussitôt qu'ils sont installés dans le bureau d'Emil Godfrey, Beaugrand ne perd pas de temps et va droit au but.

— Dis-moi ce que tu as appris de nouveau depuis notre dernier entretien.

— Pour résumer la situation, nous avons deux cadavres sur les bras, le père et la fille et les médecins nous disent que les deux sont morts d'une crise cardiaque. Ça arrange bien les choses. Cela paraît tellement naturel.

— T'es-tu déjà arrêté, Tran, à la possibilité que les médecins ont peut-être raison?

— Oui, bien sûr. Mais je ne retiens plus ce point de vue-là.

— Ah! Pourquoi donc?

— Parce qu'il y a trop de choses inexpliquées et inhabituelles pour que j'accepte comme vérité d'Évangile les paroles des médecins.

— Tu veux parler de la longue-vue et des photos prises depuis le ballon?

— Oui, je veux parler d'elles, mais aussi de ce que je viens d'apprendre.

Honoré Beaugrand, inutile de le dire, est tout oreilles à la narration que lui fait Tran de sa rencontre avec Josse Thibodeau.

— Quelle est ta conclusion? demande l'éditeur lorsque le récit a pris fin.

— Je ne sais pas encore au juste. Mais j'ai réexaminé les photos prises de la nacelle, au-dessus du jardin des Laverdure, car on n'y comprenait pas grand-chose, lorsqu'on les a regardées la première fois. Aujourd'hui, j'ai peut-être des réponses à mes interrogations.

En même temps qu'il parle, Tran tire de sa serviette une enveloppe brune dont il extrait la photographie que lui a donnée Léo Briggs, quelques jours auparavant.

— Voyez-vous, monsieur Beaugrand, les taches sombres sur la robe de Mlle Doiron? Elles correspondent au témoignage de Josse, qui nous dit qu'elle a laissé le sang du poulet couler sur elle, avant que son beau-frère ne l'aperçoive avec sa longue vue. C'est probablement cette vision du poulet accroché la tête en bas par les pattes, dans le bouleau, et le sang répandu qui auront tellement bouleversé Ben qu'il en aura perdu l'équilibre et que la peur de la chute lui aura causé un arrêt cardiaque, à moins que ce ne soit la vision elle-même.

— Et cette tache noire, aux pieds de Mlle Doiron? demande Beaugrand.

— J'ai pensé, d'abord, qu'il s'agissait de la longue-vue découverte par le petit Landry. Mais il l'avait trouvée enfouie sous la vase. Donc, elle n'aurait pu faire tache. Je pense plutôt qu'il s'agit du trou noir dont Josse nous a parlé, et qu'il a aperçu au pied du bouleau.

— Et de la boîte noire qui contenait les rondelles blanches.

— Oui! La boîte noire.

— Je vois qu'il faudra aller enquêter discrètement de ce côté.

— Oui, c'est mon prochain projet.

— Et le jeune Thibodeau, quel est son rôle là-dedans?

— Oh! Josse, c'est un gars qui se trouvait là. Il n'a pas joué de rôle actif, il me semble.

— Écoute Tran, Josse est ton ami et je comprends que tu aies des réticences à le mettre sur la liste des suspects.

— La liste des suspects? Vous êtes sérieux? demande Tran presque incrédule.

— Oui, mon garçon, il y a une liste de suspects. Tu veux que je te l'énumère?

Tran est beaucoup trop surpris par les paroles de son patron pour lui répondre de but en blanc. Aussi, Beaugrand n'attend pas plus longtemps avant de commencer son énumération.

— D'abord, suspect numéro un, Cédulie Doiron, connue aussi sous le nom de Matante. Numéro deux, Josse Thibodeau. Dans la liste, j'inscris encore Jos Poirier, Modeste Laverdure et Tran Godfrey. Le fait que le nom de Mélodie Laverdure n'y est pas se passe d'explication.

Cette fois, Tran en a le souffle coupé. Son visage est blême, ses yeux agrandis par une sorte de frayeur mêlée d'incrédulité.

— Toutes ces personnes ont eu plus ou moins l'occasion de commettre ces meurtres, et presque toutes en ont eu le motif.

— L'occasion, le motif? finit par articuler Tran lorsqu'il a retrouvé la parole. Mais vous êtes fou. Modeste ne ferait pas de mal à une mouche et quant à moi, je suis blessé par l'allusion que vous faites à ma culpabilité possible.

— Oui, bien sûr, il est normal que tu réagisses de cette façon. Mais dans des cas semblables, les listes doivent être complètes ou ne pas exister du tout.

— Bon, bon, je comprends. Mais comment voulez-vous que Josse, par exemple, qui n'a pas une once de méchanceté...

— Oui, je sais tout cela, interrompt Beaugrand, mais tu es journaliste. La vérité se trouve souvent en des lieux inattendus. C'est quand même elle qu'il faut aller chercher. Quelquefois, on doit se fermer les yeux et se pincer le nez pour agir en dépit des laideurs et des pestilences.

— Eh bien, son rôle ne me paraît pas évident.

— Avait-il un motif?

— De tuer Mélodie? Impossible. Il adorait la jumelle. Il éprouvait pour elle un sentiment plus fort que tout.

— Sentiment qu'il ne pouvait éprouver publiquement, parce que Mélodie et Jos Poirier s'étaient promis l'un à l'autre.

— Mais vous ne comprenez pas, monsieur Beaugrand. Si Josse avait voulu tuer quelqu'un ç'aurait été Jos Poirier, pas Mélodie.

— Peut-être as-tu raison. Mais on a souvent vu des cas où la personne rejetée a détruit l'objet aimé afin de ne jamais le partager avec qui que ce soit. En même temps, il fait un très grand mal à son rival. Non, Tran, je n'éliminerais pas encore le nom de Josse Thibodeau de la liste des suspects. Au contraire, je l'y mettrais parmi les premiers, car il aurait eu beaucoup à gagner.

— Oui, mais vous oubliez une chose: Josse était au travail à Fine Foods et Mélodie était à Fall River, lorsqu'elle a été trouvée morte. Toute participation de Josse est difficile à expliquer.

— Oui, peut-être. Mais on peut tuer à distance, mon garçon.

— À distance? Comme avec un fusil, par exemple?

— Oui, ou d'une autre façon que je ne m'explique pas encore.

— Vous pensez pas à des histoires de sorcières, quand même?

Honoré Beaugrand ne répond pas et regarde le jeune homme.

— Mais les médecins ont parlé de crise cardiaque dans le cas de Mélodie. Elle aurait succombé au même mal que son père. Ce serait, paraît-il, génétique.

— Bien sûr. Cette explication semble la plus plausible. Mais d'après ce que tu viens de me raconter, il pourrait y en avoir une autre.

— Vous voulez dire la sorcellerie?

— Ou le poison, par exemple.

— Le poison? répète Tran avec incrédulité. Mais, monsieur Beaugrand, comment voulez-vous qu'a l'ait fait ça?

— Je ne le sais pas. C'est à toi de chercher.

— Ouais, j'ai mon travail tout prêt pour moi, prononce Tran avec un soupir. Il faut que je m'y mette tout de suite.

— Par où vas-tu commencer?

— Par la cour arrière des Laverdure. Je veux examiner le terrain au pied du bouleau.

— Ensuite?

— Ensuite, je ne sais pas. Tout dépendra de ce que j'aurai trouvé.

— Je crois que tu auras assez de matériel pour un autre article de journal. Quand penses-tu regagner Fall River?

— Je ne sais pas. Tant que Modeste voudra rester ici, je serai auprès d'elle.

— Je te comprends. Mais, un dernier conseil, sois très prudent dans tes démarches.

— Prudent?

— Oui, très prudent. Deux personnes sont déjà mortes. Si j'en crois tes théories, il y a un meurtrier quelque part qui n'attend peut-être que l'occasion de frapper à nouveau. Et la prochaine victime pourrait être ce journaliste trop curieux. Enfin, je ne te dis pas cela pour t'alarmer, même si je sais que c'en est le résultat, mais pour te prévenir, afin que tu prennes tes précautions. Je veux que tu me fasses parvenir un rapport à Fall River tous les jours jusqu'à ton retour. Ainsi, je t'aurai un peu plus à l'œil. Tu me feras part absolument de tout dans tes communications. Si j'ai besoin d'intervenir, sois sans crainte, je serai là.

Tran est secoué par les dernières paroles de son patron. Lorsque Beaugrand prend congé, le jeune homme reste assis dans le fauteuil qu'il occupe depuis le début de la conversation. Il est songeur et inquiet à la fois. S'il doit aller explorer le jardin des Laverdure, il lui faudra le faire en plein jour, lorsque Matante et Josse sont à la boucherie. Il lui faut savoir si la vieille fille a engagé d'autres employés depuis le mariage de Modeste et le décès de Mélodie.

C'est ce soir-là que Tran Godfrey prend la décision de vider l'abcès qui s'était formé en lui depuis son séjour à Saint-Hyacinthe. Les doutes, semés dans son esprit par l'oncle Octave, ont fait leur chemin. Il sait qu'il ne peut plus continuer son travail à *L'Écho du Canada* tant qu'il n'aura pas parlé avec tous les suspects, y compris celui qu'Honoré Beaugrand n'a pas mis sur sa liste, parce qu'il ne le soupçonne pas, celui d'Emil Godfrey lui-même.

13

Tran Godfrey éprouve une si grande culpabilité à l'idée de soupçonner son père, qu'il se sent paralysé en sa présence.

Depuis le retour du voyage de noces, c'est à peine s'ils ont échangé les salutations habituelles. Le fils est persuadé que le père n'a pas été sans se rendre compte de la nouvelle froideur de leurs relations. Et qui plus est, il en connaît probablement la raison. Aussi, c'est avec angoisse que Tran cherche une occasion de l'aborder, sans avoir l'air d'y attacher grande importance. Il voudrait que le hasard les place l'un en face de l'autre. Sans s'en rendre compte, il cherche maladroitement à provoquer la rencontre; hélas il ne fait qu'attirer l'attention sur lui.

— Tranquille, viens ici.

C'est Emil Godfrey qui, de son bureau, appelle son fils lorsqu'il le voit passer pour la troisième fois devant sa porte ouverte.

— Ferme la porte et assieds-toi, mon garçon.

Celui-ci, légèrement interdit, s'exécute sans mot dire et s'installe dans le fauteuil près du pupitre de son père.

— Ça n'est pas dans ta nature de tourner si longtemps à l'entour du pot. Tu dois avoir une bonne raison.

Tran reste silencieux, regardant ses longues mains blanches posées sur ses cuisses. Maintenant qu'il a obtenu ce qu'il cherchait, il ne sait par où commencer.

— Je crois que je vais t'aider, car je comprends ton désarroi.

Ce début n'est pas pour rassurer Tran qui le prend comme une sorte d'aveu.

— Tranquille, dit enfin Godfrey, tu as quelque chose à me dire. Je me doute de ce que cela peut être, mais je crois que c'est à toi de l'exprimer.

Emil a à peine prononcé ces mots que les écluses s'ouvrent toutes grandes et les sanglots secouent le corps du jeune homme. Emil se lève lentement, s'avance vers son fils, lui tend les mains, l'attire vers lui et le prend dans ses bras.

— Papa, commence enfin Tran, lorsque ses larmes sont séchées, vous savez, bien sûr, ce que j'ai appris en arrivant au Canada.

— Oui, mon petit.

Son père ne l'a plus appelé ainsi depuis l'enfance, et il est prêt a fondre à nouveau en larmes, mais il n'en a pas l'occasion.

— Vois-tu, la question de notre nom ne se pose plus ici, je veux dire aux États-Unis, où nous sommes des Godfrey. Au Canada, nous sommes des Godefroy, comme tu l'as découvert. J'aimerais que tu me dises ce que tu as ressenti au moment où tu l'as appris.

— Oui, mais auparavant, dites-moi pourquoi vous ne m'aviez pas prévenu?

— Oh! la raison en est bien simple. Je ne voulais pas que la nouvelle te parvienne deux fois.

— Comment cela, deux fois?

— Si je te l'avais annoncée ici, à Salem, avant ton départ, je te connais assez pour savoir que tu en aurais été fort troublé. Ensuite une longue discussion s'en serait suivi, au cours de laquelle tu n'aurais pas été capable de comprendre mon point de vue. Puis, une fois chez ta tante Hermine, tu aurais vécu tout cela une seconde fois. Non, il valait mieux que j'attende et que tu en fasses toi-même l'expérience. Autrement, tu serais arrivé au Canada, troublé et en colère. Vois-tu, je te connais bien. Tu es un être entier. Tu n'aimes ni les faiblesses ni les petits défauts, alors que la nature humaine en est pleine et que tu en es conscient. Voilà bien ce qui fait la beauté de ton caractère. Tu es un honnête homme, aussi bien au sens moral qu'au sens philosophique du terme.

Tran est encore plus ému qu'avant par ces paroles que son père ne lui a jamais dites auparavant. Il se sent pris d'un vif élan d'amour envers lui. Il va poser un geste, mais il s'arrête avant de commencer, lorsque lui revient le souvenir de l'oncle Octave. Emil, qui l'a remarqué, ne s'en offusque pas.

— Vois-tu, Tranquille, lorsque ton grand-père s'est vu affublé d'un nom déformé, il n'a pas protesté. Cela aurait été inutile, surtout en 1835. À ce moment-là, je n'avais que cinq ans et je ne m'étais rendu compte de rien. Pour moi, du plus loin que je me souvienne, mon nom est Godfrey, que les Canadiens prononcent Godefroy. Je n'ai appris cette distinction que vers l'âge de vingt ans, donc à peu près au même moment que toi.

— Mais personne, dans le petit Canada n'a relevé ce changement?

— Oh! tu sais, ce n'était pas le premier. Tu en connais plusieurs, ici même à la Pointe. Ce n'est pas eux, en général, qui sont à l'origine de ces changements. Lorsque le contremaître, généralement un Irlandais, appelait un à un les gens qui se présentaient pour du travail, cela se passait comme suit:

— What's your name[1]?

— LeBlanc.

---

1. — Quel est ton nom?

— Leblank? What does that mean[2]?

Quelqu'un qui connaissait les deux langues lançait «White».

— O.K. White, you start tomorrow[3].

— Et il y en eut plusieurs de cette façon qui, pour des raisons diverses, ont laissé faire, trouvant plus aisé, pour se glisser dans le moule américain, de ne rien dire. Ce fut le cas de ton grand-père, des Richard, des Chance, des Flames, des Boudrow et nombre d'autres.

— Pourtant, papa, plusieurs ont réussi à garder intact leur nom. Pourquoi pas nous?

— Tu te trompes, mon garçon. Personne n'a conservé son nom tel qu'il est prononcé au Canada. Tu vois, les Richard n'ont même pas changé leur orthographe. Mais pour un Anglais, le mot Richard ne se prononce pas comme en français et ainsi de suite pour tous les autres noms, sans exception.

— Sans exception?

— Naturellement. Prends le nom de famille de ta femme, ou celui des Thibodeau. Ils n'en ont pas changé l'orthographe. Mais toi, les prononces-tu comme le font les Américains?

Tran est convaincu et soulagé à la fois par la logique de son père.

— Tu crois encore que nous vivons sous de fausses représentations? demande celui-ci.

— Oui, c'est ce que je pensais. Mais je viens de changer d'avis.

— J'en suis bien content, mon garçon. Parle-moi encore de ce que tu as appris au Canada.

Cette fois, Tran baisse les yeux, comme s'il était pris, encore une fois, par une paralysie qui l'empêche d'exprimer ce qu'il a à dire.

---

2. — Leblank? Qu'est-ce que ça veut dire?
3. — O.K. White, tu commences demain.

— Je vais t'aider à nouveau. Je ne sais pas quel problème te tracasse, mais il vient de ton oncle Octave.

— Oui, c'est ça, dit Tran en relevant la tête et en regardant son père avec soulagement.

Il croit que, comme pour l'objection précédente, son père aura le don d'effacer tous ses vilains soupçons et n'ose encore avouer qu'il les nourrit en son sein.

— Alors, raconte-moi ce qu'a dit Octave.

— Il m'a dit que Ben Laverdure vous avait menacé de tout révéler aux patrons de la Naumkeag.

— De leur révéler quoi exactement?

— Qu'en vous faisant passer pour un Anglais, vous aviez obtenu une meilleure situation financière et une plus belle maison que si vous aviez été pris pour un Canadien.

— Oui, c'est vrai. Mais ce n'est ni moi ni ton grand-père qui avons créé cet état de choses. C'est le contremaître irlandais lui-même qui a engagé mon père qui en a décidé ainsi, en dépit de quelques protestations qui s'étaient élevées. Il les a fait taire en leur disant: «I don't intend to let you damn French, tell me how to pronounce an English name. I know one when I see one. Next[4].» Comme tu vois, Joseph-Napoléon Godefroy, devenu Nap Godfrey, n'a pas eu grand-chose à dire sur son statut au travail. Il aurait été bien bête de s'en priver, d'autant plus qu'il avait déjà, grâce à des cours du soir, appris les rudiments de la comptabilité. Non, non, ton grand-père s'est élevé à son niveau à force de travail et le coup de pouce de la chance, je dois l'admettre. Mais personne, dans le petit Canada, ne nous en tient rigueur. Grâce à ma position, j'ai réussi à faire passer plusieurs Canadiens, soit du côté des contremaîtres, soit même dans des postes encore plus

4. «Ce n'est pas vous, maudits Français, qui allez me montrer comment prononcer les noms anglais. Quand j'en vois un, je sais le reconnaître. Au suivant.»

élevés. Depuis que je suis à la Naumkeag, je travaille à éliminer cette barrière raciste qui existe depuis si longtemps. Les plus endurcis dans ces vieilles habitudes, ce sont les Irlandais. C'est très curieux, car nous partageons la même religion. Mais ils ne nous pardonnent pas de continuer de la pratiquer en français.

— Mais pourquoi mon oncle Octave prétend-il que M. Laverdure voulait vous faire du tort?

— Écoute, Tranquille, tu es assez grand pour comprendre ces choses. Ton oncle Octave et moi, nous ne nous sommes jamais entendus et je crois que nous ne nous entendrons jamais. Enfants, nous nous querellions sans cesse. Avec le temps, nous avons cessé les attaques physiques, mais l'amitié entre nous n'est pas née pour autant. Cela ne se commande pas. Tout au plus, aujourd'hui, nous agissons de façon civilisée entre nous, mais c'est tout. Je ne puis expliquer cet état de fait, sauf en disant que c'est ainsi que nous sommes et qu'il n'y a rien à faire.

— Oui, je comprends très bien ce que vous me dites. Mais pourquoi mon oncle Octave est-il parti si soudainement de Salem pour retourner au Canada?

— Ah! Ne te l'a-t-il pas expliqué lui-même, puisque je vois qu'il t'a fait des confidences?

— Oui, il m'a raconté que Ben Laverdure voulait vous emprunter l'argent pour acheter son commerce de la rue Essex et que vous avez refusé. C'est alors qu'il aurait tenté de vous forcer la main en vous dénonçant à la Naumkeag et en disant que vous occupiez un poste sous de fausses représentations.

— Tiens, tiens, comme c'est commode, maintenant que Ben n'est plus là pour donner son point de vue.

— Que voulez-vous dire?

— Lorsque ton grand-père est mort, en 1850, il a partagé tout son avoir en parts égales entre ses six enfants. À celui qui allait garder ta grand-mère, sa femme, il laissait la maison paternelle qui, bien qu'elle appartienne en bonne partie à la compagnie, est quand même à nous pour un tiers de sa valeur marchande. Comme j'ai été le seul à accepter cette offre, c'est moi qui ai gardé maman et mes frères et sœurs jusqu'à leur mariage, selon l'entente et le testament de papa. Octave, qui n'avait que seize ans à la mort de notre père, n'a touché son héritage qu'à l'âge de vingt ans. Il n'y avait que ta tante Prudence et moi qui l'avions obtenu immédiatement, car nous étions en âge de le faire.

— Mais quel est le rôle de M. Laverdure dans tout ça?

— Ben et moi avons été amis dès l'enfance. C'était tout naturel, nous étions à la fois du même âge et voisins. Avec les années, Ben a commencé à fréquenter Octave plus souvent que moi, car tous les deux s'étaient découvert un goût commun pour la boisson.

— Mon oncle Octave prétend que vous étiez jaloux de lui.

— Lorsque le moment est venu, et que Ben cherchait des fonds pour acheter son commerce, Octave avait déjà presque complètement dilapidé son héritage. C'est vrai que Ben m'a demandé de lui avancer la somme pour l'achat de la boucherie en m'offrant des intérêts alléchants. Mais je trouvais qu'il pouvait faire la même chose à un coût moindre auprès d'une banque, où je lui ai facilité l'accès. Je savais qu'une institution financière avait les reins plus solides pour supporter cette aventure. Il est vrai que les habitudes de beuverie de Ben ont penché dans la balance, mais c'est le fait que Ben était prêt à me payer un taux trop élevé d'intérêt, car il croyait que les institutions financières ne lui feraient pas confiance, qui m'a fait décider. C'était Octave qui lui avait mis cela dans la tête. Quand je lui ai montré comment s'y prendre et que je l'ai présenté aux bonnes personnes, les choses se sont rapidement arrangées.

— Et la querelle avec mon oncle Octave est née de cet incident?

— Oui, hélas, nous avons eu des mots ensemble. Ta tante Prudence a eu l'idée de suggérer à Octave de retourner au Canada, ce qu'il a accepté beaucoup plus facilement que je ne l'aurais cru. Nous nous étions cotisés, ses frères et sœurs, pour lui fournir un petit pécule qui lui permettrait de s'établir dès son arrivée à Saint-Hyacinthe. Ma foi, il s'en est pas mal tiré. Mais Octave est un enfant gâté. Je ne sais pourquoi papa et maman ont toujours eu un faible pour lui et lui ont passé tous ses caprices. C'était un beau garçon, populaire auprès des filles, mais qui avait peu d'amis. Il s'emportait facilement et il s'est fait ainsi des tas d'ennemis. Quand il a eu de l'argent, la situation a changé complètement. Lorsqu'il s'est retrouvé sans le sou, les choses sont redevenues comme avant et il s'est retrouvé très seul. Je crois que le Canada lui a fait du bien.

— Et tante Hermine aussi.

— Ah?

Tran s'arrête, croyant que son père était au courant des liens qu'il avait observés entre Octave et Hermine.

— Allons, Tran, quel est ce secret que tu crois que je connais?

— Pendant que j'étais à Saint-Hyacinthe, l'oncle Octave a passé la nuit chez tante Hermine, où il se conduit comme s'il était chez lui.

— Eh bien, tant mieux. C'est une bonne nouvelle. S'il existe une femme qui peut dompter Octave, c'est bien elle. Tiens, je vais appeler ta mère pour lui apprendre la nouvelle. Ça lui plaira.

Emil Godfrey ouvre la porte du bureau, fait venir sa femme et lui fait part de ce qu'il vient d'apprendre. Comme il l'avait prévu, Jeanne reçoit l'information avec plaisir. Tran n'est pas peu surpris par le dénouement de cette conversation avec son père. Il est surtout content que se soit levé le lourd fardeau des soupçons qui s'étaient accumulés contre celui-ci. Il peut maintenant reprendre son enquête avec une liste plus courte de suspects.

C'est le lendemain de cet entretien avec Emil que Tran reçoit la visite de Jos Poirier en plein milieu d'après-midi, alors qu'il aurait dû être au travail à la Naumkeag.

— J'ai lâché ma job, lui annonce celui-ci sans détour.

Godfrey est si étonné qu'il en reste muet. Il regarde son ami comme s'il attendait une explication.

— J'avais pus l'idée au travail. J'pense rien qu'à une chose: Mélodie. J'arrive pas à comprendre pourquoi qu'a l'est morte si jeune, si vite. La vie est mauditement mal faite.

Revenu de sa surprise et ayant compris à quel point son ami est désemparé, Tran ne sait pas quoi lui dire.

— Tu devrais t'en venir avec moi à Fall River la semaine prochaine, lui suggère-t-il au bout d'un moment. Ça te changera les idées.

— T'es fou. J'pourrais jamais rester dans la même maison que Modeste. J'croirais voir Mélodie. Non, non. J'te r'mercie de ton invitation, mais j'va passer pour c'te fois. Tu m'comprends, j'espère?

— Ben sûr que j'te comprends. J'aurais dû y penser moi-même. Qu'est-ce que tu vas faire de ton temps?

— J'sais pas encore. J'suis trop chagrin pour penser à quelque chose. T'en fais pas, j'va m'en sortir. C'est juste un boutte ben dur à passer.

— Écoute Jos, comme t'as rien à faire de c'temps-là, pourquoi tu m'aides pas demain, dans mon enquête?

— T'aider? Mais j'connais pas ça, moi, les enquêtes comme tu fais.

— Ça prend pas de connaissances spéciales. Tu vas voir, c'est pas ben compliqué.

— Qu'est-ce que j'aurai à faire?

— Au moment où t'es arrivé, je me préparais à aller examiner le jardin de Matante.

— Pourquoi le jardin de Matante? Qu'est ce que ça a à voir avec la mort de Mélodie?

— J'en suis pas trop certain, mais je pense qu'il y a un lien entre la mort de Ben et celle de Mélodie.

— Comment ça?

Tran raconte à Jos sa conversation avec Josse et les conclusions auxquelles il en est arrivé. L'autre écoute, complètement médusé.

— Mais t'as pas la tête un peu craquée, Tran? C'que tu racontes là, c'est des histoires de sorcières comme y'en a déjà eu ici, à Salem. Le monde te croira jamais. Pis, de toute façon, a l'a pas pu tuer Mélodie, a l'était même pas dans la même ville. Pour Ben, j'peux comprendre, mais pour ma belle Lodie, j'vois vraiment pas comment a l'aurait pu, comme ça, à distance...

— Ma foi, on dirait que tu défends Matante. Ça m'surprend ben gros. Y m'semblait qu'c'est pas une amie.

— Ah j'l'aime pas plus qu'avant, mais j'vois c'que j'vois. Quand Lodie est morte, Mlle Doiron, a l'était derrière sa caisse à la boucherie.

— Oui, j'le sais. C'est pour ça que j'veux fouiller son jardin.

— Qu'est-ce que tu vas y chercher?

— Justement, j'le sais pas encore. Mais on peut toujours aller voir.

— Bon, si tu penses que ça peut aider, j'sus ben d'adon pour y aller avec toi.

Les deux amis, d'un commun accord, se lèvent, sortent dans la cour arrière et traversent immédiatement chez les Laverdure. Le bouleau, devant la clôture de bois qui marque la division des propriétés, a déjà perdu toutes ses feuilles.

— Le jour où Romuald Landry, le jeune fils des voisins, a trouvé la longue-vue, je me souviens d'avoir marché près du bouleau et que mon pied s'est enfoncé dans un sol mou. Dans l'temps, j'ai pas prêté attention à ce détail, mais maintenant, ça me revient.

— Qu'est-ce que ça voudrait dire? demande Jos qui n'a pas le même esprit de déduction que son ami.

— Eh bien, peut-être que le sol avait été retourné récemment en cet endroit. Ça expliquerait pourquoi la terre n'avait pas encore durci.

— Alors, qu'est-ce qu'on attend? Cherchons.

S'étant emparé d'un râteau qui gisait à proximité, Poirier commence à dégager le sol à l'entour du bouleau. En un rien de temps, les feuilles ont toutes été ramassées dans un coin de la cour laissant à nu le terrain où Tran se souvient d'avoir enfoncé son pied. Cependant, aucune trace de cet incident ne subsiste.

— Il me semble qu'il y a si peu d'activité à l'entour de cet arbre que ma chaussure devrait encore être imprimée dans le sol. Comme ce n'est pas le cas, j'en déduis que, depuis, quelqu'un a effacé ces traces.

— Mais pourquoi cela?

— Ça, c'est la clef du mystère. Pourquoi et par qui?

— Ça serait-y, peut-être, que quelqu'un a voulu cacher quelque chose?

— Oui, c'est ce que je pense.

Tout en parlant, Tran commence à marcher lentement à l'entour de l'arbre, dans un diamètre de dix pieds environ, rétrécissant le cercle à chaque tour. Après quelques minutes de ce lent exercice, il sent son pied s'enfoncer légèrement plus que les autres fois. Il s'arrête aussitôt.

— Va chercher une pelle dans notre hangar, Jos, lui dit son ami qui ne bouge plus, afin de ne pas perdre de vue l'endroit où il faut creuser.

Rapidement, le jeune homme a apporté l'instrument qu'il remet à Tran. Celui-ci, afin de ne pas abîmer ce qu'il pourrait découvrir, gratte le sol avec précaution sur le dessus. Au bout d'un moment, et à moins de trois pouces de profondeur, il rencontre une surface dure qui émet un son creux lorsqu'il la frappe avec sa pelle. Les deux amis se regardent, à la fois avec surprise et satisfaction. Tran s'agenouille près du trou, imité aussitôt par Jos. Ils commencent, avec leurs mains nues, à gratter plus profondément. Ils rencontrent bientôt une surface rugueuse qui ressemble à de la toile goudronnée qu'ils dégagent rapidement. En peu de temps leur apparaît une surface noire de huit pouces carrés environ. L'objet semble avoir été placé en ce lieu assez récemment, car la terre qui l'entoure se dégage aisément, grâce à un bâton gisant tout près de là. En quelques minutes seulement, Tran, grâce à ses deux mains, en retire un objet d'un peu plus de quatre pouces de profondeur. La toile enveloppe complètement l'objet lui-même, mais n'est pas scellée.

Le jeune homme défait rapidement l'emballage et découvre une boîte de métal noir, dont la peinture est écaillée ici et là. Un couvercle, percé d'une serrure sur un côté et orné de pentures sur l'autre, couvre la moitié de la hauteur. Les deux amis sont plus frustrés que soulagés devant leur découverte.

— Il faut forcer la serrure, dit Jos qui aime les solutions rapides.

— Tu crois? Mais on ne sait pas à qui ce coffre appartient.

— Pis?

— Ben, j'sais pas, peut-être...

— Oh! Tran, tu ne cesseras jamais de m'étonner. Tu fais tout un journaliste. Tu as ce que tu cherches dans les mains et tu hésites encore. Je ne te comprends pas.

— J'aimerais mieux qu'on puisse l'ouvrir sans en abîmer la serrure.

— Mais comment?

— Je ne sais pas, mais il me semble qu'avec un clou ou une broche rigide, on pourrait arriver à faire jouer la serrure sans l'aide de la clef. En général, elles sont assez faibles et se laissent facilement déjouer.

Ce disant, Tran prend dans sa poche un canif qu'il porte toujours sur lui et en extrait un tournevis. Il l'insère aussitôt dans la serrure et l'agite dans tous les sens. Au bout d'un moment, un léger déclic se fait entendre et le couvercle se relâche aussitôt. Les deux amis se regardent en souriant et Tran dépose la boîte par terre. Des deux mains, il soulève lentement le couvercle, comme pour faire durer le mystère.

Dans la boîte, un autre sac en toile grise recouvre le contenu. Celui-ci, une fois soulevé, les deux amis découvrent un cahier à couverture noire cartonnée, semblable à ceux de la petite école. En l'examinant rapidement, il révèle qu'il s'agit d'un journal intime, tenu par nulle autre que Cédulie Doiron. La première inscription date du 6 mai 1857, jour de sa première communion. Elle est brève. La deuxième journée est celle du 7 septembre 1857, la veille du jour de la naissance des jumelles. La plus récente n'a pas trois semaines, ce qui explique la terre moins ferme, au pied du bouleau. Un examen plus complet du cahier révèle que Cédulie Doiron a fait, pendant près de vingt ans, un nombre limité d'inscriptions dans son journal, à des dates souvent très espacées.

Quant au sac de toile grise, il contient un carré en lin, qui a déjà dû être blanc, mais qui a noirci avec le temps. Certains endroits, plus sombres que d'autres, tirent sur le rouge. Lorsqu'ils déplient le carré de tissu, sept hosties tombent par terre. Secoués par leur découverte, les deux amis s'interrogent ensuite sur la conduite à tenir. Il est plus de quatre heures de l'après-midi et Matante arrivera à la maison vers sept heures. Ils disposent donc de trois heures pour prendre connaissance de son journal. Selon son contenu, ou bien ils le remettront en place ou bien ils le garderont pour confronter la vieille fille. Car Tran n'entretient aucun doute à ce sujet: il s'attend à trouver, dans ces pages, la réponse au mystère de la mort de Ben Laverdure.

C'est donc d'un commun accord que les deux amis se retirent chez Tran. Enfermés dans la chambre que le jeune homme occupait avant son mariage, ils se mettent à l'examen minutieux du journal de Cédulie Doiron. Ils manipulent l'objet avec beaucoup de précautions, de peur d'en abîmer les pages et que l'écriture devienne illisible. Tout est rédigé au crayon de plomb, dans un style laborieux et dans un français boiteux et rempli de fautes.

C'est ainsi qu'ils lisent le récit fort succinct de l'incident de l'oiseau dans l'église, et celui, plus bref encore, de la naissance des bessonnes et de leur adoption par Matante dix-huit ans plus tôt. Dans ces premières lignes, une surtout retient l'attention de Tran Godfrey. C'est celle où Matante a écrit: «Esse que je peu tuer comme je veu?»

C'est Jos Poirier qui est le plus bouleversé par les premières révélations du cahier. Pour lui, il ne fait aucun doute, Cédulie Doiron est une sorcière qu'il faut dénoncer à la police immédiatement. Mais Tran ne l'entend pas de cette façon.

— Ce linge, dit-il en le soulevant, est facile à identifier. C'est le «linge taché du sang du Christ», dont elle parle dans son journal.

Évidemment il est impossible au jeune homme de reconnaître et de nommer ce qui avait dû être autrefois un linge sacré, mais il sait fort bien qu'il n'a qu'à le faire identifier par un prêtre, la détérioration de la pièce de toile n'étant pas encore assez avancée.

— J'ai souvent entendu raconter cette histoire de l'oiseau par mon père, dit Jos. J'aurais jamais pensé que Mlle Doiron avait joué un rôle dans cette affaire.

— Un rôle? Tu veux rire. C'est seulement le hasard qui a voulu que l'oiseau tombe mort au moment même où Matante a prononcé son «Sang tue».

— Le hasard? C'est toi qu'es fou. J'vois pas c'qui t'manque de plus pour être convaincu. A l'a écrit elle-même noir sur blanc.

— Oui, Jos, je comprends. Mais c'est pas une affaire qui arrive. C'est seulement la chance.

— Ah ben là j'te suis pus pantoute. T'as c'que tu cherches depuis des mois et c'est pas encore assez pour toi. Tu veux dire que tu vas publier ça dans ton journal?

— Oh, j'en doute fort. J'irai pas me vanter d'avoir violé la propriété privée. C'est un crime aux yeux de la loi.

— Comment ça un crime? Mais c'est elle, la vieille chipie, qu'est une criminelle.

Voyant qu'il ne fera pas entendre raison à son ami, Tran essaie une autre tactique.

— Écoute, Jos, on n'a pas fini la lecture du cahier, il y en a encore quelques pages. Pourquoi on finit pas d'abord, puis on verra ensuite?

— Bon, si tu veux. Mais tu m'fras pas démordre de mon idée. Salem, on le sait, c'est une ville de sorcières. La Doiron, c'en est une.

Le cahier posé à plat sur sa table de travail, Tran en ouvre délicatement les pages et en fait la lecture à haute voix pour le bénéfice de Jos.

23 août 1869 à soir, Ben étai encore sou. Il m'a attaqué mais j'étais préparé. Il empestais la boisson et parlais for. Il étais devenu vissieu. Il voulais faire des choses sales, mais j'ai refusé. Il a levé la main su moi pour me forser à m'étendre su le plancher. J'ai frappé fort su sa tête avec le tisonnier il est tombé il a saigné un peu.

J'ai mi le linge taché du sang du Christ endsou de sa tête et une hostie à côté. Je sais que le Bon Dieu est avec moi. Alors, j'ai dit «Sang tue» trois foi, mais rien s'est passé. Esse que j'ai encore mon pouvoir?

24 août 1869 le Bon Dieu est avec moi. Je sais pourquoi ça pas marché hier. Le sang du Christ est trop vieu sur le linge il faut du sang neuve. La nuit dernière, mes voix me l'ont dit. Le moment de Ben Laverdure était pas encore arrivé. Pendant la nuit y s'est levé et a dormi sur le divan comme un bienheureu. J'ai eu l'temps de toute serré avant que les petites descende déjeuner.

Ça sera pour la prochaine fois, ça j'en suis certaine.

— Tu vois bien que j'ai raison, Tran. La vieille sorcière parle de sang frais. Ça te fait pas chier dans tes culottes, des affaires comme ça?

— Oui, ben on verra ça. Y reste encore quelques pages à lire.

— C'est ça, continue.

Mercredi 22 juin 1870

— Maudit, tu viens d'sauter un grand bouttte.

Tran revient à la page d'avant, qui a été écrite au mois d'août de l'année précédente.

— Ben! C'est comme ça. A l'écrivait pas souvent. J'continue.

Mercredi 22 juin 1870

J'ai été obligé de changé mon cahié de place. J'pense que Ben l'a trouvé. J'me méfie.

Samedi 6 septembre 1873 j'ai appris à traver les branche que Ben se prépare à me joué un mauvais tour. Le maudit, y sait pas c'qui l'attend.

Y'a l'intention, a squi parais de m'jeter un oiseau mort par la tête, quand y va passé en balon audesus de la maison demain. On verra c'est qui le plus fort.

C'te fois-ci, le Bon Dieu est avec moi, j'le sais il m'a parlé dans ma tête. Y m'a dit qui fallait du sang frais d'un jeune poulet encore viarge. J'mai fait montrée par Josse comment faire. Y m'en a apporté un vivant aujourd'hui.

— J'sais pas c'que ça va t'prendre pour te convaincre que la Doiron est une maudite folle.

— Ça Jos, j'suis plus prêt à dire qu'elle est folle que de dire que c'est une sorcière.

— Mais c'est la même maudite affaire, une folle ou une sorcière. Y'a pas de différence.

— Calme-toi, Jos. Y reste encore quelques pages à lire.

Dimanche 7 septembre 1873 Sait le matin du grand jour la poule est caché dans la remise, en attendan que les petites s'en allent avec Josse pour allé à la Commune. J'aurai tout le temps de me préparé.

C'est le souère et la journée est fini. Mon Dieu, vous avez été ben bon, vous avez été avec moi. J'ai accroché la poule par les pattes la tête en bas à une branche du bouleau, juste au-dessus de ma cachette. La poule jacassait ben fort, mais on n'avait pu de voisin, tout le monde étais parti voir passer le fameux balon. Moi j'savais qu'j'avais pas besoin de me déplacé, que le balon viendrait à moi et j'ai eu raison.

J'ai attendu ben longtemps, avant qui passe audessus du Petit Canada. Mon poulet devait être ben fatigué d'être accroché comme ça la tête en bas, parce que y a arrêté de gigoter pis de piailler. J'ai même cru qui était mort. Mais non.

Quant j'ai vu venir le balon vers la maison, j'ai mis la grande robe blanche du curé. Je l'avais pris à la sacristie, a servait pu souvent personne n'a jamais parlé de sa disparition. Le balon volait assez bas. Avec ma longuevu, jai vu que tout le monde était tassé du même côté du panier. Sauf, comme de coutume, Ben Laverdure qui falait qui fasse différent des autres. Le fanfaron avait sauté en dehors du panier sur le côté y se retenait par une main. J'l'ai vu tenir une longuevu, j'le sais c'était pour me r'garder. J'y en ai donné tout un spectaque. C'est là que j'ai persé le palais de la poule pi son sang s'est mis à pisser su moi su mes cheveux, su ma robe. Pis là, j'ai répété trois fois ben fort «Sang tue, Sang tue, Sang tue», comme pour la fois de l'oiseau à l'église. Mais j'ai pas pu m'ouvrir les yeux tout suite, à cause du sang de la poule qui continuait toujours à tombé. Quant j'ai réussi à le faire, c'est là que j'ai aperçu une corneille morte à mes pieds. J'ai regardé dans le ciel pour voir le balon. J'le voyais pus, mais j'entendais le monde crié. J'ai regardé du côté du bruit. C'est comme ça que j'ai aperçu Ben qui s'était embroché sur la croix du clocher de l'église. J'ai trouvé que le Bon Dieu avait ben fait les choses. Pour l'expiasion de ses péchés, Ben était mort comme le Christ, sur une croix. Sa carcasse de pécheur se balansait, comme si yavait venté. Là, j'ai su que mon pouvoir est encore intac, parce que le Bon Dieu est avec moi.

— Bon, t'es convaincu, là?

— Oui, j'suis convaincu d'une chose, c'est que Matante est la cause directe de la mort de Ben Laverdure. Avec un écrit comme ça, j'vois pas comment elle pourrait échapper à la justice.

— Oui, mais pas n'importe quelle justice, celle-là qui a fait pendre les sorcières dans l'temps.

— Non, Jos. Il n'y a qu'une justice, la même pour tout l'monde. Matante sera arrêtée, jugée et condamnée si elle est trouvée coupable.

— Comment ça, si elle est trouvée coupable?

— Ben oui, il faut que des jurés la trouvent coupable, après ça, a recevra sa sentence, probablement la pendaison.

— Non, non, pas la pendaison. Faudrait la brûler à p'tit feu pour la faire souffrir.

— Nos lois ne sont pas comme ça. Ce serait trop cruel.

— C'était pas cruel de tuer le père de ta femme et celui de ma fiancée?

— Oui, j'en conviens, mais on n'est plus au XVIIe siècle. On est en 1874, après tout. C'est l'État qui rend la justice, pas les individus.

— Maintenant, qu'est-ce qu'on va faire? Vas-tu aller porter le cahier à la police?

— J'sais pas encore. Mais attends, c'est pas fini. Y'a encore une page.

Jeudi le 16 avril 1874. J'ai surpri une conversation intéressante entre Modeste et Tran. A lui a dit un moyen sûr de la distinguer d'avec sa jumelle. Y faudra que j'vérifie ça.

— Quel moyen, Tran?

— J'sais t'y moi? Tu le sais, a délire, la vieille.

Poirier regarde son ami avec attention. Il n'est pas convaincu que celui-ci lui a tout dit.

— Bon, j'continue.

Mardi le 12 mai 1874 J'ai vérifié. Pour ça, y'a fallu que j'endorme Mélodie. Ça pas été facile. Les garçons sont toujours aux alentours. Ce que j'ai découvert m'a donné longtemps à pensé.

— Qu'est-ce que ça peut ben vouloir dire? demande Jos qui n'a rien compris aux élucubrations de Cédulie.

— Ben, c'est comme le reste, y'a des bouts où c'est ben clair, mais y'en a d'autres où y'a rien à comprendre. Mais ça continue.

Jeudi le 14 mai 1874 Aujourdui, j'ai vu les vrai couleurs de Tran Godfrey. Il veut m'enlevé Modeste pis l'avoir pour lui toutte seul. Y peut pas m'faire ça, y peut pas faire ça aux jumelles, les séparé. J'les connais, y vivront jamais séparé.

«Tran Godfrey sait pas c'qui l'attend, si y s'entête à vouloir marié Modeste. Jos Poirier, celui-là, j'crois ben que j'l'ai déjà mis à sa place. Y vient pu rôder à l'entour de Mélodie. Mais j'continue à me méfié. Ben vite, faudra que j'parle à Josse, pour qu'y m'apporte un autre jeune poule.

— Maudit, Tran, la sorcière est après toi.

— Ben, si a l'est après moi, a l'a encore rien fait. Son dernier écrit date du 14 mai, pis on est le 18 octobre. Si a voulait m'faire du mal, a l'avait cinq mois, mais y s'est rien passé.

— Justement, ça veut dire qu'y faut qu'tu fasses encore plus attention. Surtout après ce qu'on vient de faire aujourd'hui. Si jamais a découvre que t'as lu son journal, t'es pas mieux que mort.

— Ben, toi aussi, tu serais menacé.

— Moi? J'sus pas journaliste. A l'sais pas que je m'intéresse à ton affaire.

— Non, Jos. C'est vrai c'que tu dis. C'est pas nous qui sommes menacés.

— Ah! C'est qui?

— Josse.

— Josse Thibodeau? T'es fou, y'est même pas mêlé à nos affaires.

— Oui, il l'est, plus que tu crois.

En deux mots, Tran met Jos au courant de ce que Josse lui a appris sur sa rencontre avec Cédulie Doiron.

— Matante doit penser que c'est Josse qui en sait le plus, conclut Tran à la fin de son récit.

— Mais j'suis certain qu'a doit te soupçonner aussi. T'as écrit tes articles dans *L'Écho*. Tu poses tellement de questions qu'a doit ben se sentir menacée. Qu'est-ce qu'on va faire avec le cahier?

— J'pense ben qu'y faut que j'l'apporte à M. Beaugrand. Ça sera à lui de décider. S'il ne s'agissait que de moi, je ne sais pas ce que je ferais. J'attendrais, peut-être.

— T'attendrais quoi? Que Matante découvre que quelqu'un lui a volé son secret?

— J'sais pas, mais j'attendrais. De toute façon, Mlle Doiron ne va pas découvrir tout de suite que son journal a disparu. On va remettre la boîte en place, pis la recouvrir de terre et de feuilles mortes, comme avant qu'on la trouve.

Aussitôt dit, aussitôt fait. En quelques minutes seulement, rien ne paraissait plus de leur larcin ni de leurs activités.

— Quand vas-tu montrer le livre à M. Beaugrand?

— Demain matin, j'pars pour Fall River. J'ai bien hâte. J'm'ennuie de Modeste. Ça fait déjà plusieurs jours que je l'ai pas vue. C'est pas ben bon pour un jeune couple qui attend un enfant. J'verrai M. Beaugrand à ce moment-là.

Là-dessus, les deux compères se séparent et rentrent chacun chez eux.

Le lendemain matin, Josse Thibodeau s'éveille à cinq heures, comme d'habitude. Il lui faut être au travail dès six heures et demie. À neuf heures, lorsque Matante arrive, le magasin doit être prêt à recevoir ses clientes, qui se présentent très souvent dès neuf heures, au moment de l'ouverture.

Ce jour-là, le jeune homme ne paraît pas plus pressé que d'habitude lorsqu'il met la clef dans la serrure et qu'il pénètre chez Fine Foods, qui porte toujours la même raison sociale. Sauf que Cédulie, toujours pointilleuse sur les détails, a fait remplacer les mots «Ben Laverdure, Prop.», par «Laverdure Estate, Prop.»

Le jeune homme, pendant le temps qui lui reste avant l'ouverture, fait le ménage du magasin, étend du bran de scie frais sur le plancher de l'avant et de l'arrière-boutique. Cela fait, il se met à dépecer un quartier de viande dont il sait que les morceaux partiront en premier. La vieille fille n'ayant jamais remplacé Tran après son départ, Josse doit travailler deux fois plus, mais ne reçoit pas de rémunération supplémentaire pour autant. Il ne s'en plaint pas non plus, heureux d'avoir une occupation à sa convenance.

Tout en travaillant, le jeune homme repasse dans sa tête les événements récents qui l'ont conduit à faire à Tran Godfrey des révélations concernant sa patronne. Il éprouve, ce matin, un certain malaise à se remémorer cette conversation. L'idée que Matante pourrait, un jour, apprendre ses indiscrétions, l'inquiète. Mais comme il n'est pas dans son naturel de s'en faire pour si peu, il oublie rapidement ses craintes. Comme cela lui arrive souvent, il s'attarde sur le souvenir qu'il a conservé de ses rencontres, trop rares à son goût, avec Mélodie Laverdure. Il ne sait pas pourquoi, mais il n'arrive pas à éprouver de la tristesse à l'idée de sa mort, probablement parce qu'il ne l'a jamais fréquentée comme si elle avait été sa blonde, pense-t-il. De fait, par sa réaction inconsidérée, elle l'avait blessé, lorsqu'il avait osé lui révéler ses sentiments. Et il est normal, se dit-il, qu'il ne lui ait pas voué un culte, au-delà du tombeau, comme le fait sans doute Jos Poirier.

Lorsque ses rêveries se prolongent, il ne voit pas le temps passer. C'est un coup frappé à la porte de la boutique qui le tire enfin de sa torpeur. Il aperçoit alors trois clientes qui paraissent mécontentes, comme si elles avaient attendu plus longtemps que d'habitude. Lorsqu'il leur ouvre la porte, la première commence aussitôt à le réprimander.

— Neuf heures et dix et on est encore fermé, déclare-t-elle. Ce n'est pas avec des habitudes semblables que vous réussirez en affaire. Une autre matinée à faire ainsi le pied de grue devant votre porte, comme si vous me faisiez une faveur de me vendre votre produit souvent de mauvaise qualité, et je ne serai plus votre cliente. Et toutes mes amies me suivront. N'est-ce pas, mesdames? conclut-elle en se tournant vers les deux autres femmes, en ligne derrière elle.

À cause de la virulence du discours, aucune des clientes ne semble prête à seconder les menaces de la première.

— Eh bien! Puisque maintenant on nous fait la grâce de nous ouvrir, nous sommes aussi bien d'entrer, reprend-elle en pénétrant dans la boutique, la tête haute, le port altier.

Les lampes sont déjà allumées au mur, au-dessus des comptoirs et de la caisse. Cependant, le fauteuil qu'occupe ordinairement Cédulie, derrière ce symbole de sa toute puissance, est vide.

— Où donc est Matante? demande la première cliente qui n'a rien perdu de son agressivité.

— Matante! Mais oui! Où est Matante? répète Josse comme en écho.

Pas une seule fois depuis qu'elle est responsable de la boucherie, c'est à dire depuis la mort de Ben, elle n'a manqué l'ouverture, à neuf heures tapant, de Fine Foods.

— Jeune homme, il ne s'agit pas de répéter ce que je dis. Il faut agir. À l'instant. Allez la chercher.

Josse fait un tour rapide de l'établissement, au cas où Cédulie serait entrée lorsqu'il était absorbé par son travail. Mais une visite rapide le convainc que la vieille fille n'est tout simplement pas encore là.

— Je vais vous servir, mesdames. Pendant ce temps, Matante arrivera sûrement.

Josse se met au travail et, en moins de cinq minutes, les trois clientes sont parties, satisfaites. Une fois la porte refermée sur la dernière, le jeune homme se met à réfléchir. Si Mlle Doiron n'est pas encore au travail, se dit-il, c'est qu'une raison très sérieuse la retient chez elle. Il hésite encore un moment, pendant lequel une autre cliente se présente. Après l'avoir servie, il décide de fermer la boucherie et d'aller aux nouvelles.

Tout en se mettant en route d'un pas rapide, il espère que Tran n'est pas déjà parti pour Fall River. Il ne sait pas pourquoi, mais il sent qu'il a besoin de son aide. En moins de dix minutes, il frappe à la porte des Godfrey. C'est justement Tran qui lui répond, une valise à la main.

— J'allais justement me rendre à la gare, dit celui-ci, il y a un train à dix heures et demie.

— Tran, tu ferais peut-être mieux d'attendre. Matante est pas encore arrivée au magasin. Ça ne s'est jamais produit avant.

Aussitôt l'attention du jeune journaliste est attirée par les propos de son ami.

— Viens. On n'a pas une minute à perdre.

En disant ces paroles, Tran entraîne Josse vers le bas du perron, puis le long de la maison et jusque dans la cour arrière. Sans s'arrêter un seul instant, il franchit la porte qui donne dans le jardin des Laverdure. Il note, en passant, que les feuilles mortes, que Jos et lui, la veille, avaient replacées avec tant de soin au pied du bouleau, ont été enlevées, le trou creusé à nouveau et la cassette noire disparue.

Tran, sans réfléchir, se lance vers la porte arrière de la maison des bessonnes. Josse le suit vivement sans se poser de question. La porte n'est pas fermée à clef. En quelques minutes, ils ont fait le tour complet de la maison, mais ils ne découvrent pas la moindre trace de Cédulie Doiron.

Les deux amis se regardent, impuissants, inquiets aussi.

— On la cherche ici, mais elle est peut-être ailleurs, dit Josse fort à propos.

— Ben oui, c'est évident qu'elle est ailleurs, mais où exactement. On a regardé partout.

— Non, on n'a pas regardé là, répond Josse en montrant du doigt, par la fenêtre, la petite remise au fond de la cour.

Les garçons se précipitent à l'extérieur et, à la course, arrivent au petit hangar. Tran, le premier, pousse la porte qui est déjà légèrement entrebâillée. La pièce est sombre, à peine éclairée par une minuscule fenêtre donnant du côté ouest.

Il ne fait pas assez noir, pourtant, pour les empêcher de distinguer, au centre de la pièce, une forme blanche affalée dans un vieux fauteuil bancal qui est rangé là depuis des années. Les deux amis s'approchent en tremblant de cette étrange apparition et reconnaissent tout de suite Cédulie Doiron, vêtue d'une longue robe blanche, couverte de grandes taches sombres. Ses cheveux, qu'elle portait toujours en chignon, sont défaits et tombent sur son visage qui est blanc comme neige. Ses yeux sont fermés et ses mains pendent de chaque côté du fauteuil. C'est alors qu'ils remarquent que chacune d'elle repose dans une bassine, baignant dans du sang déjà coagulé. Au-dessus des manches retroussées de la robe blanche, les veines des poignets sont grandes ouvertes. C'est par là que s'est écoulée l'étrange vie de Cédulie Doiron.

Comme un dernier geste de son bizarre rituel, elle a revêtu l'aube blanche, autrefois dérobée à la sacristie. Sur ses genoux reposent ses premiers larcins: le fameux manuterge et les hosties qui remontent à l'exploit de l'oiseau dans l'église St. Mary, il y a presque vingt ans de cela.

«Sang tue, Sang tue, Sang tue», se dit Tran en lui-même, tout en contemplant le triste spectacle.

— Qu'allons-nous faire? demande Josse inquiet.

— Bien! Il faut avertir la police, sans doute. Et le curé aussi, à cause des hosties et de tout le reste.

Pendant que Tran se dirige vers le poste de police et le presbytère pour rapporter ce nouveau décès, Josse Thibodeau, malgré ses réticences, veille, depuis l'extérieur de la remise, sur la dépouille mortelle de la tante de ses chères bessonnes.

14

Ce n'est qu'à la fin du mois de novembre que Modeste et Tran Godefroy retournent à Fall River. La jeune épouse était venue rejoindre son mari, au moment du décès de Matante. Il avait fallu plus d'un mois de démarches et de nombreuses rencontres avec les hommes de loi pour débrouiller les successions de Ben Laverdure, de sa fille, Mélodie et de sa belle-sœur, Cédulie Doiron.

C'est Modeste qui recueille tout l'héritage de son père, y compris l'épicerie-boucherie et le tiers de la valeur marchande de la maison de la rue Harbord. Les dernières mesures n'ont pas encore été prises, mais il est presque certain que Josse Thibodeau, grâce à l'appui de son père Siméon et aux conditions favorables offertes par Modeste et Tran, deviendra bientôt propriétaire de Fine Foods, ce qui devrait donner de l'emploi à deux autres membres de la famille.

La grossesse de Modeste est fort avancée. L'accouchement est prévu dans quinze jours tout au plus. Jeanne Godfrey et sa fille aînée, Léonie, accompagnent le jeune couple, afin de s'occuper de la future maman. Le plus souvent, Tran reste à la maison avec sa femme.

Les tragédies, dans cette famille, ont été si nombreuses et si rapprochées que le jeune homme, en dépit de la présence de sa mère et de sa sœur, ne prend pas de risque et reste aux côtés de sa femme le plus possible.

Le Dr Alfred Mignault est à la fois le patron de Tran et le médecin de Modeste. C'est donc sous le prétexte d'une visite médicale qu'il se présente chez les Godfrey, en compagnie d'Honoré Beaugrand. Après que le médecin eut examiné sa patiente, les deux éditeurs se retrouvent pour parler, avec Tran, de ses projets d'avenir.

— Pourquoi un article sur la mort de Mlle Doiron? demande Mignault lorsque Tran insiste pour faire un dernier papier sur le sujet.

Ces décès à répétition, qui avaient commencé par la fin spectaculaire de Ben Laverdure, avaient presque anéanti toute une famille.

— J'ai déjà écrit des articles sur le sujet, dans lesquels j'ai posé plusieurs questions restées sans réponse. Maintenant que nous les connaissons, il me paraît essentiel de les révéler à notre public.

— Je sais, Tranquille, mais il y a ici une considération humaine qui, me semble-t-il, l'emporte sur le désir, souvent excessif, de tout dire, de tout raconter. On peut être trop bavard, jeune homme, comme on peut ne pas l'être assez. C'est une question de juste milieu.

— Je crois bien que le juste milieu, dans le cas qui nous préoccupe n'a pas été atteint, insiste Tran. *L'Écho du Canada* a été trop peu bavard dans le cas du décès de Mlle Doiron. On n'a publié qu'une brève nécrologie, avec l'annonce de la date et du lieu des funérailles. Rien n'a été dit qui pouvait rattacher sa mort à celle de Ben Laverdure. Pourtant, nos lecteurs, à qui on a commencé à raconter une histoire, sont restés sur leur faim. Ces dernières semaines, à Salem, un grand nombre de gens m'ont demandé si la mort de Matante avait apporté des réponses aux questions que j'avais soulevées lors du décès de Ben Laverdure. Je n'ai pas su quoi leur répondre.

— Je sais tout cela, Tranquille, mais Mlle Doiron est un peu votre belle-mère. Elle est la tante de votre femme et la vôtre par alliance. Cela ne compte-t-il pas pour quelque chose?

— Oui, sans doute. Mais la vérité n'est-elle pas au-dessus de ces considérations?

Après cette remarque du jeune homme, le silence retombe dans la petite pièce où sont assis les trois hommes.

— Parle-lui, toi, Honoré. Fais-lui entendre raison. Tu vois bien que mes arguments ne l'atteignent pas.

Beaugrand, confortablement assis dans le plus grand fauteuil de la pièce, qu'il remplit aisément de toute sa corpulence, examine ses deux interlocuteurs avec attention. Il prend un certain temps avant de briser le silence pendant que, les mains croisées au-dessus de son ventre, il se tourne les pouces.

— Quel sentiment éprouvais-tu pour Mlle Doiron? finit-il par demander à son jeune journaliste.

— Je n'éprouvais pour elle aucun sentiment d'affection, si c'est ce que vous me demandez.

— Est-ce que tu la détestais?

— Ça m'est arrivé souvent de lui en vouloir.

— De vouloir qu'il lui arrive malheur?

— Oui, c'est arrivé.

— As-tu déjà, une seule fois, éprouvé de la chaleur, de la compassion pour elle?

— Non, jamais.

— Serait-ce aller trop loin que de dire que tu la haïssais?

Tran hésite cette fois avant de répondre. Il n'est pas certain de la direction que prend cet examen inattendu. Est-il en train de s'enferrer, mais dans quoi? Ou bien de se disculper, mais de quoi?

— Peut-être est-ce là une expression qui dépasse la réalité. En fait, la plupart du temps, elle m'était indifférente. Il m'est arrivé, quelquefois, de la détester de tout mon cœur et de toutes mes forces. Mais c'était l'exception et ces sentiments n'ont jamais duré très longtemps. Mais, dites donc, Monsieur Beaugrand, où voulez-vous en venir avec toutes ces questions?

— J'essaie de me substituer à toi et à ton rôle d'enquêteur dans cette affaire, en te posant des questions comme on le ferait à un suspect.

Tran paraît étonné de la tournure de la conversation. Il regarde son patron pour essayer de percer ses sentiments à son endroit. Mais les pupilles globuleuses du gros homme ont l'air de lui sourire, ce qui le rassure.

— Suspect de quoi?

— Écoute Tran, je fais le même métier que toi, celui de journaliste. Nous cherchons tous la vérité. Jusqu'ici, tu as mené une enquête parallèle à celle de la police. Ces derniers n'ont pas vu les liens entre ces morts que toi-même a détectés. Il faut dire que la découverte du journal de Mlle Doiron paraît te donner raison. Mais il n'invalide pas la conclusion du coroner qui dit que Ben Laverdure est décédé de mort naturelle, des suites d'un arrêt cardiaque.

— N'est-ce pas assez de savoir que Matante, sciemment, par sorcellerie ou autre rite incantatoire, a voulu causer la mort de son beau-frère et cela à deux reprises, si l'on en croit son journal?

— Nous ne sommes plus en 1695, Tran, où l'on exécutait de pauvres êtres dont le seul crime était d'être devenus des herboristes consommés. Leurs contemporains les ont pendus, poussés en cela par l'ignorance et une peur déraisonnable parce qu'ils étaient différents d'eux. Je ne crois pas qu'un juré, de nos jours, aurait condamné à mort Mlle Doiron pour les écrits de son journal. Pas plus qu'un autre juré te condamnerait à mort pour avoir souhaité sa disparition. De toute façon, comme elle s'est fait justice elle-même, la question ne se pose même pas.

— Et le décès de Mélodie? Selon vous, il ne se rattache pas aux autres morts? demande Tran.

— Non, je ne vois là rien que de très naturel. Le médecin n'a-t-il pas confirmé lui-même que le décès de ta belle-sœur est dû à un arrêt cardiaque, tout comme ce fut le cas pour son père?

— Justement, cela me paraît bien étrange. M. Laverdure et sa fille avaient bien vingt ans de différence et leurs corps n'avaient pas subi les mêmes excès.

— Si, selon ta théorie qui veut que Matante a pu tuer à distance son beau-frère, comment s'y serait-elle prise pour se débarrasser de Mélodie qui était à Fall River, alors qu'elle-même était à Salem? Non, mon garçon, ici, la distance est trop grande. Les pouvoirs de Matante, si elle avait réussi cet exploit, auraient été d'un autre monde.

— Je ne vous le fais pas dire, monsieur Beaugrand.

— Mlle Doiron reste-t-elle ton seul suspect dans cette affaire, si tant est qu'il y a vraiment eu meurtre?

— Oui, je n'en vois pas d'autre.

— Si je puis me permettre ici une intervention, commence le Dr Mignault, il me semble, Tranquille, que vous n'utilisez pas la même rigueur pour découvrir le meurtrier de Mélodie, s'il y a eu meurtre, que celle dont vous faites preuve pour le décès de Ben Laverdure.

Cette fois, le jeune Godfrey est décontenancé. Il va reprendre la parole, lorsque l'autre le devance.

— Je veux dire que, dans le cas de votre belle-sœur, vous partez d'un préjugé: elle a été assassinée. Dans celui de votre beau-père, ce n'est pas la même chose, et pourtant vous traitez les deux décès de la même façon.

Il semble aux trois interlocuteurs qu'ils n'avancent pas dans leur discussion et qu'ils tournent en rond.

— Si nous imprimions, *in extenso*, le journal intime de Mlle Doiron, cela te conviendrait-il? finit par suggérer Beaugrand.

— Vous voulez dire le publier tel quel, sans ajouts, sans explications, sans commentaires?

— Oui, c'est bien ça. La police te l'a bien remis après l'enquête où ils ont conclu au suicide?

— Oui, ils m'ont retourné tous les effets qu'ils avaient saisis chez elle, après sa mort.

— Nous avons donc tout ce qu'il faut.

Tran réfléchit à cette proposition pendant que ses deux patrons se regardent à la dérobée.

— Pourquoi hésites-tu? demande Beaugrand, lorsque le silence se prolonge.

— Parce que la mort de Matante n'est peut-être pas un suicide.

Cette fois, c'est au tour des deux éditeurs de paraître étonnés.

— Mais la police a été très claire à ce sujet. Il apparaît qu'ils n'ont décelé aucune intervention extérieure dans cette mort. D'ailleurs, la découverte qu'elle avait faite de la disparition de son journal avait été pour elle un motif suffisant pour se donner la mort.

— Je n'y crois pas, s'entête Tran.

— Alors là, je ne te comprends plus, mon garçon. Selon cette nouvelle théorie, il n'y aurait pas un seul meurtrier, mais deux. D'abord celui qui a tué Ben Laverdure et sa fille Mélodie, et qui serait Mlle Doiron. Et puis un autre qui aurait disposé de Mlle Doiron, la première meurtrière. Est-ce bien là ta pensée?

— Oui, à peu de choses près. Ce que je veux dire, c'est que ces trois morts sont reliées entre elles. Je n'ai pas encore découvert comment et de quelle façon, mais j'y arriverai bien un jour.

— Si ce que tu avances est vrai, il y aurait donc un meurtrier encore en liberté qui frappera une fois de plus, si la chose lui paraît nécessaire.

— Je le crois, affirme Tran avec assurance.

— Dans ce cas, as-tu une idée de son identité?

— Non, pas le moins du monde.

— Tu te rends compte, mon garçon, qu'il est difficile pour le Dr Mignault et moi de te suivre sur ce terrain, à moins que tu nous apportes des preuves, ou même simplement des indications sérieuses.

— Je n'en ai pas.

— Pas le moindre suspect?

— Pour ce qui est de Mlle Doiron, les suspects sont assez multiples. Elle n'était pas aimée d'un grand nombre de gens, surtout de ceux qui vivaient près d'elle. Il semble cependant qu'elle était assez bien vue de la clientèle de la boucherie.

— Il faut donc chercher de votre côté, suggère Mignault.

— Oui, c'est vrai. Nous aurions tous eu un motif à voir disparaître Matante. Vous connaissez déjà le mien. C'était le même pour mes amis Jos Poirier et Josse Thibodeau.

— Et Modeste?

— Ah non! Là, vous vous trompez. Je connais Modeste assez bien pour savoir qu'elle n'en a jamais eu le désir, sans mentionner qu'elle n'aurait pas eu la force physique pour accomplir un acte pareil. De plus, Modeste était à Fall River au moment du drame.

— Alors, la théorie du meurtre à distance ne compte plus? ironise Beaugrand.

Tran se redresse dans sa chaise, regarde ses interlocuteurs, mais ne dit rien.

— Ainsi, nous avons trois suspects pour le meurtre de Matante, si meurtre il y a eu, dit encore Beaugrand: toi, Josse et Jos. Lequel des trois est le plus probable?

Tran ne répond pas.

— Ou encore, lequel des trois aurait pu participer, voire accomplir un des deux autres meurtres, sinon les deux? Tu vois bien que nous arrivons à un cul-de-sac.

Toujours le même silence de la part du jeune journaliste.

— Je reviens donc à ma première proposition, dit Beaugrand, pour rompre l'impasse: publier, sans en rien changer, le texte du journal de Mlle Doiron. Nous laisserons aux lecteurs le soin de tirer leurs propres conclusions. C'est à mon avis la meilleure solution. Sommes-nous d'accord?

Mignault, tout comme Tran, acquiesce.

— Très bien, la chose est entendue. Le journal de Mlle Doiron paraîtra en première page de notre édition du samedi 12 décembre.

— C'est dans deux semaines, proteste Tran. Pourquoi pas le 5?

— Il me faut en étudier les implications légales et cela peut demander facilement une dizaine de jours. Sans compter la composition même au journal. Non, vraiment, la date du 12 est la plus rapprochée.

Là-dessus, les deux éditeurs se lèvent pour marquer que l'entretien est terminé et qu'ils vont se retirer.

— Tenez, monsieur Beaugrand. Voici le journal de Mlle Doiron, dit Tran en lui tendant un petit paquet enveloppé de toile grisâtre. Aurez-vous besoin de mes services pour sa mise en page?

— Non, nous pouvons très bien nous débrouiller. Il vaut mieux que tu restes auprès de Modeste.

Au moment d'atteindre la porte avant de sortir, le médecin se tourne vers Jeanne et Léonie.

— Je ne suis pas inquiet pour la future maman, commente le Dr Mignault. Elle est en bonne santé. Et avec votre aide, Mme Godfrey, et celle de votre fille, tout se passera sans problème aucun, j'en suis persuadé.

Modeste, entre Jeanne et Léonie, sourit aux deux hommes, pendant que son mari la contemple avec un air de parfaite béatitude.

— Le bébé sera là dans une dizaine de jours, tout au plus, ajoute le médecin au moment du départ.

À travers ses longs cils noirs, ses yeux leur sourient avec quelque chose qui ressemble à du bonheur.

Les préoccupations de Tran Godfrey, dans sa recherche de la vérité concernant les nombreux décès qui viennent d'affliger sa belle-famille, sont mises au rancart. En effet, la naissance de son premier enfant est si imminente que toute autre question lui paraît parfaitement futile.

À partir du 7 décembre, en fin de journée, Modeste et sa délivrance deviennent le sujet de préoccupation de la maisonnée Godfrey. Le Dr Mignault, appelé d'urgence, n'a fait que confirmer ce que pensait Mme Godfrey: c'est le début des contractions.

D'abord, le médecin croit que les choses vont aller assez vite et fait apporter, auprès du lit de Modeste, tout ce qui est nécessaire à un accouchement. Ensuite, il bannit Tran de la chambre. Celui-ci se retire dans son bureau avec Honoré Beaugrand, qui avait accompagné son collègue, lorsqu'ils avaient appris l'imminence de la naissance.

— Tiens, j'ai apporté ceci avec moi, dit l'éditeur en posant sur le bureau une bouteille de vieil armagnac.

Le flacon porte, écrit à la main le millésime 1856, année même de la naissance de Joseph Tranquille Godfrey.

— Sors deux verres. Tu vas en avoir besoin bientôt.

— Non, merci, monsieur Beaugrand. Je crois que je préfère vivre cette expérience la tête froide, dégagée des vapeurs de l'alcool.

— Comme tu veux, mon garçon. Si jamais tu changes d'idée, tu n'auras qu'à te servir. Quant à moi, je le sais, quand le moment de prendre un verre est arrivé.

Tran se lève et va vers la cuisine où il croise sa sœur Léonie occupée à remplir une grande bassine d'eau.

— Tout se passe bien? demande-t-il d'une voix légèrement inquiète.

— Oui, Tran, tout se passe bien. Tu as de la chance, ta femme est en bonne santé.

— Le cœur. Il faut surveiller le cœur. Tu le sais, c'est ce qui a emporté Mélodie, et elle n'était même pas enceinte.

— Allons Tran, ne t'en fais pas. Le Dr Mignault est un excellent médecin. Il n'en est pas à son premier accouchement. Il a de l'expérience. Et puis, maman et moi sommes là. Tu peux attendre tranquillement la naissance de ton enfant en bavardant avec M. Beaugrand. On s'occupe de tout.

Léonie a à peine prononcé ces paroles qu'un cri déchirant leur parvient de la chambre de Modeste. Tran, aussitôt, devient blême et va s'élancer vers la pièce où se trouve sa femme. Sa sœur lui barre le passage.

— Non, Tran. Tu dois rester ici. Ta présence n'est pas requise. Il faut que tu t'habitues à ces cris. Il y en aura d'autres.

— Apporte deux verres, crie la voix d'Honoré Beaugrand, depuis le bureau où il se trouve, ayant compris que, cette fois, l'invitation de l'armagnac n'aura pas besoin d'être renouvelée.

Voyant l'inutilité de son entêtement, le futur papa prend deux verres dans l'armoire, retourne auprès de son patron et les dépose sur la table à sa droite. Celui-ci vide cérémonieusement la liqueur ambre dans les gobelets et en pousse un en direction de Tran.

— Prends le verre dans tes deux mains, lui dit-il, et réchauffe-le pendant quelques minutes avant de le porter à ton nez.

Tran obéit et fait comme il lui est suggéré.

— Maintenant, ferme les yeux et, sans inspirer trop fort, hume le parfum délicat qui s'en dégage.

Avec des gestes quasi religieux, car il se rend compte qu'il s'agit d'un rituel, le jeune homme suit les directives de son patron.

— Tran, je veux que tu me dises les qualificatifs qui te viennent à l'esprit quand tu humes ces divines vapeurs.

Puis, c'est le silence, dans la pièce, brisé seulement par le doux son des aspirations nasales des deux hommes. Malgré sa forte corpulence, celles de Beaugrand ne sont pas plus bruyantes que celles de son compagnon.

— Entêtant... fort... caramel... verger de pommes... encens... masculin... brûlures...

Il s'écoule encore de longues minutes, sans qu'aucun autre mot ne sorte de la bouche de Tran.

— Sol... racines... humus... cannelle... girofle... poursuit à son tour Honoré Beaugrand.

Nouveau silence qui, tout à coup, est déchiré par une autre cri provenant de la chambre de l'accouchée.

— Bois!

C'est un ordre bref de Beaugrand, exécuté aussitôt par les deux hommes qui, tout en se regardant, avalent d'un trait la brûlante liqueur dorée qui les saisit, les transporte et les ramène lentement sur terre.

Par la porte grande ouverte et qui donne dans la cuisine, les deux hommes aperçoivent Jeanne Godfrey venue chercher une autre bassine d'eau chaude. Son tablier blanc, ordinairement immaculé, est marqué, sur le devant, de grandes taches de sang. À cette vue, Tran se lève et se dirige vers elle.

— Maman, que se passe-t-il? Pourquoi tout ce sang? C'est le sang de Modeste?

— Allons, Tran, ne t'en fais pas. Tout se passe très bien. Les cris que tu entends de temps à autre, j'ai poussé les mêmes lors de ta naissance et celle de tes frères et sœurs. C'est très naturel. Rappelle-toi que nous naissons dans la douleur. Toute notre vie, ensuite, est composée d'efforts pour éviter la souffrance. Retourne t'asseoir avec M. Beaugrand. Lui aussi a de l'expérience. Il ne peut que t'aider.

Là-dessus, la mère dépose un baiser sur le front de son fils qui la regarde s'éloigner vers la chambre d'où, maintenant, lui parviennent des cris et des gémissements de plus en plus puissants et de plus en plus fréquents.

— La nuit va être longue, mon garçon. Tiens, prends une autre rasade.

Cette fois, le jeune homme ne se fait pas prier. Mais sur un signe de Beaugrand, il boit beaucoup plus lentement.

— Le premier verre, commente celui-ci, c'était pour le choc. À partir de maintenant, nous les consommerons pour le plaisir, lentement, à petite gorgées.

La nuit est longue en effet. Ce n'est que vers quatre heures du matin, lorsque l'éditeur et son journaliste arrivent presque au fond de la bouteille, que la porte s'ouvre enfin et laisse passer le Dr Mignault. Son visage et toute sa personne paraissent fatigués, mais il a un air réjoui.

— C'est un garçon, annonce-t-il.

— Comment est Modeste? demande aussitôt Tran en se levant l'air inquiet.

— Elle est très bien. Venez, ajoute-t-il avec un geste en montrant la chambre.

En un bond Tran est auprès de sa femme qui, le visage pâle et mouillé de sueur, ses beaux cheveux noirs collés en désordre sur son front et son visage, tient dans ses bras un enfantelet nu et tout ridé qui braille à fendre l'âme. Déjà guidé par son instinct, celui-ci, de ses petites mains potelées, trouve le sein de sa mère et arrête ses pleurs, dès qu'il pose goulûment sa bouche sur le tétin brun.

Tran est si ému par le spectacle de cette vie qui commence, qu'il en oublie presque que c'est son enfant qu'il voit ainsi, à peine arrivé au monde et qui, déjà, sait se débrouiller pour survivre. Étrangement, il se sent détaché de cette scène, comme s'il n'y avait aucune part. Lorsque Modeste lui tend le bébé, il se sent envahi par des émotions nouvelles et puissantes. Il n'a que le temps d'en prendre note mentalement et se promet à lui-même d'y revenir pour pouvoir coucher sur papier ses premières impressions de père.

— Il faut avertir toute la famille, sans oublier Jos Poirier et Josse Thibodeau, dit-il nerveusement, un peu pour cacher l'émotion trop forte qui l'étreint.

— Il faut lui faire sa toilette, dit Jeanne en prenant le nouveau-né des mains de son fils. Quant à vous tous, il est temps d'aller dormir, n'est-ce pas, docteur?

— Oui, dit Mignault. Le jour va bientôt se lever. Il nous faut reprendre des forces.

— Puis-je coucher dans le lit de ma femme, ce soir? demande Tran lorsqu'il voit que le calme est revenu dans sa maison.

— Bien sûr, mon garçon, lui dit sa mère, rassurante. Nous allons changer les draps et laver Modeste. Après cela, vous pourrez vous coucher.

— Ne la fatiguez pas trop, lui recommande Mignault, lorsqu'il voit le nouveau papa embrasser sa femme en la prenant doucement dans ses bras.

— Ne vous inquiétez pas, docteur. Je me ferai tout petit et je ne bougerai pas de la nuit.

Le médecin s'esclaffe et donne des tapes dans le dos du jeune père.

— Votre femme est en parfaite santé, Tranquille. Elle est bien constituée. Vous aurez une nombreuse famille. C'est une excellente idée de passer la nuit avec elle.

Sur ces paroles, Beaugrand et Mignault quittent les Godfrey et rentrent chacun chez eux.

C'est durant cette même nuit, au cours des dernières minutes éveillées pendant lesquelles les nouveaux parents s'enivrent d'un bonheur inconnu, qu'ils décident de nommer leur fils Joseph-Ambroise.

Dès le début de l'hiver, et après les relevailles de Modeste, Jeanne Godfrey regagne Salem, pendant que Léonie reste encore quelques semaines auprès de sa belle-sœur, le temps d'organiser la nouvelle vie de la famille.

Cette période, pour les Godfrey de Fall River, ne sera pas de tout repos. La publication du journal de Cédulie Doiron a fait beaucoup de bruit, non seulement dans le petit Canada, mais dans le reste de la ville également. À cause de son commerce, rue Essex, Matante était connue d'un grand nombre de personnes. Ses relations avec la clientèle avaient toujours été très correctes mais légèrement guindées, pour ne pas dire un peu froides. Il n'était pas dans la nature de la vieille fille d'être trop familière avec les clientes, contrairement à Ben dont c'était la spécialité. Le commerce n'avait pas souffert de ce changement. Si les Anglaises qui fréquentaient l'établissement aimaient bavarder et même plaisanter avec Ben, quand il était à la caisse, elles avaient trouvé leur compte dans la discrétion et l'efficacité de Cédulie Doiron, lorsque celle-ci avait pris la relève.

Un jour du mois de mars de l'année 1875, il faut bien s'y attendre, le *Salem Register* a fini par avoir vent du journal intime de Cédulie Doiron, puisqu'elle et son beau-frère ont été des personnalités dans le marché de l'alimentation à Salem. Les autorités de ce journal l'ont fait traduire.

C'est ainsi que le jeudi 1er avril paraît, en première page, la version anglaise des élucubrations démentes de Cédulie Doiron. Comme cela a été le cas lors de sa publication dans *L'Écho du Canada*, cette nouvelle parution suscite, de la part des lecteurs du *Register*, un abondant courrier. Dans la presse de langue anglaise comme celle de langue française, le contenu des lettres est à peu de chose près le même. La plupart des lecteurs plaignent la pauvre Cédulie, pour qui ils ont, par ailleurs, une assez haute estime. Seul un très petit nombre éprouve pour elle des sentiments négatifs. Les deux journaux ont publié les plus représentatives de ces lettres, les dernières ayant paru à la fin du mois de mai. Il est probable que les choses ne seraient pas allées plus loin s'il n'y avait eu, le dimanche 20 juin, la rencontre fortuite, à Salem, d'Honoré Beaugrand et de Frobisher Forsythe, l'éditeur du *Register*.

Le hasard veut, ce jour-là, que les deux hommes soient assis côte à côte lors d'un rassemblement politique préparatoire à des élections prochaines. Comme une cocarde les identifie, les deux éditeurs font rapidement connaissance et, naturellement, parlent métier. La publication du journal de Cédulie Doiron devient vite le sujet central de leur conversation.

— Oh! peut-être une cinquantaine en tout, répond Beaugrand à son collègue, lorsque celui-ci lui demande le nombre de lettres reçues par son journal sur le sujet. Et vous?

— Je dirais plus de trois cents, ce qui est un nombre considérable, étant donné que nous n'avions pas suivi l'affaire de très près une fois terminée l'enquête du coroner. Nous avons toujours tenu pour valide la thèse de la police: mort de cause naturelle. Mais votre journal, parce que c'est sa clientèle, a continué sa couverture.

— Oui, c'est juste, répond laconiquement Honoré Beaugrand qui n'ajoute plus rien d'autre, comme s'il ne voulait pas poursuivre la conversation.

— Pardonnez-moi, monsieur Beaugrand, d'insister encore une fois sur cette affaire, mais parmi toutes les lettres reçues, il y en a eu une seule qui ait vraiment retenu notre attention.

— Ah! C'est intéressant.

— Vous n'êtes pas curieux de savoir ce qu'elle contenait?

— Était-ce un sujet pour la police?

— Ma foi, peut-être.

— Qu'avez-vous fait de cette lettre?

— Encore rien. Je ne suis pas certain de ce que je dois faire. Je vous en parle maintenant, car vous avez peut-être reçu la même.

— Oui, en effet, peut-être, répond toujours évasivement Beaugrand.

— Celle que nous avons reçue était fabriquée à partir de mots découpés dans notre journal et collés sur une feuille. Le message, comme on peut s'y attendre, n'est pas signé. Il ne contient que deux phrases dont je me souviens parfaitement: «The villain was not the one expected. Look for the one who profits.»

— Oui, nous avons reçu le même en français, les mots ayant été découpés dans notre journal. Le message disait: «La méchante n'est pas celle qu'on attendait. Cherchez celle qui en tire le plus de profit.»

— Qu'avez-vous fait de cette lettre?

— Nous l'avons rangée avec les autres. Nous en avons reçu plusieurs de personnes dérangées. Cela n'est pas nouveau.

— C'est vrai, vous avez raison. Mais dans le cas de Mlle Doiron, c'est bien la seule qui était anonyme et ainsi rédigée. Je ne vous en aurais pas parlé autrement. Que feriez-vous à ma place?

— Je la rangerais dans les dossiers de cette affaire déjà un peu vieille, ainsi que je l'ai fait à *L'Écho du Canada*.

— Le nombre de témoignages en faveur de Mlle Doiron est trop grand pour l'ignorer. Je ferai peut-être comme vous me le suggérez.

Les deux éditeurs continuent à parler métier, mais ils ne reviennent pas sur le sujet du journal Doiron. C'est Honoré Beaugrand, lui-même, qui l'aborde à nouveau le lendemain, dans son bureau de Fall River.

Il s'est fait apporter le dossier de cette correspondance et a convoqué Tran Godfrey. Il lui raconte son entretien de la veille avec Frobisher Forsythe.

— En entrant chez moi, hier soir, j'ai noté tout de suite les mots de la lettre anglaise qu'il m'avait citée. Je n'ai aucune raison de croire qu'il a inventé cela, puisque nous avons reçu la même en français.

— Avec une information supplémentaire que la lettre anglaise n'avait pas.

— Oui, en effet, reprend Beaugrand. Je suis content que tu l'aies notée également. Le texte français fait état du genre, ce qui n'apparaît pas dans la version de Forsythe.

— Quelle conclusion en tirez-vous?

— Qu'il y a quelqu'un qui cherche à accuser une femme de la perpétration de ces crimes.

— Il se pourrait bien que l'auteur de la lettre ait voulu parler d'une personne, plutôt que d'une femme, voilà qui expliquerait le féminin utilisé.

— Oui, j'ai songé à cette possibilité, mais elle me semble improbable.

— Pourquoi avez-vous suggéré à M. Forsythe de classer cette lettre dans ses dossiers pour l'y laisser dormir?

— Je craignais qu'il n'aille la montrer à la police.

— Pourquoi pas?

— Tu n'es pas sérieux, Tran. Ne vois-tu pas où cela pourrait nous mener si quelque officier de police prenait ces divagations anonymes pour paroles d'Évangile?

— Vous dites cela, monsieur Beaugrand, mais depuis hier, vous ne croyez plus que c'est du délire. Est-ce que je me trompe?

— Oui et non! Il est vrai que les propos de mon collègue du *Salem Register* m'ont troublé, car c'est la seule lettre à caractère négatif arrivée chez eux. Nous, nous en avons bien reçu une douzaine. Ce qui fait une de plus. Voilà pourquoi je n'y ai pas prêté attention.

— Et maintenant?

— Cette fois, je veux y regarder de plus près avec toi.

— Très bien! Par où allons-nous commencer?

— Par la fin, puisque cette lettre nous suggère une conclusion.

— Ah! Vraiment? Laquelle?

— Tran, avant que de te répondre, je veux que tu me promettes d'attendre soixante secondes avant de me faire part de ta réaction.

— Pourquoi soixante secondes?

— Tu verras bien. Promets-le-moi.

— Bien! Je promets.

— Toi-même, tel que je te connais, tu as déjà sans doute pensé à la conclusion à laquelle j'arrive, mais l'accepter serait trop difficile.

Tran reste silencieux. Son visage, déjà pâle, est un peu plus blanc encore.

— Ce que la lettre anonyme suggère, c'est de chercher la personne, une femme, qui profite le plus de toutes ces morts. Il n'y en a qu'une, et c'est Modeste.

— Comment Modeste? proteste aussitôt Tran, oubliant sa promesse. Mais moi aussi j'en profite. Pourquoi ne suis-je pas soupçonné également?

— Oui, j'y ai pensé. Mais je n'ai pas retenu cette solution. Depuis le temps que nous travaillons ensemble à ce dossier, il t'aurait fallu être un fieffé dissimulateur pour arriver à tes fins. Je te connais trop bien pour prendre au sérieux une pareille accusation.

— Mais vous la retenez contre ma femme, s'exclame Tran, la voix blanche de colère.

— Calme-toi, Tran. Je n'accuse personne. Comme toi, je cherche la vérité.

— Eh bien, trouvez quelqu'un d'autre pour faire ce sale travail. Ne comptez pas sur moi.

— Oui, je te comprends. Moi aussi je réagirais de la même façon. Aussi je te proposerais de procéder à partir d'une hypothèse dont nous allons tenter de prouver la fausseté.

Tran réfléchit un moment à cette nouvelle suggestion de son patron.

— Si vous voulez, mais je vous préviens que je vais tout raconter à Modeste.

— Libre à toi.

— Quelle est donc cette hypothèse?

— Que Modeste est à l'origine de ces morts. Je sais, je sais, c'est dit bien crûment, mais cela ira plus vite de cette façon, poursuit Beaugrand lorsqu'il voit que Tran va se cabrer à nouveau.

— D'abord, lors de celle de son père, elle était avec sa bessonne et Thibodeau.

— Pas toujours. Tu oublies que Josse lui-même t'a avoué qu'il a laissé les jumelles seules pendant une demi-heure.

— Oui, c'est juste, mais elles avouent qu'elles sont restées ensemble sur la Commune, à attendre son retour. De plus, cette absence lui a permis de voir Matante faire son numéro qui a conduit à la mort de Ben.

— Bon, je veux bien, mais le fait reste quand même que les jumelles ont été seules pendant une demi-heure au moins. Aujourd'hui, nous n'avons que la parole de Modeste pour soutenir ce témoignage.

Cette fois, Tran rougit de colère.

— Vous vous entêtez à prouver que Modeste est une meurtrière, Monsieur Beaugrand. Je ne peux le supporter.

— Je sais que c'est difficile. Mais tu es journaliste. Si tu trouves cela trop difficile, je peux demander quelqu'un d'autre.

— Non, non. J'aime encore mieux que ce soit moi.

— Très bien! dans ce cas, continuons. La mort de Mélodie, maintenant. Modeste était présente. En fait, elle était seule avec elle. Tout cela est arrivé pendant ton absence, rappelle-toi.

Cette fois, Tran est ébranlé. Il ne dit pas un mot et paraît réfléchir. En effet, il n'y avait pas pensé, mais c'est juste. Dans le cas de Mélodie, il n'y a pas d'autre témoin que Modeste. Cette pensée l'horrifie.

— Il doit y avoir une autre explication, dit-il enfin.

— Sans doute as-tu raison, poursuit Beaugrand, mais laquelle?

— Eh bien, celle du médecin. Elle me semble valide.

— Ce n'est pas ce que tu disais lorsque tu soupçonnais Mlle Doiron. Tu prétendais que cette dernière pouvait tuer à distance.

— Oui, bien, je suis d'accord avec vous. Si le meurtrier est le même pour les trois morts, Mlle Doiron doit donc être éliminée, si l'on continue à retenir pour elle la thèse du suicide. Jusqu'à maintenant, rien ne vient la contredire. Si Modeste s'était débarrassée d'abord de son père, puis de sa sœur, puis de sa tante pour hériter, comme cela semblerait être le motif, pourquoi ne serais-je pas son complice?

— Oui, en effet, Tran, tu pourrais l'être. Dans ce cas, je n'ose même pas pousser la conclusion plus loin encore.

— Oh? Et quelle est-elle, cette conclusion?

— Que si tu es le complice de tous ces meurtres, il te reste une seule personne sur ta route, avant que tu ne touches l'héritage de Bénoni Laverdure.

Tran blêmit à cette remarque, dont la conclusion ne peut vraiment pas lui échapper.

— Vous voulez dire que, si votre raisonnement est juste, je vais tuer Modeste, afin de m'emparer de l'argent de Ben?

— N'est-ce pas là la conclusion logique?

— Mais c'est horrible, monsieur Beaugrand, de penser une chose pareille. Vous me croyez donc capable de telles bassesses?

— Non, en fait, je ne te crois pas capable de la chose.

— Mais vous soupçonnez Modeste.

— Non, je ne la crois pas non plus capable de tels actes.

— Alors pourquoi avons-nous cette conversation?

— Parce que Frobisher Forsythe du *Salem Register*, ou bien suivra ma suggestion et oubliera l'affaire, ou bien la poursuivra comme je m'attends à ce qu'il le fasse, car c'est un bon journaliste.

— Ciel! Qu'allons-nous faire? s'exclame Tran, au bord de la panique.

— Nous venons de le faire, mon garçon. Nous avons examiné les possibilités.

— Et quelles sont vos conclusions?

Beaugrand regarde son jeune employé et réfléchit longuement avant de répondre.

— Que je ne sais pas qui elle est, mais qu'il y a une force malfaisante qui agit dans l'ombre. Ce n'est pas grand-chose. Mais si j'étais à ta place, je ferais en sorte que Modeste soit protégée en tout temps. Et toi aussi, d'ailleurs.

— Moi aussi? Expliquez-vous.

— Eh bien, si ni toi ni Modeste n'êtes les auteurs de ces méfaits, c'est que vous êtes les prochaines victimes.

— Comment cela?

— À supposer que l'argent de Ben est l'objet convoité, qui hériterait de tes biens si Modeste disparaissait, puis toi?

Cette fois Tran Godfrey ne peut cacher son ahurissement.

— Vous ne trouvez pas que vous allez un peu loin, patron, en poursuivant dans cette direction?

— Peut-être as-tu raison, mais j'aimerais quand même que tu répondes à ma question.

— Pour dire le vrai, je ne sais pas. Je n'ai pas encore fait de testament, mais je présume que c'est mon fils Ambroise qui hériterait de tout. Vous n'allez quand même pas soupçonner un bébé de cinq mois.

— Non, bien sûr, dit Beaugrand en souriant. Je mets juste les choses comme elles sont.

— Eh bien, puisque nous mettons les choses au clair, j'en profite pour vous annoncer que Modeste est enceinte à nouveau.

— Quoi! s'exclame Beaugrand en riant joyeusement.

Tran rougit comme une pivoine.

— Eh bien! Félicitations, mon garçon, reprend aussitôt son patron pour le tirer d'embarras, t'as pas perdu ton temps. Mais ça me surprend pas, c'est dans la tradition canadienne.

Le jeune papa, encore écarlate, réussit à esquisser un sourire.

— Ça vaut bien une petite célébration.

Ce disant, l'éditeur sort de son cabinet une bouteille de cognac avec trois verres.

— J'appelle Mignault, pour lui annoncer la nouvelle.

— C'est lui qui nous l'a apprise hier, ajoute Tran dont les joues ont retrouvé leur couleur normale. Mais je suis certain qu'il sera heureux de trinquer avec nous.

— Évidemment, j'avais oublié que c'est votre médecin.

Là-dessus, Beaugrand ouvre la porte de son bureau, appelle son collègue et annonce la nouvelle aux trois membres du personnel de *L'Écho du Canada*. La réunion se termine peu après.

Le soir, une fois rentré à la maison, Tran garde pour lui ce que Beaugrand lui a raconté. Il trouve l'affaire si grotesque qu'il craint pour la santé de sa femme. Et puis, en réalité, il est incapable de croire à pareille chose.

Par la suite, Beaugrand n'aborde plus le sujet. Peut-être parce que son collègue du *Register* n'a pas donné suite à ses intentions de publier la lettre anonyme. Tran, d'ailleurs, trop préoccupé par sa nouvelle famille, n'y pense plus que très rarement et, chaque fois, il chasse de lui cette pensée.

Lorsque, le mercredi 12 janvier 1876, Modeste donne naissance à un autre garçon, baptisé Joseph-Mathieu, il n'y a vraiment que de la joie dans la famille Godfrey.

Mais ils ne se doutent pas que ce bonheur sera de courte durée.

15

Comme tous les jours, à dix heures treize minutes du matin exactement, une foule considérable et grouillante se presse sur le quai de la gare de Salem pour assister, avec un émerveillement toujours renouvelé, à l'arrivée de l'express Montréal-New York.

Le long serpent vert à tête noire et fumante, sirène hurlante, haleine blanche dans l'air froid et sec de février, grossit, ralentit et s'arrête comme à bout de souffle. La locomotive a dépassé les bâtiments de la gare de plusieurs wagons avant de s'immobiliser. Mais le mastodonte n'est pas mort pour autant. On sent qu'il n'est pas arrivé à la fin de son voyage, car il vibre de toute son immense carcasse de métal. Des bouffées de vapeur jaillissent de partout, pendant que des hommes en uniforme ouvrent les portières, déposent un marchepied, crient des ordres.

Aux premiers rangs, sur le quai, se tient Tran Godfrey, debout entre son père et sa mère. Ils regardent de tous côtés, tâchant de repérer les visiteurs qu'ils attendent. Autour d'eux et tout le long du train, des gens descendent, aidés par les conducteurs et sont aussitôt accueillis par des parents ou des amis.

— Tu es bien certain de la date, dit Émile à son fils, pour la troisième fois au moins.

— Oui, papa. Si nous sommes bien le samedi 12 février 1876, réplique le jeune homme sur un ton légèrement sarcastique, tante Hermine et oncle Octave sont à bord de ce train.

— Allons, calme toi, Émile, lui dit Jeanne en lui serrant le bras. Tranquille ne se trompe pas. Il connaît ce genre de choses.

L'aîné des Godfrey est nerveux. Il n'a pas revu son plus jeune frère depuis vingt ans. Il se rappelle trop bien les circonstances malheureuses dans lesquelles ils se sont quittés.

— En tout cas, s'ils sont à bord, ils n'ont pas l'air pressés de descendre, rétorque le père ordinairement calme et réservé.

— Émile, tu le sais, Hermine ne fait jamais les choses comme tout le monde.

— Peut-être devrions-nous marcher le long du train, afin de ne pas les manquer.

— Sois patient, nous ne les manquerons pas. Et puis, de toute façon, s'ils n'arrivent pas aujourd'hui, ce n'est pas plus grave que cela puisque le baptême n'aura lieu que dimanche prochain.

C'est avec une certaine réticence que Godfrey avait accepté l'idée qu'Octave et Hermine, depuis un an mari et femme, soient les parrain et marraine du dernier enfant de Tran et Modeste, Joseph-Mathieu, né quelques jours plus tôt.

— Vous savez bien, papa, je vous l'ai dit et répété: l'oncle Octave, depuis qu'il est avec tante Hermine, n'est plus le même homme. Il est plein de bonnes dispositions.

Le chef du clan Godfrey fait entendre quelques grognements et secoue la tête en signe d'assentiment. En même temps, il piétine bruyamment avec ses lourdes bottes sur la neige durcie qui couvre le quai.

Autour d'eux s'agitent plusieurs femmes. Leurs longs manteaux aux couleurs chatoyantes contrastent avec la sévérité de ceux des hommes qui portent chapeaux noirs et costume de lainage sombre. Mais, toujours, aucun signe d'Hermine et d'Octave.

Tout à coup, et sans avertissement, car les marchepieds n'ont pas encore été retirés, le train s'ébranle à nouveau en direction de Boston, son prochain arrêt. Les habitués de cette bousculade quotidienne, qui n'ont jamais vu pareille manœuvre, crient et protestent, tentant vainement de retenir l'immense machine.

— Tu vois, s'exclame Émile, presque triomphant, je te l'avais bien dit, ils ne sont pas venus.

Comme si cette protestation avait été entendue, le train n'avance que d'une centaine de pieds et lorsque le dernier wagon se trouve exactement en face de la gare, il s'immobilise à nouveau.

Même Tran, qui s'était préparé à une arrivée probablement remarquée de sa tante, est décontenancé. Comme c'est la première fois que cela se produit, deux arrêts du même train à la même gare, tous, voyageurs et ceux qui sont venus les chercher deviennent tout à coup silencieux. La dernière porte de la voiture de queue s'ouvre enfin. Le conducteur sort d'abord, descend les trois marches et dépose un petit banc sur le quai. À cet endroit, la plate-forme en bois est complètement dépourvue de glace. L'homme en uniforme noir à galons dorés s'immobilise ensuite, comme une sentinelle, raide comme un piquet. Il attend que descendent les voyageurs, sans doute quelques notables puisque, pour eux, on a déplacé tout un train. La foule, bon enfant, attend patiemment. Quelque chose dans l'air laisse prévoir un événement inusité.

Tran Godfrey, pour sa part, sait déjà la réponse à l'interrogation muette des spectateurs. Pourtant, les secondes passent, qui deviennent des minutes, et personne ne sort encore de la voiture. Un murmure d'impatience court dans la foule. Sa curiosité est sur le point d'être satisfaite.

Voilà que dans l'embrasure de la porte arrière du dernier wagon, apparaît d'abord Octave Godefroy qui descend rapidement sur le quai et se place en face du conducteur, toujours au garde-à-vous. Et presque aussitôt, devant la foule émerveillée, apparaît une forme enveloppée d'une immense cape de fourrure blanche, marquée, ici et là, de taches noires. Le manteau, avec son vaste capuchon, la couvre depuis la tête jusqu'au sol qu'il effleure à peine. Le visage souriant et aristocratique d'Hermine Macdonald-Godefroy rayonne, encadré par la fourrure. En même temps, elle tend une main gantée de chevreau blanc à son mari qui la guide pour descendre les trois marches menant jusqu'au quai.

La foule est médusée. L'apparition est si inattendue, mais en même temps si féerique, qu'après un moment de silence, elle éclate en applaudissements bruyants. Hermine Godefroy, comme si elle était habituée à ce genre d'accueil, salue la foule de ses admirateurs avec une grâce toute royale.

Sans négliger un seul instant ses loyaux sujets, la voyageuse aux allures de reine ne perd pas un moment avant d'embrasser sa sœur, son neveu et son beau-frère. Sous son œil vigilant, Octave fait de même, au grand soulagement de Tran qui avait manigancé depuis longtemps, avec le concours de sa mère, cette réconciliation longuement attendue, entre son père et son oncle.

— L'enfant est-il arrivé? demande Hermine une fois passées les premières effusions.

— Oui, ma tante, répond Tran avec fierté, c'est un garçon qui est né mercredi.

— Parfait mon neveu. Les choses sont donc en place pour le grand jour, s'exclame avec un plaisir évident la nouvelle venue.

En même temps, elle rejette en arrière, d'un geste nonchalant, le capuchon de son luxueux manteau d'hermine, ce qui provoque quelques cris d'admiration et d'enthousiasme. Sa tête, aux abondants cheveux noirs, de la même couleur que les taches de la fourrure, est entourée de longs boudins qui traînent jusqu'aux épaules et lui donnent l'air d'un être exceptionnel, venu d'un autre monde. Hermine Macdonald-Godefroy n'a pas raté son arrivée à Salem. De plus, comme si cette femme hors de l'ordinaire commandait toute chose, une élégante voiture, apparue d'on ne sait où et tirée par deux chevaux blancs, vient se ranger le long du quai à proximité du dernier wagon. La foule, comme si elle avait compris, s'ouvre tout naturellement, créant un passage jusqu'à la voiture.

— J'ai dû faire venir ce landau de Boston pour nos déplacements pendant notre séjour ici, dit Hermine à sa sœur et à son beau-frère, en guise d'explication. Il n'y avait rien de convenable à Salem. Montez avec nous jusqu'à notre hôtel.

— Comment Hermine, demande Jeanne amusée et étonnée à la fois, vous ne descendez pas chez nous?

— Jeanne, tu es trop généreuse. Nous serions un encombrement avec notre train de vie. Nous avons retenu une suite au Simonds Hotel.

En même temps, des porteurs s'affairent à charger, dans une autre voiture, les malles nombreuses qui accompagnent l'excentrique Hermine. Émile, qui a été jusque-là assez nerveux, se sent presque soulagé en entendant la réponse de sa belle-sœur.

— Mais vous viendrez quand même à la maison? poursuit Jeanne sur un ton enjoué.

— Naturellement, dit Octave. Si vous nous invitez, nous serons là pour le dîner.

— Bien sûr. Tout est prêt. Nous commencerons dès votre arrivée.

Là-dessus, Émile et Jeanne regagnent leur propre voiture, pendant que Tran monte avec sa tante et son oncle dans l'opulent équipage conduit par un cocher en livrée vert sombre et aux ourlets dorés.

— Ma tante, je n'ai jamais vu une aussi belle voiture de ma vie, dit Tran en s'installant sur le siège derrière le cocher et face aux nouveaux venus.

— Dans ce cas, mon neveu, dis à notre conducteur de passer par les rues les plus huppées et devant les plus riches demeures. Tu les connais sûrement.

Tran se penche vers l'homme en livrée et lui demande de se rendre jusqu'à la Pointe, en passant par la Commune, avec ordre de faire le tour complet de Washington square.

À cause du beau temps, les promeneurs sont nombreux sur la place. Plus que d'habitude encore car, comme c'est le cas dans les petites villes, les nouvelles se propagent rapidement. Beaucoup de gens sont descendus dans la rue pour voir passer cet élégant cortège. La voiture noire aux décorations dorées, un landau brougham loué à la maison Brewster & Company de Boston, possède une capote mais, à la demande d'Hermine, elle est abaissée aujourd'hui. Tran, dont le regard croise celui de personnes qu'il reconnaît, fait un discret salut de la main. Mme Godefroy a le bon goût de sourire seulement, mais ne salue pas, même ceux qui, pris dans le jeu du spectacle, lui lancent des «hellos», comme on fait à une star adorée de son public. Une fois achevé le tour de la place, la voiture passe devant Fine Foods, l'ancienne épicerie-boucherie de Ben Laverdure.

— C'était la propriété de mon beau-père. C'est un ami, Josse Thibodeau, qui l'a achetée.

Peu après, la voiture gagne les rues Newberry et Union, traverse la rivière South et débouche dans la rue Harbord qu'elle suit jusqu'au numéro 40, la demeure des Godfrey. Tran descend avant de laisser l'oncle et la tante regagner leur hôtel où ils vont s'installer avant de revenir pour le repas du midi.

Comme le baptême n'est prévu que pour le dimanche suivant, 20 février, Hermine fait des plans pour un voyage à Boston le vendredi. La veille, Modeste s'est montrée si vaillante que la tante a insisté pour qu'elle soit du voyage.

— Il y a neuf jours à peine que Mathieu est né. Il est beaucoup trop tôt pour que tu entreprennes un pareil déplacement, dit Tran, prudent depuis la disparition précoce de sa belle-sœur.

— Non, proteste la jeune maman, je me sens assez bien pour faire le trajet Salem-Boston aller retour.

— Oh! ma chérie, rappelle-toi ce qu'a recommandé le docteur.

— Le Dr Mignault a simplement dit qu'il ne faut pas que je travaille trop tôt après mes couches.

— Il a aussi rappelé que ton père et ta sœur ont succombé à une insuffisance cardiaque, qui est une faiblesse qui court dans ta famille.

— Tu as sans doute raison, Tranquille, il est peut-être plus prudent pour moi de rester à la maison. J'aimerais tant y aller, cependant.

— Naturellement que tu peux venir, s'exclame Hermine qui vient d'entrer dans la pièce avec son mari, au moment où Modeste fait part de son désir.

Tran regarde sa tante d'un œil chargé de reproches que celle-ci ne semble même pas remarquer.

— Oh! vous croyez... commence Modeste en se tournant vers cette alliée inattendue.

— Évidemment que je le pense. Tu es jeune, en pleine santé. Voilà maintenant trois jours que tu te promènes partout. Hier, tu as même fait une sortie avec nous en voiture. Cela t'a-t-il fatiguée?

— Non, pas du tout. Au contraire.

— Peut-être, ma chérie, mais ce n'était pas un très long trajet. Un voyage à Boston, c'est une affaire de près d'une heure au moins.

— Je n'ai pas l'intention d'y aller en landau, mais en train, mon garçon, renchérit Hermine, qui semble déterminée à gagner Tran à son point de vue. Il n'y en a même pas pour vingt minutes.

— Tu vois Tranquille, poursuit Modeste, tes objections ne tiennent pas.

— Ta femme a raison, mon neveu dit Hermine. Nous nous occuperons d'elle. Je trouve qu'il est bon de sortir, de se promener, de marcher. Il est malsain pour elle de rester trop longtemps dans son lit. Je suis en faveur de l'exercice quotidien pour une jeune mère qui relève de couches.

— Quand même, s'entête Tran, je trouve que c'est trop tôt après la naissance.

Modeste tourne vers son mari un regard implorant auquel il trouve difficile de résister.

— Bien entendu, si tu penses avoir la force...

— Oui, oui, je me sens assez bien pour faire le voyage.

— De plus, renchérit Hermine, cela va lui changer les idées, ce qui est une excellente chose après une grossesse, même si elle a été facile.

— Ma tante, vous insistez beaucoup...

— Tranquille, je te le répète, emmène ta femme, ce ne peut être que pour son bien.

— Vous croyez?

— J'en suis certaine. Tu me remercieras d'avoir insisté, tu verras.

— Soit, puisque vous le dites, j'y consens. J'espère seulement que tu sauras te reposer pendant le voyage, ma chérie. Si jamais tu te sens fatiguée, dis-le moi et nous nous arrêterons aussitôt.

— Je te le promets, Tran. Oh! que je suis contente, s'exclame la jeune femme à l'idée du voyage.

Le lendemain, Octave, Hermine, Émile, Jeanne, leur aînée Léonie, Tran et Modeste prennent le train de neuf heures. Dès dix heures, ils s'installent au Crawford House, au coin des rues Court et Brattle[1] où Hermine a loué trois chambres. Ils ont l'intention de ne rentrer à Salem que le lendemain après-midi.

Après le dîner, selon le programme d'Hermine, les quatre femmes se font conduire en voiture d'un magasin à l'autre, pendant que les hommes s'installent dans un coin discret d'un salon pour bavarder. C'est Octave qui paraît prendre les initiatives, sans paraître mal à l'aise ou gêné par l'intimité de la petite assemblée. Il y a plus de vingt ans que les deux frères ne se sont pas retrouvés aussi près l'un de l'autre. Lorsqu'ils sont assis devant une bière, Tran se demande ce qui va se passer. Il n'a pas le temps d'y penser qu'Octave déclare, engageant:

— Émile, je suis content de te revoir.

Godfrey, qui n'est pas d'un naturel expansif, ne répond pas à la remarque de son frère. Il le regarde simplement, attendant la suite d'une ouverture aussi prometteuse.

— Ce n'est pas par hasard que nous nous trouvons assis autour de cette table, continue Octave d'une voix assurée, en dépit d'un léger tremblement qui révèle une certaine anxiété.

— Ah?

— Non, en effet, c'est sur l'invitation de Tranquille et l'insistance d'Hermine que nous sommes ici tous les trois. Lorsqu'elle m'a fait part du désir de mon neveu de nous voir devenir les parrain et marraine de son

1. La rue Brattle et Crawford House sont disparues aujourd'hui.

dernier enfant, j'ai d'abord hésité, à cause du passé que tu connais. Puis, après mûre réflexion, j'ai pensé qu'il avait eu une excellente idée.

Octave s'arrête ici, peut-être pour voir l'effet produit par ses paroles, mais surtout pour se donner le temps de rassembler soigneusement ses idées avant de les exprimer. Tran et son père continuent de le regarder en silence.

— La première chose que je désire faire, c'est de te tendre la main, Émile, et de te demander d'oublier le passé. Je voudrais que notre relation recommence à neuf, sans acrimonie ni regrets.

En même temps qu'il dit ces paroles, il avance la main droite en direction de son frère aîné, assis en face de lui, de l'autre côté de la table. Pendant une ou deux secondes, qui paraissent une éternité à Tran, Émile, comme s'il n'avait pas entendu la proposition de son frère, ne bouge pas d'un poil et continue de regarder son cadet droit dans les yeux. Puis, comme s'il avait soudainement pris une décision, il s'empare rapidement de la main d'Octave et, sans un mot, la secoue à deux ou trois reprises avant de la relâcher.

Tran, soulagé, n'est pas sans remarquer que la réponse de son père, non seulement s'est fait attendre, mais est empreinte de raideur. Le fils, qui connaît bien son géniteur, sait que, dans les moments d'intense émotion, ses gestes sont souvent gauches et empruntés.

— Dis quelque chose, demande Octave, lorsque le silence se prolonge après la poignée de main.

Tran regarde son père qui, l'œil toujours fixé sur son frère, ne paraît pas pressé d'aller au-delà de ce premier geste.

— Bon, dit enfin Émile, il est vrai que ta proposition me plaît. Tu me connais assez pour savoir que j'aime la paix par-dessus tout et que notre vieux malentendu m'a toujours paru comme un fardeau inutile.

— Ah! Je suis heureux de te l'entendre dire, ajoute Octave.

Sa voix porte les traces d'un léger énervement, comme si la balance pouvait aussi bien pencher vers la réconciliation que vers la reprise des hostilités. Tran se rend bien compte que cet exercice, qui est l'idée d'Hermine, n'est peut-être pas encore tout à fait celle d'Octave.

— Pardonner, je le puis, mais oublier, c'est bien difficile, dit enfin l'aîné des Godefroy.

Le regard du fils, qui est assis entre les deux frères, va de l'un à l'autre, se demandant si son père avait vraiment besoin d'ajouter cette remarque.

— Cela me va parfaitement, reprend Octave, au grand soulagement du neveu. Tu as raison, il ne s'agit pas d'oublier. Ce que je veux, c'est que nous nous pardonnions l'un l'autre, sans chercher à savoir qui a tort ou raison.

— Je suis tout à fait d'accord. C'est bien ce que voulait dire ma poignée de main en réponse à la tienne. Et puis, il y a un autre motif pour lequel je ne voulais pas oublier.

— Ah? Lequel?

— Tu le sais très bien Octave. Je veux parler de ce que tu as emporté avec toi, au moment où tu as quitté Salem, il y a vingt ans.

— Justement, c'est là l'autre sujet que je voulais aborder, répond ce dernier.

En même temps, il sort de la poche intérieure de sa redingote un long portefeuille en cuir noir qu'il place devant son neveu, plutôt que devant son frère.

— Tranquille, c'est à toi que je remets ce que ton père t'aurait confié éventuellement, puisque tu es le descendant mâle aîné de la famille. C'est toujours à celui-là que revient la garde de ces papiers.

Le jeune homme regarde son oncle, puis son père à tour de rôle. Octave fait un geste de la main en direction d'Émile, comme pour l'encourager à continuer à sa place.

— Mon garçon, commence alors l'aîné des Godefroy, dans cette enveloppe, il y a ce que l'on appelle des papiers de famille. Je ne suis pas assez instruit des faits de l'histoire de France pour en évaluer l'importance. Tout ce que je puis te dire, c'est qu'ils contiennent des renseignements sur l'origine de notre famille et sur notre ancêtre. C'était un Français du nom de Clovis de Pons, arrivé en Acadie en 1606. Sa famille y a vécu jusqu'à la troisième génération. Puis, en 1654, à cause d'une guerre sanglante au cours de laquelle les deux premiers Acadiens, le père et le fils ont été tués, la veuve a dû s'expatrier au Canada et s'installer à Québec avec son fils qui s'appelait alors Clovis-Onéméchin[2]. La mère, qui portait le nom étrange de Claude-Saint-Esprit, s'est remariée, quelque cinq ans après son arrivée à Québec, avec un gentilhomme du nom de Godefroy de Normanville qui a tenu à donner un autre prénom à son fils adoptif. Il y a de cela neuf générations. Sans doute qu'avec le temps les descendants ont trouvé plus commode de ne garder que la première partie du nom. C'est pour cela que nous nous appelons Godefroy.

— Pas tout à fait, papa, ne peut s'empêcher de remarquer Tran, lorsqu'il entend son père faire cette affirmation.

— Oui, c'est vrai, et je sais que la chose te rend bien malheureux. Tu sauras que je n'ai aucune objection à reprendre le nom original de la famille, mais il me semble que c'est un geste bien inutile ici, à Salem, où tout le monde a vu son nom estropié d'une façon ou d'une autre.

— Je sais papa, et je n'aurais pas dû faire cette remarque, elle m'a échappé.

---

2. Voir *Clovis, Chroniques d'Acadie*, Tome 1.

— Non, tu as bien fait. Il fallait que nous en parlions un jour ou l'autre.

— Eh bien! Voilà, c'est fait, ajoute Octave.

En disant ces mots, il ouvre le portefeuille en cuir noir qui paraît usé dans les coins et qui se plie en son milieu. Il en extrait une série de documents vieillis et fragiles, à l'encre passée qu'il dépose devant son neveu. Celui-ci les tire vers lui et avec une infinie délicatesse, car il a compris l'âge et l'importance de ces documents; il les étale devant lui et les regarde longuement en silence.

— Tu sauras bien ce qu'il faut en faire le moment venu, dit Octave pour briser le silence. Personne d'entre nous ne sait exactement comment ces documents ont pris naissance et dans quelles circonstances ils sont arrivés jusqu'à nous. Sauf peut-être le fait qu'ils se sont toujours transmis de père en fils par la branche aînée de la famille, dont tu es le dernier rejeton.

— Mais, vous oubliez mon fils Ambroise, remarque Tran fort à propos.

— Non, Tranquille, je ne l'ai pas oublié. C'est pour lui que tu deviens le dépositaire de ces documents.

Puis, avec le même soin qu'il avait pris pour les étaler, le jeune homme remet les documents dans leurs plis originaux et les glisse à nouveau dans leur enveloppe de cuir qu'il place ensuite dans la poche intérieure de sa propre redingote.

— Voilà une tâche accomplie, Octave, dit sobrement l'aîné des Godefroy.

— Ce sera au grand contentement d'Hermine, répond celui-ci.

En même temps qu'il prononce ces paroles, un garçon s'approche du trio avec un air empressé.

— Lequel d'entre vous est monsieur Godfrey? demande-t-il aussitôt.

— C'est notre nom à tous les trois, répond Octave, surpris par la question. Lequel d'entre nous cherchez-vous?

— Monsieur Tran Godfrey.

— C'est moi. Qu'y a-t-il? demande le jeune homme, soudainement alarmé.

— C'est Mme Godfrey. Elle est montée dans sa chambre avec ses compagnes qui m'ont demandé de vous prévenir qu'elles sont rentrées.

— Mais... Mais... que se passe-t-il? Comment était-elle?

— Ah, ça, monsieur, il faudra lui demander vous-même. Elle m'a semblé fatiguée.

Sans attendre, Tran se précipite rapidement vers l'escalier qui mène à l'étage où sont situées les trois chambres contiguës. Ses compagnons, un peu moins vivement, lui emboîtent le pas.

Lorsqu'ils arrivent à la chambre des nouveaux parents, Tran a déjà ouvert la porte et s'est précipité à l'intérieur. Sur le lit, Modeste est étendue, les yeux fermés, apparemment inconsciente. Il note, en passant, la pâleur de son teint, couleur de cire. Hermine et Jeanne s'affairent autour d'elles, avec des serviettes d'eau froide, et lui épongent le front.

— Que se passe-t-il? demande Tran dès qu'il est près du lit.

— Ce n'est rien, répond Jeanne, une simple faiblesse. Elle a eu un évanouissement dans un magasin et à nouveau, depuis qu'on l'a étendue sur le lit. La direction de l'hôtel a envoyé quelqu'un chercher un médecin. Ce ne sera probablement pas nécessaire, mais c'est plus rassurant comme ça.

— Je le savais, s'exclame Tran, soudainement en colère. Je ne voulais pas qu'elle fasse ce voyage. C'est vous ma tante, qui avez insisté. S'il lui arrive quelque chose, je vous en voudrai toujours.

— Allons, Tranquille, lui dit sa mère, calme-toi. Ton énervement va la fatiguer. Elle se repose.

Au moment où elle prononce ces paroles, la jeune femme ouvre les yeux et bat faiblement des paupières.

— Ma chérie, dit-il en lui prenant la main et en l'embrassant sur le front, nous sommes là, tout va bien aller maintenant.

Modeste regarde son mari et esquisse un faible sourire. Ses lèvres sont desséchées.

— Ne t'alarme pas mon chéri, prononce Modeste d'une voix faible. C'est un malaise passager.

Jeanne, qui a l'habitude, soulève sa bru par les épaules et lui fait avaler un peu d'eau, ce qui semble lui faire du bien. Immédiatement après, sa respiration redevient normale.

— Comment est-ce arrivé, exactement? demande Tran en se tournant vers sa mère.

— En allant d'un magasin à l'autre, raconte Hermine qui prend la parole avant sa sœur, nous demandions fréquemment à Modeste si tout allait bien. Elle voulait, chaque fois, continuer la promenade. Et puis, tout à coup, sans avertissement aucun, elle s'est évanouie en plein centre d'un grand magasin. Avec l'aide de quelques employés nous lui avons porté secours et dès qu'elle a eu retrouvé ses esprits, nous sommes rentrés tout de suite à l'hôtel.

À ce moment, on frappe à la porte. Jeanne va ouvrir, accueille le médecin qu'elle conduit aussitôt auprès du lit de la jeune maman. C'est un homme dans la cinquantaine, les cheveux gris, l'air sympathique et rassurant. Après les salutations d'usage, il sort quelques instruments de sa trousse, pendant que les hommes se retirent dans une autre chambre, par pudeur.

— Éprouvez-vous des douleurs quelque part? demande le docteur à sa patiente, une fois mis au courant des circonstances.

— J'ai mal au ventre, dit celle-ci, la voix éteinte.

Il palpe l'abdomen délicatement, s'informant s'il y a douleur ou non quand il presse à tel ou tel endroit. Cela continue pendant quelques minutes, au cours desquelles il pose encore une ou deux questions. Puis, comme son examen paraît terminé, il range ses instruments et Jeanne fait revenir les hommes dans la chambre de la malade.

— Alors, docteur? demande Tran, anxieux.

— Vous êtes le mari? demande-t-il tout en poursuivant sans attendre la réponse. Votre femme est prise d'une fièvre gastrique. Servez-lui une tisane à la camomille et qu'elle mange des féculents au cours des prochains jours. Cela devrait passer rapidement.

— Est-elle en état de voyager, docteur? demande Tran qui songe au baptême, prévu pour le lendemain.

— Ma foi, oui, mais c'est à elle de décider.

— Oh! je serai assez forte pour prendre le train, intervient Modeste la voix déjà un peu plus assurée.

— Nous n'allons qu'à Salem, reprend Octave. Ce n'est qu'à vingt minutes par chemin de fer.

— Oh, dans ce cas, vous n'aurez aucune difficulté.

Après le départ du médecin, il est entendu que Modeste va se reposer le reste de la journée. Le souper est servi dans la chambre et tout le monde se couche tôt, profitant ainsi d'une longue et reposante nuit de sommeil.

Le lendemain matin, nos six voyageurs prennent le train de onze heures et sont chez les Godfrey dès midi. Modeste, que le trajet, même s'il a été bref, a quelque peu fatiguée, se met au lit aussitôt, afin de retrouver ses forces pour le baptême, auquel elle désire assister.

Le soleil se lève enfin, le dimanche matin du 20 février 1876, une journée qui restera à jamais imprimée dans la mémoire de Joseph-Tranquille Godefroy.

L'agitation, rue Harbord, est très grande. On se préoccupe beaucoup de la santé de Modeste qui ne paraît pas vouloir s'améliorer aussi rapidement que le Dr Mignault, venu de Fall River pour le baptême, l'a laissé entendre. Comme son confrère de Boston, il a conclu à une fièvre gastrique.

— Je ne comprends pas, confie le médecin à Tran, après son examen, comment il se fait qu'elle se plaigne toujours de ces douleurs au ventre. Une fièvre gastrique, ça vient et ça passe rapidement, à moins qu'il y ait une nouvelle infection.

— Que faut-il en conclure, docteur? demande la mari de plus en plus alarmé.

— Eh bien, encore rien de définitif. Si cela devait continuer demain avec la même acuité, il nous faudra prendre d'autres mesures. J'appellerai alors des collègues à mon aide.

— Pourquoi pas maintenant?

— Non, ce n'est pas encore urgent. Cependant, je recommande le repos complet. Modeste, hélas, ne pourra pas assister au baptême cet après-midi comme vous le prévoyez.

— Je comprends, docteur. Elle en sera attristée, mais il faut songer à sa santé d'abord. Nous suivrons vos conseils.

— Tant mieux. De toute façon, je serai ici jusqu'à demain.

— Vous serez de la réception qui suivra le baptême?

— Bien entendu, avec ma femme et les Beaugrand. Ainsi je l'aurai à l'œil. Allez, ne vous inquiétez pas, mon ami, tout va bien se passer. C'est une jeune femme en bonne santé.

— Oui, mais vous savez que son père et sa sœur, déjà, sont morts...

— Oui, oui, je sais, mais cela ne veut pas dire qu'elle souffre du même mal.

— Ça court, dans la famille Laverdure.

— Oh, vous savez, Tranquille, il ne faut pas toujours ajouter foi à ces dictons populaires. La science a fait des progrès. Il est vrai que les enfants peuvent hériter les faiblesses physiques de leurs parents, mais ce n'est pas toujours le cas. Je serais étonné que ça le soit dans celui de Modeste.

— Vous me rassurez, docteur.

— Faites en sorte qu'une personne fiable reste avec elle pendant que vous serez tous à l'église.

— Oh oui, docteur, ma sœur Léonie s'est offerte pour jouer les infirmières.

— Dans ce cas, tout est bien.

Sur ces paroles encourageantes, le Dr Mignault prend congé, pendant que le reste de la matinée se passe en préparatifs pour la réception qui suivra le baptême et à laquelle, bien sûr, sont invités les Poirier, les Thibodeau, mais aussi plusieurs résidents du petit Canada.

Il est près de quatre heures de l'après-midi, lorsque les Godfrey et leurs invités reviennent rue Harbord, après la cérémonie du baptême. Dès qu'il met les pieds dans la maison, Tran se précipite à l'étage, suivi de près par le Dr Mignault qui comprend l'angoisse du jeune mari. En entrant dans la chambre, il retrouve sa sœur assise dans une berceuse, à côté du lit de Modeste, qui repose et paraît dormir paisiblement. Léonie met l'index sur ses lèvres pour commander le silence. Le docteur s'approche du lit, regarde la jeune maman qui ouvre les yeux et sourit faiblement aux nouveaux venus.

— Tout s'est bien passé? s'informe-t-elle, un pâle sourire sur ses lèvres desséchées.

— Oui, ma chérie. Mathieu fait maintenant partie de l'Église catholique.

La jeune femme hoche la tête légèrement, comme pour marquer sa satisfaction.

— Retournez vous amuser en bas avec les autres, pendant que je continue de me reposer.

— Je vais rester avec elle, dit Léonie. Ce sera mieux.

— Non, non, lui dit Modeste. Va danser avec les autres. Tu aimes tellement cela. Je serai très bien seule.

— Est-ce prudent docteur?

— Je n'y vois pas d'inconvénient. Il faudra seulement, de temps à autre, venir voir comment elle se porte. Mais je suis persuadé que tout cela va passer. C'est une question de temps et de patience.

À la suite de ces paroles rassurantes, Jeanne, sa fille et le médecin quittent la pièce et descendent au rez-de-chaussée où près d'une centaine de personnes sont réunies pour les célébrations. Après leur départ, Tran s'assoit sur le bord du lit et prend les mains de sa femme dans les siennes.

— Comment te sens-tu, ma chérie?

Modeste ne répond pas tout de suite et son sourire a quitté son visage. Tout comme la veille à Boston, Tran a remarqué, dès l'entrée, combien le teint de sa femme est de plus en plus cireux, presque jaune. Même si le Dr Mignault n'y attache pas d'importance, il ne peut s'empêcher d'éprouver une vague crainte, et même de la peur. Il chasse bien vite ces idées noires.

— Le Dr Mignault va-t-il assister à la réception?

— Oui, bien sûr, tu le sais, répond Tran, surpris par la question de sa femme. Voudrais-tu que je le rappelle?

— Non, non.

— Alors, pourquoi m'as-tu posé cette question?

Modeste reste silencieuse.

— Je n'aime pas cet homme, dit-elle, lorsque Tran la presse de répondre.

— Mais c'est bien la première fois que tu me parles ainsi d'un de mes patrons. C'est ton médecin et le mien depuis plus de deux ans. Pourquoi dis-tu cela? Le sais-tu?

— Non, je ne sais pas trop. Je trouve qu'il me regarde avec un drôle d'air. Quelquefois, cela m'indispose.

— Depuis quand entretiens-tu de pareils sentiments à l'égard du Dr Mignault?

— Depuis ma deuxième grossesse, en fait.

— Tu ne m'en avais jamais parlé.

— Je ne voulais pas te troubler avec mes problèmes de femme.

Tran est étonné par les propos de son épouse. Cependant, il ne peut s'empêcher de se remémorer la conversation qu'il avait eue, quelques mois plus tôt, au sujet de la fameuse liste de ses suspects.

— T'a-t-il déjà posé des questions?

— Des questions? Que veux-tu dire?

— Oh, je ne sais pas, des choses concernant le passé, ta bessonne, ton père, ta tante?

— Non! Jamais!

Le ton de la jeune femme est presque tranchant, ce qui révèle chez elle plus d'énergie qu'il n'y paraît.

— Allons, va rejoindre les autres, et amuse-toi pour nous deux, ajoute-t-elle en relâchant les mains de son mari.

Celui-ci, légèrement pris de court, sourit à Modeste, l'embrasse sur le front et quitte la pièce pour aller retrouver les invités au rez-de-chaussée. Certains sont dans la cuisine, d'autres dans le grand salon. C'est une pièce qui ne sert presque jamais, sauf à l'occasion d'événements exceptionnels comme celui-ci, pendant le temps des fêtes et la visite annuelle du curé.

Siméon Thibodeau, sa femme et leurs huit enfants, forment un ensemble musical qui se produit souvent, lors d'événements semblables dans le petit Canada. Le père et son aîné sont des violoneux de grand talent, un autre fils joue du piano, une fille de l'accordéon, une autre des cuillers et deux autres garçons, dont Jossiô, sont des gigueux de grand talent.

Les Poirier ne sont pas moins musicaux que les premiers, mais ce sont surtout des chanteurs. La plus vieille des filles chante comme un rossignol, avec une voix aiguë de soprano, comme on les aimait à cette époque. Son frère, une riche voix de ténor, pas tout à fait formée encore, chante avec elle dans des duos, tandis qu'un autre les accompagne au piano.

Hermine et Octave sont les premiers sur la piste de danse qui a été dégagée dans la salle à manger attenante au salon. Leur exemple est vite suivi et des danses carrées s'organisent. En même temps, les Thibodeau commencent leur musique endiablée, tandis que les pas des danseurs sont «callés» par Siméon. Leur entrain est si contagieux que bientôt presque tout le monde saute, se croise, tournoie, tout en criant et en riant.

Toutes les demi-heures ou à peu près, Tran s'esquive discrètement pour monter à l'étage voir comment se porte Modeste. Chaque fois qu'il entrouvre la porte, il constate qu'elle dort paisiblement, en dépit du tapage qui monte d'en bas. Son sommeil est profond, probablement réparateur se rassure le mari. Il vaut sans doute mieux qu'elle continue à se reposer sans qu'on la dérange. Réflexion faite, il décide d'espacer ses visites.

— Ousque tu vas comme ça, de temps en temps? lui demande Jos Poirier, lorsqu'une fois, redescendant à la fête, ils se retrouvent tous les deux seuls dans le petit cabinet d'Émile Godfrey.

Tran hausse les épaules et ferme la porte à moitié pour fuir le tapage et parler plus à l'aise.

— Es-tu rendu comme ton beau-père qui disparaissait pendant les réceptions, quand le gin coulait pas assez à son goût? poursuit Poirier avec un sourire.

— Non, je monte déguster des gorgées d'amour, répond Tran sur le même ton badin. En fait, je vais seulement voir si Modeste dort toujours. Le bruit ne paraît même pas la réveiller. Elle avait probablement besoin de beaucoup de sommeil.

Les deux jeunes amis hochent la tête, comme s'ils se mettaient d'accord sur un même sujet. Ni l'un ni l'autre ne font le moindre mouvement pour retourner à la fête.

— J'ai une question, dit Jos à son ami au bout d'un moment de silence, que je brûle de te poser depuis longtemps.

— Ah? Laquelle?

La conversation des deux hommes a lieu à voix basse; c'est presque un chuchotement.

— Ben, c'est un peu difficile à expliquer...

Tran regarde son ami qui se tortille légèrement comme s'il était mal à l'aise.

— Qu'est-ce qui est difficile à expliquer?

— C'est des sujets... enfin tu comprends, c'est à propos de...

— Ah! Cela a rapport au sexe, je parie.

— Oui, bon, c'est ça. C'que je voulais te demander c'est si tu avais un moyen de savoir distinguer entre Modeste et Mélodie.

— Un moyen?

— Oui, je veux dire, une façon certaine de savoir laquelle était laquelle.

Tran regarde son ami, mais ne répond pas immédiatement.

— Est-ce que toi, tu en avais, une façon, du temps de Mélodie? finit-il par demander.

— Oui, a m'avait confié un secret que j'étais le seul à connaître en dehors d'elle et de sa jumelle. Maintenant qu'elle est plus là...

Le visage de Tran pâlit. Jos n'est pas sans remarquer le changement qui s'opère chez son ami.

— Quoi? Qu'est-ce que j'ai dit? T'es blême comme un pet de carême.

— C'est pas ce que t'as dit qui me fait peur, dit enfin Tran lorsqu'il a retrouvé ses esprits, c'est plutôt ce qu'elle t'a dit que je crains d'entendre.

— Eh bien, elle m'a dit que si jamais je voulais savoir avec laquelle des bessonnes je faisais l'amour, je n'avais qu'à mettre la main... enfin, tu sais où, dit sur un ton hésitant le jeune Poirier.

— Oui! Et puis?

— Pis, y'avait là une petite excroissance comme a l'appelait ça, un peu comme une verrue, que sa bessonne avait pas.

Cette fois, Tran porte la main à sa poitrine, pendant que le sang se retire de son visage. Il est sur le point de s'évanouir lorsque Jos le rattrape à temps et le soutient fermement de ses deux bras.

— Qu'est-ce qui t'arrive? demande le jeune homme en traînant son ami vers un fauteuil où il le dépose, complètement effondré. J'ai dit quelque chose qui t'a troublé?

Le jeune Godfrey, le souffle court, secoue les mains en même temps que la tête dans toutes les directions, comme s'il tentait de se défaire d'une bande d'agresseurs. Son ami continue de le regarder avec inquiétude.

Tout à coup, et comme s'il était mû par un ressort, Tran se lève de son fauteuil. Le regard fixé sur le visage de son ami, il s'immobilise brièvement, tout en serrant ses bras avec force.

— Ben quoi? Qu'est-ce que t'as?

— Jos, dit Tran après un moment de silence, Modeste aussi avait la petite excroissance, la verrue, comme tu l'appelles.

— Bon, et puis? dit ce dernier qui n'a pas compris l'implication d'une pareille révélation.

— Ben, tu vois pas?

— Voir quoi?

— Que si Modeste avait la même marque que Mélodie, il devenait donc impossible de les distinguer.

Soudainement, Jos Poirier s'immobilise, comme frappé par la foudre. Il ne sait pas exactement encore ce que tout cela veut dire, mais ce qu'il comprend tout de suite, c'est qu'en réalité, cette jeune femme, étendue sur le lit, dans la chambre au-dessus d'eux, pourrait aussi bien être Mélodie que Modeste. Cette constatation l'effraie, en même temps qu'elle l'exalte. Il a la sensation d'être au centre d'un ouragan et que sa propre personne, dont il est le seul à connaître l'essence, sera peut-être détruite à jamais. En même temps, les conséquences de cette révélation lui paraissent si dévastatrices, qu'il est près de sombrer dans le désespoir.

— Pourquoi tu m'as pas dit ça avant aujourd'hui? lui demande Tran sur un ton de reproche.

L'autre, le regard perdu, semble n'avoir rien entendu des derniers propos de son ami.

— Viens, allons la voir, dit le mari en ouvrant toute grande la porte du cabinet.

Ignorant les fêtards qui sont trop occupés pour les remarquer, les deux jeunes hommes traversent rapidement le salon et la salle à manger et s'engagent à toute vitesse dans l'escalier qui conduit à la chambre de la jeune maman.

Devant la porte fermée, ils s'immobilisent un instant, comme s'ils avaient peur de ce qu'ils allaient découvrir. C'est Jos qui tourne la poignée avec quelque hésitation et ouvre lentement la porte. Comme il est un peu tard, le jour est tombé et la pièce est sombre. Tran se rappelle soudainement que, lors de sa dernière visite, il faisait encore jour. Il a dû rester un bon moment sans venir au chevet de sa femme, comme il en avait l'intention.

Jos s'empare d'une lampe qui brûle sur une crédence, dans le corridor et, suivi de son ami, fait un pas dans la chambre qui s'éclaire tout à coup d'ombres effrayantes qui les glacent.

Le lit où repose Modeste est projeté en ombre chinoise sur le mur opposé et rappelle un catafalque gigantesque où se dessine le profil immobile d'un gisant.

La lumière, qui vient d'envahir la pièce, ne semble pas l'avoir dérangée.

C'est Tran qui retrouve ses esprits le premier. Il prend la lampe des mains de son ami et s'approche lentement de la couche où, ce matin encore, il reposait, si heureux, aux côtés de celle qu'il croyait être son épouse. En déposant la lampe sur la table de chevet, il a un ricanement amer en se rappelant ce moment, car il sent qu'une terrible vérité est sur le point de lui être révélée.

Lorsque la lumière baigne enfin la forme allongée sur le lit, les deux amis ont le souffle coupé. Le visage de Modeste est défait, contorsionné, comme celui de quelqu'un qui a beaucoup souffert. Il est d'une couleur jaunâtre et son ventre, sous les draps, paraît gonflé, comme celui d'une femme dans son dernier mois de grossesse.

Avec une certaine hésitation, Tran étend le bras en direction de sa femme et, délicatement, pose les doigts sur son front qui ressemble à la cire des cierges à l'église.

Aussitôt, comme si ce contact l'avait brûlé, il retire sa main avec un cri.

— Crisse!

Sacrer n'est pas dans les habitudes de Tran Godfrey. Aussi, Jos Poirier le regarde, étonné, sans rien comprendre. Il y a, à ce moment, dans la pièce, une atmosphère incroyablement étouffante, à la densité si palpable que les deux amis portent la main à la gorge, le souffle coupé.

— Elle est froide. Touche, commande Tran à son ami.

Timidement, comme s'il craignait d'apprendre la vérité, l'ancien amant de Mélodie Laverdure avance la main en direction du visage de la jeune femme. Il touche sa joue droite pour constater, à l'instar de Tran, que le corps est froid et sans vie. Contrairement à celui-ci, cependant, il ne retire pas sa main, comme sous l'effet d'un choc. Plutôt, il la pose sur son front, presse ses doigts sur ses lèvres et finalement prend dans les siennes la main de la morte qui repose par-dessus les draps. En même temps, il regarde son ami.

Le visage de Tran, habituellement pâle, est décomposé par une intense émotion. Des larmes coulent lentement sur ses joues et tombent sur la main de la morte que Jos tient dans les siennes. Pendant quelques minutes, en silence et sans un seul mouvement de leur corps, les deux amis contemplent la forme étendue sur le lit. Ils savent qu'ils vont, dans un moment, toucher à la vérité. Ce n'est que la pensée de cette révélation qui les immobilise momentanément, comme s'il y avait encore un espoir que les choses restent telles qu'elles sont.

Finalement, en canalisant toutes ses énergies, Tran secoue cette torpeur et se penche vers le lit. Avec des gestes lents, semblables à ceux d'un prêtre suivant un rituel, il dégage les bras de Modeste et retire le drap qui la recouvre jusqu'au cou.

— Regarde!

Jos Poirier étend la main et prend une feuille de papier qui repose à côté du corps vêtu de sa robe de nuit. Ce faisant, il dévoile un livre en marocain rouge, sur lequel sont gravés, en lettres d'or, les mots «MON JOURNAL».

— La lettre est pour moi, dit Poirier lorsque Tran tend la main dans sa direction, croyant la missive pour lui.

Mais cela n'a guère d'importance, car Jos commence à lire à voix haute ce message d'outre-tombe.

Mon cher Jos, ne me jugez pas.
Mélodie

— Ce billet s'adresse peut-être à moi, mais il est pour nous deux, dit-il en tendant la feuille à son ami.

En tremblant, Tran étend l'autre main et s'empare du journal de celle qu'il avait cru être sa femme. Il l'ouvre au début et après en avoir lu les premiers mots, s'interrompt et regarde son ami. Il se sent étrangement calme, presque à bout de souffle, comme le coureur qui a atteint, après un grand effort, le but tant désiré.

Au milieu de ces étranges circonstances, les deux amis sont maintenant plus calmes, presque soulagés. Ils éprouvent des sentiments confus mais, en dépit d'une tristesse incontrôlable, une sorte de vent frais souffle sur leur esprit, commençant à dégager des années d'ambiguïté et de confusion.

Pendant que les échos de la fête leur parviennent en sourdine, les deux amis s'assoient au pied du lit de la morte. Quelques instants plus tard, Joseph-Tranquille Godefroy, le père de Mathieu et descendant direct de Clovis de Pons[3], pour le bénéfice de son ami Joseph-Oscar Poirier, le père d'Ambroise et descendant direct de Oscar Doucet[4], commence la lecture du journal de Mélodie Laverdure.

---

3. Voir *Clovis, Chroniques d'Acadie* Tome 1.
4. Voir *Oscar, Chroniques d'Acadie,* Tome 2.

16

Lundi, le 27 avril 1874

Si j'avais eu besoin d'une raison de plus d'obéir à MES VOIX, elle m'a été donnée par le sourire radieux de Modeste qui imprégnait tout son visage, que dis-je, toute sa personne.

Récemment, elle et Tran sont rentrés de voyage de noces à Saint-Hyacinthe, au Canada, la ville d'où sont venus les parents de son mari. Je ne vais pas revivre dans ces pages les journées horribles au travers desquelles je suis passée, depuis leur départ de Salem, il y a plus de dix jours.

Pour comprendre ma douleur et mon angoisse, cher cahier, il te faut savoir que j'avais perdu, en un jour, et ma jumelle et l'homme que j'aime.

Modeste, qui était jusque-là mon autre moi, a rejeté ce que nous avions été. J'ai été trahie, j'ai été vendue. Mes voix m'avaient depuis longtemps prévenue. J'étais prête.

C'est pendant ces journées atroces, au cours desquelles j'ai connu l'humiliation, le désespoir profond, la trahison et le mensonge, que j'ai entendu clairement MES VOIX me rassurer et m'annoncer que j'allais renverser la situation en ma faveur.

C'est ainsi qu'est né MON PLAN. Et toi, cher cahier, tu arrives tellement à point nommé, que je vois en cela un signe que je suis sur la bonne voie.

Modeste m'a remis ce cahier dans lequel j'écris maintenant. Je n'ai jamais, de ma vie, possédé un livre aussi beau que celui-ci. Une cousine éloignée, Henriette Dessaulles[1], que Modeste a rencontrée pour la première fois pendant son voyage de noces, m'en a fait cadeau. Modeste lui avait raconté, au cours d'une conversation que, toutes les deux, nous aimions écrire. Henriette lui a alors dit qu'elle venait tout juste de commencer à tenir un journal intime[2], une sorte de cahier-confident à qui on peut tout dire, surtout ses secrets les plus intimes. Pour nous inciter à faire de même, elle nous en a donné un à chacune, de couleur différente. Autrement, ils sont en tous points identiques, mesurant cinq pouces sur quatre et contenant environ trois cents pages. Ils sont à tranche dorée et recouverts en cuir marocain; celui de Modeste est vert forêt et le mien rouge sang.

La cousine Dessaulles de Saint-Hyacinthe lui donne un nom et lui parle comme à une personne. Ainsi, cher cahier, je te baptise «CALME», ce qui me fait penser à Tranquille, en même temps qu'il m'apportera le baume que je recherche en écrivant sur tes pages vierges les pensées que je ne saurais exprimer à haute voix.

Je ne vais noter en toi que des choses très secrètes, que je suis la seule à connaître. Modeste, qui n'y jettera jamais les yeux, m'assure que ces cahiers ne peuvent être lus que par leurs auteurs. Je ne crains donc rien de sa part. Je sais pourtant, par expé-

1. Henriette Dessaulles, 1860-1946.
2. *In Hopes and Dreams, The Diary of Henriette Dessaulles 1874-1881*, traduit du français par Liedewy Hawke, Hounslow Press, 1986.

rience, qu'il me faudra te trouver une cachette sûre, si je veux vraiment que tu ne tombes jamais en des mains ennemies.

N'ai-je pas découvert moi-même, il y a de cela près de six ans, le journal que tenait Matante? C'était son cahier d'écolière, dans lequel elle s'était mise à écrire. Elle avait commencé le jour de sa première communion, alors qu'elle avait dix-neuf ans. Elle ne lui a jamais donné de nom. Elle n'y écrivait ni longuement ni fréquemment. Elle cachait son cahier sous son matelas, le croyant bien à l'abri des regards indiscrets. Malgré ces précautions, je l'ai découvert quand même. Naturellement, j'ai fait en sorte qu'elle ne l'apprenne pas. Je remettais toujours les choses soigneusement à leur place, pour qu'elle ne se doute de rien. Or, j'ai dû, une fois que j'avais consulté son cahier en secret, mal le replacer car, à partir de ce jour, elle l'a changé de cachette.

Cher Calme, comme j'aime te prendre dans mes mains, te palper, te tourner dans tous les sens, faire défiler, sous mes doigts, tes pages coquille d'œuf traversées de minces lignes bleues. Je prends également un grand plaisir à sentir, au toucher, la texture de ta peau en marocain. J'éprouve de délicieux frissons à respirer le parfum de ton cuir, mélangé à celui de ce que je crois être l'arôme du désert d'où tu viens, j'imagine.

Mercredi, le 29 avril 1874

Quelle chance! Modeste est tout à fait persuadée qu'elle est enceinte. Tu dois bien te demander, cher Calme, pourquoi je suis si heureuse à cette nouvelle d'une Modeste qui se croit engrossée par Tran Godfrey. Normalement, j'aurais dû en être profondément jalouse. Ah! mais je l'ai été. Jusqu'au moment où j'ai découvert qu'en réalité elle ne porte pas d'enfant dans son sein. Elle s'en est pourtant persuadée, tout en refusant les examens du Dr Mignault. Cela prouve bien que quand on veut croire une chose, même si on la sait fausse, on prend les moyens pour s'en convaincre.

Tandis que moi, je suis véritablement enceinte, mais des œuvres de Jos Poirier. Si c'est arrivé en même temps que ma bessonne, ce ne fut pas pour les mêmes raisons. Mais j'y reviendrai.

À la fin du mois de février dernier, donc, lorsque Modeste, qui est mon aînée d'une minute, m'a raconté le moment de grande intimité qu'elle venait de connaître avec Tran, j'ai cru que j'allais mourir d'un sentiment que je n'avais jamais encore éprouvé et que j'ai pris d'abord pour de la colère, de la rage. Je me suis rendu compte qu'il s'agissait en fait de jalousie. Ce fut l'exercice de dissimulation le plus difficile que j'aie jamais eu à accomplir jusqu'à ce jour. Pourtant, j'ai réussi au-delà de toutes mes espérances. Lorsqu'elle m'a annoncé qu'elle était enceinte de Tran, le choc a été grand. Pour garder la tête froide, j'ai eu besoin de rentrer en moi-même, rassembler mes forces et tenter de réagir. C'est au cours de ces difficiles semaines que j'ai commencé à découvrir que, même avec une jumelle, je suis destinée à être seule et en charge de ma propre vie.

Jusque-là, j'avais toujours agi de concert avec ma bessonne. Or, je me trouvais, pour la première fois, seule avec mon sentiment sans le partager avec Modeste. C'est étrange, mais je ne me suis pas sentie coupable envers elle. Au contraire, j'ai éprouvé un sentiment indéfinissable. Tout ce que j'en sais, c'est qu'il m'a débarrassée, une fois pour toutes, de la sensation que j'avais vis-à-vis de Modeste, d'être son inférieure, parce que j'étais sortie en second du ventre de maman. Un sentiment de libération, d'évasion, peut-être? Ou bien le soudain constat que je pouvais voler de mes propres ailes, sans le secours de Modeste, que j'étais une personne entière? Ayant vécu jusqu'à ce jour au pluriel, je commençais enfin à exister au singulier.

Comme je te l'ai dit plus haut, cela remonte au mois de février dernier. Depuis que nous sommes adolescentes, Modeste et moi, Tran Godfrey a paru éprouver pour nous deux des sentiments tendres. À l'époque, il nous confondait aisément l'une avec l'autre et nous pouvions facilement le tromper sur nos identités. Nous étions toutes deux follement amoureuses de ce garçon qui n'en avait pas la moindre idée. Je me demande quelquefois si les garçons ont une intelligence, au-delà de leur force physique, de leurs muscles. Lorsque nous avons eu quinze ans, Modeste s'est mise à croire que Tran l'avait choisie elle, plutôt que moi. En même temps, elle me laissait entendre que j'étais amoureuse de Jos Poirier et que celui-ci l'était de moi.

Or, cela est faux. Je n'ai jamais ressenti pour Jos Poirier le moindre sentiment amoureux ou tendre. Je ne crois pas, de même, qu'il ait jamais éprouvé pour moi la moindre émotion amoureuse. Pourtant, il le prétend et fait tout pour m'en convaincre. Cependant, je n'arrive pas à le croire, mais je ne le lui dis pas. Il était dans le décor et, comme il faisait partie de MON PLAN, j'ai prétendu que je croyais en la sincérité de ses sentiments.

C'est une période fort douloureuse de mon existence. Voilà que ma bessonne et moi étions terriblement éprises du même homme. Grâce à un subterfuge de mon invention, j'ai convaincu Modeste, un soir, de s'échanger nos cavaliers, juste pour savoir s'ils s'en rendraient compte. Les résultats ont été surprenants. Les pauvres garçons ne se sont aper-

çus de rien. Il est vrai qu'ils ne prenaient pas encore avec nous de grandes familiarités, bien qu'ils l'eussent certainement désiré. Des petits baisers volés ici et là, l'effleurement d'un sein, comme par mégarde, voilà bien les formes les plus audacieuses, à cette époque, de nos ébats amoureux. Aucun des deux garçons, Jos et Tran, ne nous avaient vues nues.

J'étais si désemparée, pendant ces jours difficiles, que j'ai même failli m'en ouvrir à Matante et la prier d'utiliser son pouvoir magique pour qu'elle fasse en sorte que Tran devienne amoureux de moi et non de ma bessonne. Mais je n'ai pas osé. D'abord, il aurait fallu que je lui dise que j'avais lu son journal et découvert son secret, ce qui lui aurait causé tout un choc, je n'en doute pas.

Aussi, je ne me méfiais pas assez de ma bessonne, croyant qu'elle serait trop timide pour passer à l'acte, en dépit des efforts de Tran pour la faire céder à ses désirs. Mais je me trompais. Enfin, d'après ce que Modeste m'a rapporté, ils auraient fait absolument tout ce qu'il faut pour qu'elle ait un enfant. Ce n'était pas leur intention comme on peut bien s'en douter, et ils n'ont même pas, au cours de leurs ébats, pensé une seule fois que Modeste pouvait tomber enceinte. N'est-ce pas là la façon de se conduire des hommes? Ils ne cherchent que leur plaisir et tant pis pour les conséquences, car ils n'auront pas à porter l'enfant, eux. Ils se fichent complètement de l'autre.

J'ai fait entendre à ma bessonne qu'à la suite de ce qu'elle venait de faire avec Tran, elle pouvait très bien être enceinte. Plutôt que l'effrayer, la perspective l'a ravie et transportée de joie. Je crois que c'est à partir de ce moment-là qu'elle s'est crue porteuse de l'enfant de Tran, et que moi, de mon côté, j'ai décidé de l'encourager à le croire. Ceci a constitué le point de départ de MON PLAN.

J'avais, en ma faveur, le grand avantage d'être enceinte de Jos Poirier, mais personne d'autre que moi ne le savait. Même pas le responsable; surtout pas lui. Deux petites semaines seulement après ma nuit avec Jos, je savais avec certitude que je portais un enfant. Je m'en étais doutée au moment même où Jos s'était répandu en moi. Je te jure que j'ai senti sa semence monter vers mon ventre où elle s'est installée. Je sentais déjà ce nouvel être qui venait de prendre naissance dans mon sein alors que Jos ne s'en doutait même pas. Modeste était beaucoup trop préoccupée par la pensée que j'avais mise en elle de sa maternité prochaine pour me porter quelque attention. Lorsque j'ai compris qu'aux yeux des gens ma bessonne allait avoir un enfant et pas moi, j'ai tout de suite vu l'avantage que je pouvais tirer d'une telle situation. Dans un premier temps, il me fallait absolument rassurer Modeste sur sa condition et la persuader complètement de sa grossesse. Ce me fut très aisé.

Tran et Modeste, persuadés qu'ils allaient avoir un enfant, l'ont annoncé à Matante pour l'obliger à donner son consentement à leur mariage. Ce n'était pas un mauvais calcul, car la sorcière, qui craint l'opinion des gens encore plus que le péché, s'est vue forcée, par la peur du scandale, de donner son accord.

Sept ou huit semaines s'étaient écoulées depuis le fameux moment d'intimité et Modeste ne manifestait aucun signe de grossesse et n'éprouvait jamais, par exemple, de nausées matinales. Ce qui n'était pas mon cas. En effet, elles m'assaillaient tous les jours, mais heureusement, chaque fois que j'en ai eu, j'étais seule dans la salle de bains.

Pour corriger cette situation et compléter ainsi MON PLAN, j'ai commencé à lui faire boire du thé à l'hellébore. Elle connaît assez bien les plantes, mais pas autant que moi. Nous sommes toutes les deux intéressées par la botanique, mais Modeste a toujours reconnu ma supériorité en ce domaine, surtout lorsqu'il s'agit des propriétés médicinales des plantes. Elle boit maintenant son thé à l'hellébore depuis plusieurs jours, croyant que c'est une potion qui soulage les nausées alors qu'en fait elle les suscite.

Les résultats de cette ingestion quotidienne laisse croire à tout le monde qu'elle est enceinte. Il me semble qu'elle commence même à gonfler du ventre. Modeste est encore plus impressionnable que moi et comme elle veut tant avoir un enfant de Tran, elle est prête à croire tout ce qui l'encourage en ce sens. Avec un peu d'imagination, (les gens en ont beaucoup) Modeste, qui se croit sincèrement enceinte, réussit à tromper son entourage. Le Dr Mignault nous a confié que ma bessonne et moi sommes constituées de façon telle que nos grossesses sont peu apparentes. Jusqu'à maintenant, j'ai réussi à la convaincre de refuser de se laisser examiner par un médecin. Tran, qui n'était pas de cet avis, a fini par céder aux instances de sa femme. Le Dr Mignault est un homme intelligent et je crains fort que d'ici quelques mois, il ne se rende compte de la supercherie. Je n'ai donc pas beaucoup de temps, cher Calme, pour exécuter MON PLAN.

Si je tiens à ce que Modeste croie qu'elle est enceinte de Tran, je veux, par ailleurs, qu'elle continue d'ignorer que je le suis de Jos. Or, comme elle ne sait pas ce que c'est que d'avoir un bébé dans son ventre, je lui apprends, sans qu'elle s'en doute, les malaises qu'elle devrait ressentir si elle était grosse.

Et puis, même si elle était enceinte, cela ne changerait, de toute façon, rien à MON PLAN.

Jeudi, le 11 juin 1874

Mon bien cher Calme, hier, Modeste et Tran ont quitté Salem pour aller vivre à Fall River. Me voici complètement seule avec mon chagrin et mon désespoir. Pourtant, personne ne s'est rendu compte de mon désarroi. Il y a longtemps que je travaille à dissimuler mes sentiments. J'y suis arrivée au point où je crois que j'ai créé en moi une deuxième Mélodie qui, en apparence, est semblable à la première, mais qui, intérieurement, ne pourrait être plus différente.

Tous les gens croient que Modeste et moi sommes deux personnes douces, au caractère facile. Nous obéissons en tout à Matante de la même façon, avec les mêmes paroles. La plupart du temps, même Matante n'arrive pas à nous distinguer l'une de l'autre. Je m'applique, depuis mon plus jeune âge, à imiter Modeste en tout. N'est-elle pas née la première? C'est pour cela que j'ai copié ses gestes, ses paroles. À mesure que nous grandissions, je me suis aperçue du pouvoir que je détenais en imitant ma bessonne en tout.

Matante nous a toujours habillées de la même façon, ainsi qu'on fait souvent aux bessons, croyant qu'autrement cela porte malheur, surtout lorsque les jumeaux sont identiques. Matante nous dit toujours que ce que Dieu a fait est bien fait. Nous n'avons pas le droit de le défaire. Ainsi, Dieu nous ayant créées identiques en tous points, nous nous devons de prolonger son œuvre.

C'est beaucoup plus tard que j'ai compris combien cette femme était folle, remplie d'idées préconçues, fruits de son ignorance. Bien qu'elle répétât toujours qu'il fallait que nous soyons semblables en tout, je me suis aperçue qu'elle faisait toujours, lorsque nous étions petites, des distinctions très légères dans notre habillement. Les barrettes, par exemple. Pour reconnaître Modeste, elle plaçait toujours sa barrette gauche à l'envers, tandis que la mienne était correctement disposée. La première fois que je me suis aperçue de la chose, j'avais douze ans. Comme je n'étais pas tout à fait sûre de mon intuition, j'ai voulu vérifier. De concert avec ma bessonne, j'ai replacé la barrette de Modeste à l'endroit et j'ai inversé la mienne. Et de fait, en rentrant de l'école, elle m'a prise pour ma sœur. J'ai su, alors, que j'avais percé la carapace de cette sorcière.

Je n'abuse pas de cette connaissance. Elle m'est trop précieuse. D'autre part, il ne faut pas que Matante sache que son secret a été découvert. Nous ne l'avons divulgué à personne, et ne l'avons utilisée que deux fois, pour nous tirer d'embarras, Modeste et moi.

Mon application à modeler mon caractère sur celui de ma sœur est telle, que pendant des semaines entières, je crois que je suis Modeste. Au point que, lorsque papa ou Matante l'interpelle, je sursaute légèrement avant de me rendre compte qu'il ne s'agit pas de moi.

Ah! mais, quelle joie, lorsque, le soir au fond de mon lit, je pénètre dans l'autre moi, Mélodie Laverdure. Je sais très bien que la vraie Mélodie ne verra jamais le grand jour ni ne sera jamais connue des gens. Mais je n'en ai cure. Modeste n'est pas destinée à de grandes choses, mais Mélodie, je le sens, est née pour des actions de marque. Pour qu'elle y arrive, il faut qu'elle grandisse dans l'ombre de sa bessonne, au point de devenir Modeste elle-même.

J'en suis arrivée à parler de moi-même à la troisième personne et cela me rassure. Je sais que je réussis à bien séparer Mélodie-Modeste de Mélodie-Mélodie. Comme je n'écris que pour toi, mon cher Calme, et que tu comprends tout, je n'ai pas besoin d'être claire dans mes explications.

Dans un moment, je vais me glisser seule sous mes draps, comme je fais depuis que Modeste s'est emparée de la personne de Joseph-Tranquille Godfrey (pour toujours, croit-elle) et qu'elle s'étend à ses côtés tous les soirs depuis son mariage.

Pourquoi a-t-il fallu que de nous deux, Tranquille choisisse Modeste? Sait-il seulement qu'il l'a choisie, qu'il a rejeté Mélodie? Il est beaucoup trop éloigné de la réalité pour s'en rendre compte. Et Modeste, donc, elle est encore plus ignorante que Tran de ce qui se passe vraiment.

Heureusement, j'ai la certitude qu'un jour je triompherai. Entre-temps, je fais comme si ce pauvre Jos Poirier me fait à moi, Mélodie, le même effet que Tran sur Modeste. Mais c'est comme tout le reste, ma bessonne et moi sommes si semblables en toutes choses que nous avons pour notre amour le même et unique objet. Il ne faut jamais que Modeste apprenne que je suis amoureuse de Tran Godfrey.

Vendredi, le 12 juin 1874

Heureusement que tu es là, cher Calme, pour recevoir ce que, de toute la journée, je n'ai pu exprimer.

Les choses allaient assez bien et je ne souffrais que modérément, lorsque je savais que j'allais revoir Tran de temps à autre. Maintenant que les voilà à Fall River, je crains fort qu'ils ne viennent que rarement à Salem pour nous visiter. Dans ce cas, il vaut mieux que je mette MON PLAN à exécution beaucoup plus tôt que je ne le prévoyais. Aujourd'hui, la douleur a été si terrible que, pour la première fois, j'arrivais difficilement à la dissimuler.

À l'épicerie, j'ai cru que Matante, tout à coup, s'en était rendu compte. Mais non, pas du tout. Elle est si habituée que je sois une autre Modeste que, à l'occasion, elle m'appelle ainsi, comme ce matin:

— Modeste, apporte-moi ce paquet.

— Je ne suis pas Modeste, Matante, je suis Mélodie.

— Oui! Oui! je sais, c'est la même chose.

N'est-ce pas la preuve que j'ai réussi au-delà de toutes mes espérances?

Dimanche, le 28 juin 1874

Oh! Très cher Calme, en revenant de la grand-messe, ce matin, avec Matante, nous marchions en compagnie de M. et Mme Godfrey. J'ai entendu celle-ci qui disait que Tran allait venir passer quelques temps à Salem pour les besoins de son journal.

Tout de suite, mon cœur a sauté de joie et pendant tout le reste du trajet j'ai été silencieuse. J'ai feint un grand intérêt pour la conversation niaise qu'ils tenaient. Je dois dire que j'ai réussi très facilement à tromper leur sens de l'observation, qu'ils doivent posséder à un degré bien infime. Pas un moment ils n'ont deviné que mes pensées n'étaient pas avec eux, mais avec moi-même et la venue imminente de Tran. Au moment où nous allions nous séparer pour rentrer chacun chez soi, j'ai entendu M. Godfrey, homme d'une certaine intelligence, dire à Matante: «Mélodie est une jeune fille modèle. Elle sait écouter.» Heureusement que j'ai entendu ce commentaire moi-même, car ce n'est pas Matante qui me l'aurait répété. Elle croit que les compliments gâtent le caractère des gens. Mais je n'ai pas pris cette remarque pour un éloge. Mais plutôt comme la confirmation que j'ai atteint un suprême degré dans l'art de la dissimulation.

Ne suis-je pas arrivée, jusqu'à ce jour, à cacher aux yeux de tous la passion dévorante que j'éprouve pour Tranquille? J'ai fini par garder toutes intérieures ces émotions si fortes qui tourbillonnent en moi, et à présenter à tous le visage du détachement, voire de l'indifférence. Et cela tout autant devant Modeste que devant les autres personnes plus éloignées de moi. N'ai-je pas également réussi à cacher l'état de ma grossesse à ma bessonne et à ma gardienne? Je suis dans mon cinquième mois et personne ne le sait encore, surtout pas Jos qui, pourtant, est le père de mon enfant. Ce qui détourne l'attention de ma personne, c'est l'intérêt que je porte à Modeste et à sa fausse grossesse. Cette astuce me sert bien, tout l'intérêt étant centré sur ma bessonne.

Enfant, j'éprouvais souvent de profondes dépressions à cause de la petitesse de mon univers. À cette époque, j'existais à travers le petit craquement régulier de la chaise berçante de Matante, par le tic-tac de l'horloge grand-père, par l'odeur de la soupe que Matante gardait constamment sur sa cuisinière, par le cri lointain des enfants qui jouaient à côté, par la taille de mon chat, qui ne me semblait pas beaucoup plus gros que moi-même.

Aujourd'hui, j'existe par le pouvoir que j'ai sur les êtres, par la découverte de mon incommensurable puissance et le refus que j'ai de ne pas accepter les limites que pourraient m'imposer les gens. J'en sais assez maintenant pour distinguer entre la folie et la perte de la raison.

Mercredi, le 1 juillet 1874

Cher Calme, cette journée et les événements qui s'y sont déroulés m'ont encore rassurée. Je ve-

nais juste de rentrer à la boucherie, revenant de dîner, que je me suis mise à dépouiller le courrier arrivé en notre absence. Il y avait une lettre pour moi dans laquelle Modeste me demandait de venir l'assister pendant les derniers mois de sa grossesse. Elle m'a avoué ne pas en avoir parlé à Tran qui se serait sans doute opposé à ma présence dans sa maison pendant les mois qui restent avant l'accouchement. Personne d'autre n'a vu la lettre. J'ai réussi à convaincre Matante de me laisser aller à Fall River pour être avec ma bessonne, tout en lui laissant entendre que j'avais eu une forte intuition qui m'appelait à Fall River, parce que Modeste avait besoin de moi. Matante croit facilement ces choses mystérieuses, inexplicables. Il m'a donc été assez facile d'obtenir son consentement, lorsque je lui ai rappelé que ma sœur est souvent seule en cette ville où elle ne connaît que peu de gens. En effet, M. Beaugrand, le patron de Tran, l'envoie ici et là, toujours pour son travail de journaliste. Tran est persuadé que papa n'est pas décédé de mort naturelle, que quelqu'un, sciemment, lui a causé une frayeur qui lui a fait perdre l'équilibre. Si cela est vrai, il faut savoir qui a fait le coup. Or, je ne sais ce que Tran mijote avec son patron, mais s'ils ont quelque plomb dans la cervelle, ils auront tôt fait de montrer Matante du doigt.

Modeste a été d'accord pour que nous fassions croire à tous que nous communiquions entre nous par des ondes mystérieuses auxquelles ils ne comprennent rien. «Des histoires de bessonnes», dit toujours Tran. Et tous d'accepter cette explication on ne peut plus absurde.

Pendant mon séjour à Fall River, je mettrai MON PLAN final à exécution.

Dimanche, le 5 juillet 1874

Cher Calme, il est très tard et ma sœur dort profondément. Je viens bavarder avec toi. Je suis arrivée hier à Fall River, et ce matin, Tran a pris le train pour Salem. Me voici maintenant seule avec ma bessonne.

J'ai passé la journée entière en sa compagnie pour m'assurer que nous vivions à nouveau comme autrefois. Elle se croit toujours enceinte, mais elle ne l'est pas. Quant à moi, je le suis et la seule à le savoir.

Modeste continue toujours de prendre ses tisanes à l'hellébore que je me garde bien d'ingurgiter moi-même. C'est ça le plus difficile à accomplir en ce moment: dissimuler à ma bessonne mes propres nausées. Mais j'y arrive.

Mardi, le 7 juillet 1874

Une lettre de Tran est arrivée ce matin. Il va venir sous peu passer deux jours à Fall River pour être avec sa femme. J'en crève presque de jalousie et de douleur.

Il n'en tient qu'à moi que les choses soient différentes.

Vendredi, le 10 juillet 1874

Cher, très cher Calme, Tran est arrivé en fin de journée à Fall River. Je n'existe plus! Je ne suis plus rien!

Lundi, le 13 juillet 1874

Nous voilà à nouveau seules ma bessonne et moi. MES VOIX me disent que le temps est venu d'agir.

Mercredi, le 15 juillet 1874

Depuis lundi, je prépare moi-même le petit déjeuner de Modeste et le mien. Je fais un café très fort, que nous prenons ensemble. Je mets dans chaque tasse une petite quantité d'arsenic que j'ai apportée avec moi de Salem. Nous en possédons, au sous-sol dans un grand sachet et qu'on utilise contre les rats. Il y a quelques semaines, je suis allée à la bibliothèque publique, où je me suis renseignée sur les propriétés de l'arsenic et de ses effets, selon les quantités utilisées. Une chose qui m'arrange encore plus, c'est que quelqu'un a écrit à la main, sur le sac lui-même, non seulement les doses nécessaires pour se débarrasser de la vermine, mais aussi celles requises pour qui veut faire de même avec les humains. Nous en avons une si grande quantité que le peu que j'ai subtilisé ne se verra même pas. Pour adoucir l'amertume du café et du poison, j'ajoute beaucoup de sucre. Chaque jour, dans la tasse de ma bessonne, comme dans la mienne, je ne mets toujours qu'un seul petit grain.

Tu te demandes sans doute, cher Calme, pourquoi je m'administre à moi-même ce dangereux poison. Il y a deux raisons à cela. La première, c'est que je tiens à vivre, même si je n'irai pas jusqu'au bout, la même expérience que ma bessonne, afin que personne ne remarque de différence entre elle et moi. La deuxième, c'est que j'ai appris, par mes lectures, que l'absorption d'arsenic finit par donner à la peau une couleur jaunâtre. Comme la chose nous arrive à toutes les deux, le phénomène n'attire pas l'attention.

Toute la journée, nous sommes un peu nerveuses à cause du café. Mais j'encourage Modeste, à qui j'ai fait croire que c'est bénéfique pour les femmes enceintes, à le boire jusqu'à la fin.

Samedi, le 1er août 1874

Cher, très cher Calme, comme je t'ai négligé depuis quelques semaines! Les événements se précipi-

tent. Ce matin, une lettre de Tran est arrivée. Il annonce sa visite à Fall River pour la fin de semaine prochaine. Cette fois, il me faut agir. J'ai donc pris une décision importante. C'est après-demain que je donne à Modeste la dose fatale.

Je n'ai qu'une hésitation. Qu'arrivera-t-il si Modeste détecte le goût amer du poison, car la quantité sera beaucoup plus grande? J'ai pris mes précautions. Je compte beaucoup sur l'entraînement que je lui fais subir depuis quelques semaines.

S'il fallait, par hasard, qu'elle prenne conscience de ce qui lui arrive, une fois le poison avalé, il me faudra me comporter avec naturel. Il faut que je me prépare à cette éventualité.

Dimanche, le 2 août 1874

Bonjour Calme,

J'ai besoin de toi aujourd'hui. Dernière journée avec ma bessonne. Je suis dans un état impossible à décrire, car il me paraît irréel. Je crois que le pouvoir que je possède et que Matante a détenu toute sa vie sans jamais vraiment l'utiliser me fait tourner la tête, un peu comme si j'étais ivre. Modeste, aujourd'hui, l'a remarqué à deux reprises.

— Tu n'es pas comme d'habitude, Mélodie. Que t'arrive-t-il?

— Je ne sais pas.

— Tu es peut-être enceinte, toi aussi?

— Comment? Par le Saint-Esprit, peut-être?

— Allons, ne blasphème pas, me dit-elle, l'air horrifié.

La fois suivante, lorsqu'elle est revenue sur le sujet, je n'ai eu qu'à prononcer les mots: «Le Saint-Esprit» et elle n'en a plus reparlé.

Je vais bientôt m'étendre pour la dernière fois à côté de ma bessonne. On pourrait penser que j'éprouve une peine immense? On se tromperait, cher Calme. Au contraire, je suis envahie par une paix extraordinaire. C'est comme si, enfin, tous mes maux allaient cesser, une fois pour toutes, que j'allais quitter la nuit pour retrouver le grand jour. Enfin, le calme, la fin de toutes les souffrances. J'aurai gagné sur tous les plans: enfin, nous ne serons qu'une.

Lundi, le 3 août 1874

Cher Calme, c'est fait.

Tout fut beaucoup plus simple que je ne l'avais envisagé. Nous avons continué à dormir toutes les deux dans le même lit, mais dans ma chambre, ce que nous faisons toujours, d'ailleurs, en l'absence de Tran. Ainsi, je n'ai pas eu à transporter le corps, puisque la morte doit être Mélodie.

Nous nous sommes éveillées très tôt, ce que j'ai perçu comme un signe encourageant. Il n'était pas encore six heures lorsque j'ai servi le café au lit, comme d'habitude. J'étais tellement entrée dans mon rôle que j'ai oublié tout de suite ce que je venais de faire, dès que le café a été versé dans les tasses. C'est Modeste qui a mis le sucre pendant que nous continuions à bavarder. Comme un jeu, j'ai dit à ma bessonne: «Voyons laquelle de nous deux finira son café la première.» Nous jouions souvent de cette façon lorsque nous étions gamines.

Le liquide noir, une fois avalé, Modeste s'est plainte d'une cuisante douleur à l'estomac et s'est mise à s'agiter. Au bout de cinq minutes, elle s'est arrêtée, comme paralysée. Elle a fermé les yeux en faisant une horrible grimace. Elle s'est tournée de côté, pendant que je lui demandais ce qui lui arrivait. Elle a eu plusieurs convulsions, puis tout s'est arrêté. J'ai touché son front. Sa peau était moite. Cela n'a pas pris vingt minutes.

Il était près de huit heures du matin. Avant de commencer ma scène de désespoir, je m'y suis allongée sur le lit pour réfléchir. Je n'avais pas tué ma bessonne, je l'avais absorbée: je suis Méleste.

Le brave docteur Mignault n'y a vu que du feu. Il a déclaré que ma bessonne était morte d'un arrêt cardiaque, tout comme son père. Pour le pauvre médecin, c'était évident. D'autant plus que le ventre de Modeste s'était gonflé, pendant le malaise que lui a causé l'arsenic. D'ailleurs, n'avait-il pas déjà diagnostiqué le même mal chez notre père autrefois?

Mardi, le 4 août 1874

Calme, heureusement, tu es là. Tran est arrivé. Tout s'est passé normalement. Il m'a consolée tant qu'il a pu et j'avais l'impression qu'il était plus chagriné que moi, la bessonne.

Après avoir constaté le décès, le Dr Mignault a suggéré une autopsie. J'ai fait des manières, sous prétexte que je ne voulais pas que le corps de ma bessonne soit charcuté comme une bête. Après m'avoir regardée longuement, ce qui m'a causé quelques palpitations, il a eu de la compassion et a signé le certificat de décès, nécessaire, selon la loi, avant d'ensevelir un défunt.

Lundi, le 10 août 1874

Je suis revenue à Fall River, à la suite des funérailles, à Salem, de ma bessonne. Tran est resté là-bas afin de poursuivre son enquête sur la mort de papa. Dans le but de l'aider, mais à son insu évidemment, j'ai écrit des lettres anonymes à L'Écho du Canada et au Salem Register, un journal anglais qui a commencé à s'intéresser à l'enquête que mène mon mari, (vois, cher Calme, comme je suis devenue tout à fait Méleste) sur la mort de papa. Ceci pour montrer Matante du doigt.

Samedi, le 22 août 1874

Cher Calme, je n'ai jamais eu autant besoin de toi qu'aujourd'hui. Une étonnante nouvelle m'est parvenue ce matin, par une lettre de Tran. Au cours de ses recherches, il a découvert le journal de Matante, dans lequel elle avoue avoir tenté de tuer son beau-frère. Lorsqu'elle s'est rendu compte que son secret avait été éventé, elle s'est suicidée, incapable de supporter la honte que lui aurait causé la publication de ses méfaits. On aura beau dire, il reste que Matante donnait beaucoup plus d'importance à l'opinion des gens qu'à sa religion même.

Tran ne veut pas que j'aille à Salem pour les funérailles. J'en suis très contente, car je n'y tenais pas du tout.

Samedi, le 29 août 1874

Cher Calme, Tran est rentré, hier, de Salem. Quelle joie de le retrouver. Je ne sais s'il commence à soupçonner la vérité, mais il a mis la main sur la petite excroissance que Modeste et moi possédons au même endroit à l'intérieur des grandes lèvres. C'est la deuxième fois qu'il fait cela. Pour se rassurer que je suis bien Modeste sans doute.

J'avais eu une excellente idée, à l'époque, lorsque, plus jeunes, ma bessonne et moi avons commencé à accorder une plus grande intimité à nos cavaliers, de leur faire croire que chacune de nous était la seule à posséder cette excroissance. Cela permettait aux deux hommes d'être sûrs de se trouver avec la bonne personne. Et comme je connais la pudeur de ces garçons, ni l'un ni l'autre n'osera jamais avouer cette particularité à son ami, d'autant plus que nous les avons convaincus de garder le secret, ce qu'ils ont fait, j'en suis persuadée. C'est une idée qui m'est venue je ne sais d'où, mais qui me sert beaucoup aujourd'hui.

Pourtant, l'insistance récente de Tran à vérifier cette excroissance me fait penser qu'il a peut-être des doutes sur mon identité. Cela, il ne faut jamais qu'il le découvre. J'en mourrais.

Et puis, il y a autre chose. Le Dr Mignault a insisté, comme il l'a fait depuis les débuts de la fausse grossesse de Modeste, pour que je passe un examen médical. Tran le voudrait bien aussi. Comme l'a fait ma bessonne par le passé, je leur avance toujours que l'idée de me livrer à l'examen d'un autre homme que mon mari me répugne au plus haut point. Tran, bien qu'il prétende le contraire, est flatté par mon attitude. Or, maintenant que je suis Modeste, rien ne s'y oppose plus. Mais, pendant quelques jours, je vais encore résister à leur demande. Puis, je céderai bientôt, prétextant que je suis maintenant trop fatiguée pour protester.

Mardi, le 20 octobre 1874

Cher Calme, je t'ai bien négligé depuis quelques semaines. Mais la naissance de l'enfant approche et je me fatigue rapidement. Je passe une grande partie de mon temps à dormir, lorsque la créature, dans mon ventre, veut bien me laisser en paix. Garçon ou fille?

Dimanche, le 8 novembre 1874

Cher Calme, je n'ai que la force de t'annoncer la naissance, ce matin, de mon premier fils, Joseph-Ambroise. Naturellement, Tran pense qu'il est de lui et Jos, bien entendu, n'a pas la moindre idée qu'il en est le père.

Jeudi, le 15 janvier 1875

Aujourd'hui, Tran a commencé à travailler à La République, le journal qui remplace L'Écho du Canada. M. Beaugrand, cette fois, en le seul propriétaire.

Jusqu'ici, tout va bien. Mais je ne sais pas combien de temps cela va durer. En effet, depuis la mort de Matante et la publication de son journal dans la presse, j'avais cru que Tran avait trouvé sa coupable et qu'il allait abandonner ses recherches. Mais non! Il s'est mis dans la tête que la mort de papa, celle de ma bessonne et celle de Matante sont liées. Il continue donc son enquête, mais il n'aboutira que dans des culs-de-sac.

Mercredi, le 19 mai 1875

Comme je t'ai négligé, cher Calme! Il n'y a pas d'autre explication que mon bonheur d'être enfin avec l'homme que j'aime et de savoir qu'il m'appartient encore beaucoup plus qu'il ne l'imagine. Je le sais par MES VOIX qui me rassurent chaque jour.

Hier soir, j'ai profité de notre séjour à Salem pour accomplir la dernière partie de MON PLAN, ordonné par MES VOIX. J'ai fait en sorte que je sois enceinte à nouveau, maintenant qu'Ambroise a six mois et que je suis complètement remise. J'ai voulu que la conception de mon deuxième enfant s'accomplisse dans la même ville que le premier. Celui-ci sera mon véritable enfant, puisque son père sera Tran et non Jos.

Ce dernier, d'ailleurs, se comporte de façon étrange. Lorsque nous sommes à Salem, il vient souvent à la maison pour voir mon mari. Si Tran n'est pas là, il décide de l'attendre. Alors, j'éprouve, en sa présence, le même sentiment que je ressentais lorsque lui et moi sortions ensemble. J'essaie d'iden-

tifier ce sentiment et je n'y arrive pas. Il me semble qu'il n'y a jamais eu entre Jos et moi la moindre attraction physique, bien que nous ayons fait un enfant ensemble. J'ai toujours eu la sensation qu'il essaie d'atteindre quelqu'un d'autre à travers moi. Il ne peut s'agir de Modeste, puisqu'elle n'est plus là. Je m'y perds.

De plus, Ambroise, qui n'est encore qu'un bébé, s'est pris d'une grande affection pour Jos Poirier, alors qu'il fait fort peu de cas de Tran. Chaque fois que le premier vient à la maison, l'enfant a des gloussements de joie et rit aux éclats. Heureusement qu'il ne peut pas encore parler, car il suit son instinct, cet enfant qui, dans ses langes, sait déjà qui est son vrai père.

Vendredi, le 23 juillet 1875

Je ne t'ai pas parlé depuis des mois, cher Calme. C'est au cours des semaines qui viennent de s'écouler que j'ai achevé mon changement. JE SUIS MODESTE. Le travail a été long, mais le résultat est étonnant. Il ne reste plus rien de Mélodie. Je crois maintenant que plus jamais mon mari n'aura de doutes sur mon identité.

Dimanche, le 29 août 1875

Cher cahier, cher Calme, hier, le Dr Mignault est venu me faire encore un examen médical, sur les insistances de Tran qui trouve que mon ventre ne gonfle pas assez vite à son goût. Bien que je lui aie rappelé que c'est le médecin lui-même qui a constaté que ma bessonne et moi étions bâties de façon à ce que nos grossesses passent presque inaperçues. Avant les toutes dernières semaines, elles sont très peu visibles.

Le Dr Mignault est donc venu et m'a examinée de la tête aux pieds. Cette fois, il a mis beaucoup de temps, au point que je lui ai franchement montré ma réticence a être ainsi examinée par lui. Il m'a regardée d'un air étrange. Aurait-il deviné quelque chose? Ce n'est pas possible. Jusqu'ici, il n'a pas fait montre d'assez de perspicacité pour cela. Je ne devrais donc pas m'inquiéter. Pourtant...

Dimanche, le 5 septembre 1875
Depuis deux jours que je n'ai plus entendu mes voix, lorsque je les appelle; l'enfant que je porte en est sans doute la raison.
Je ne suis grosse que depuis trois mois environ. Il n'est pas trop tard pour me débarrasser de l'enfant qui n'est pas encore formé de toute façon.
Tu me comprends, cher Calme. Sans mes voix, je ne sais plus quoi faire.

Mercredi, le 8 septembre 1875
Que faire? Je vis depuis six jours dans un silence infernal. Mes voix se sont tues. Heureusement que je suis seule, puisque Tran est à Salem pour quelques jours. Il me semble que je dois avoir l'air d'une folle. Je ne prends pas la peine de me lever pour me laver ou même me nourrir.
Dommage que tu ne parles pas, cher Calme. Tu pourrais me conseiller.

Lundi, 13 septembre 1875
Je crois que je deviens folle. Si mes voix ne me reviennent pas bientôt, je ne sais pas ce que je ferai.

Mercredi, 22 septembre 1875
Je n'ai même plus la force d'écrire. Je dépéris.

Dimanche, 26 septembre 1875
Je souffre horriblement.

Lundi, 27 septembre
Pourquoi suis-je encore là?

Vendredi, le 1 octobre 1875
Délivrance! Oh quelle délivrance! Elle m'est venue, cher Calme, par l'arrivée d'une lettre de Tran qui m'annonce son retour pour la semaine prochaine. Lorsque je l'ai eue dans mes mains, j'ai enfin entendu MES VOIX à nouveau. De peur qu'elles ne se taisent encore une fois, je ne leur pose pas de questions. Je les laisse me parler, quand elles le veulent bien.
Elles m'ont ordonné de mettre de l'ordre dans la maison, sur ma personne et de faire en sorte que Tran continue de croire que je suis Modeste.

Jeudi, le 12 novembre 1875
Cher Calme, Tran m'est arrivé cet après-midi avec une grande nouvelle. Nous déménageons à Boston d'ici quelques semaines. Tu m'en vois très heureuse. Je ne dépendrai plus des soins du Dr Mignault.

Dimanche, le 2 janvier 1876
Boston, cher Calme, est une ville beaucoup plus grande que Salem. Je n'ai pas UN médecin qui suit de près les progrès de ma grossesse, mais QUATRE. Ils s'intéressent au fait que je suis une jumelle, comme ils disent, et que je vais à mon tour donner naissance à des bessons. À ce qu'il paraît, cela devrait leur en apprendre beaucoup dans leurs recherches auxquelles je ne comprends rien. J'espère seulement que leur maudite science ne viendra pas contrecarrer MON PLAN qui arrive presque à son terme.
Je suis quelque peu effrayée par un autre aspect de la question. Je me souviens de ce qu'on m'a ra-

conté au sujet de ma propre naissance et de la mort de ma mère. Il ne faut pas que cela m'arrive.

Mercredi, le 5 janvier 1876

J'ai apporté de l'arsenic dans un petit sachet que je garde sous mon matelas, dans ma chambre.

Dimanche, le 9 janvier 1876

Au repas, ce midi, Tran m'a fait part de son désir de demander à son oncle Octave et à sa tante Hermine d'être les parrain et marraine de notre deuxième enfant. Il veut, par ce geste, réconcilier son père avec son oncle. Ces deux-là ne se sont pas parlés depuis plus de vingt ans. Cela m'inquiète quelque peu, mais pas outre mesure. Modeste m'avait raconté par le menu son voyage de noces à Saint-Hyacinthe. Je serai bien capable de donner le change à l'oncle comme à la tante.

Lundi, le 17 janvier 1876

J'ai pris un grain d'arsenic dans mon café ce matin. Je m'habitue au poison pour me protéger des attaques.

Jeudi, le 20 janvier 1876

Aujourd'hui, j'ai eu droit à sept de ces «spécialistes». On les appelle ainsi parce qu'ils s'occupent plus spécialement d'un aspect de la médecine plutôt que d'un autre. Ceux-ci, dont je ne connaissais pas la moitié, portaient des blouses blanches et tous se sont penchés sur mon ventre, ont examiné, sans gêne ni embarras aucun, mes parties les plus intimes et continuaient de s'entretenir entre eux comme si je n'avais pas été là.

Je me suis sentie comme un objet sans âme, une chose, moins qu'une bête. On me touche, on me palpe, on me triture et si j'émets quelque son, parce que, à certains moments, ils me font mal, ils se tournent vers mon visage avec des yeux où ne brille aucune compassion, mais plutôt une sorte de curiosité mélangée de plaisir. Que me veulent-ils? Qui sont ces gens? Mes voix me disent que ce sont des ennemis. Il me faut m'en débarrasser. Ils sont dangereux pour moi.

Mardi, le 25 janvier

J'ai invoqué Matante, ce matin, cher Calme. Je veux qu'elle revienne et utilise son «Sang Tue» sur ces médecins qui commencent à me poser trop de questions.

L'un d'eux, celui qui paraît être leur chef, m'a demandé, à brûle-pourpoint: «What are you?»[3] *La question m'a beaucoup troublée.*

Je me suis enfermée dans un mutisme prolongé. Quand il a insisté à plusieurs reprises pour que je lui réponde, j'ai fermé les yeux et j'ai fait comme si je dormais. Il ne faut plus que ces médecins me voient.

Lorsqu'ils sont partis, j'ai dit à Tran que je ne voulais plus les voir. Je crois que je préférais encore, et de très loin, les soins du Dr Mignault qui habite maintenant Salem depuis qu'il a vendu son journal. Je le préfère à ces spécialistes de Boston. S'il me regarde quelquefois d'un air étrange, il est moins dangereux qu'eux.

Tran, qui fait tout ce que je lui demande, m'a promis que nous partirions pour Salem demain en dépit de ma grossesse avancée. L'enfant est attendu dans quelques jours seulement. Mes voix m'ont assurée que j'arriverai à temps.

---

3. Qu'êtes-vous?

Mercredi le 26 janvier 1876

Je ne sais pas ce que Tran a pu dire aux médecins pour leur annoncer qu'ils ne s'occuperont plus de moi. C'est maintenant sans importance puisque nous partons ce soir même pour Salem.

Mardi, le 1er février 1876

Cher, très cher Calme. Je crains bien d'avoir fait une erreur en revenant à Salem. Évidemment, comme je l'avais prévu, Tran a fait revenir le Dr Mignault. Depuis que nous sommes arrivés chez les Godfrey, je me sens entourée d'ennemis. Il n'y a plus que Tran en qui j'ai quelque confiance, et même celle-là est en train de s'effriter.

Ma belle-mère, mon beau-père, mes belles-sœurs et mes beaux-frères m'observent tous d'un drôle d'air, avec quelque chose dans le regard que je ne leur ai jamais vu. Sont-ils de collusion? Pourquoi, finalement, suis-je ici? Mes voix, c'est vous qui m'avez conduite où je me trouve maintenant. Tirez-moi de là. Fort heureusement, j'ai apporté l'arsenic avec moi.

Le jour est proche où je vais enfanter.

Mercredi, le 2 février 1876

Je suis plus seule que jamais. Aujourd'hui, cela s'est assez bien passé. Je suis sur mes gardes.

Jeudi, le 3 février 1876

Les soins attentifs que l'on me prodigue n'ont qu'un seul but: assurer la survie de l'enfant. Il me semble qu'on se soucie moins de ma personne. Je me dois d'être constamment sur mes gardes.

Vendredi, le 4 février 1876

Ce fut un jour épouvantable. De crainte de dire quelque chose d'irréparable, je n'ai pas desserré les dents une seule fois de tout le jour. Cela a plongé tout le monde dans la confusion. J'en suis contente, mais je n'éprouve pas de joie, j'ai trop peur.

Jos Poirier vient tous les jours.

Samedi, le 5 février 1876

J'ai eu la preuve que mes craintes sont fondées. On a fait venir auprès de moi pour m'aider dans mes couches prochaines, une des femmes qui avaient procédé à la toilette funèbre de maman, il y a de cela près de vingt ans. C'est elle qui me l'a dit, croyant sans doute me faire plaisir. Or, depuis qu'elle m'a révélé ce détail, sa présence me terrifie.

Lundi, le 7 février 1876

Les douleurs sont trop fréquentes et trop grandes pour que je te parle longtemps, cher Calme. Seulement ceci: le Dr Mignault m'a dit: «Tout ira bien.» Je sais qu'il veut dire tout à fait le contraire. C'est sa façon à lui de me rassurer. C'est dans ces moments-là qu'il faut se méfier.

Mardi, le 8 février 1876

Jos Poirier était encore à la maison toute la journée. Il ne travaille plus au moulin et passe presque tout son temps en compagnie de mon mari. Quand j'ai demandé à Tran ce qu'il trouve d'intéressant en Jos, il m'a fait cette curieuse réponse: «Tu l'as déjà trouvé de ton goût.» J'ai presque été prise de panique, mais les douleurs ont recommencé à ce moment-là et je n'ai plus repensé à la chose. J'aimerais mieux que Jos ne revienne plus ici.

Jeudi, le 10 février 1876

Joseph-Mathieu est né hier. J'ai rempli mon devoir. J'ai donné un fils à Tranquille Godfrey. Je suis aux anges.

Samedi, le 12 février 1876

Jos Poirier passe son temps en compagnie de Tran. Je suis inquiète. Je ne sais pas pourquoi, mais il me semble que cela ne présage rien de bon.

Mardi, le 15 février 1876

L'oncle Octave et la tante Hermine sont ici depuis quelques jours. Elle fait sensation partout où elle va. On parle d'aller faire un tour à Boston avec eux, cette semaine. Mes voix me disent de me méfier d'Hermine. Je devrai donc la surveiller de près. Je veux être du voyage, bien que Tran risque de s'y opposer fortement étant donné que je relève de couches. Ça ne fait rien. Je saurai bien lui imposer ma volonté.

Comme Modeste m'avait raconté son séjour à Saint-Hyacinthe dans le détail, j'ai pu répondre à toutes les questions de l'oncle. Et surtout à celles de la tante qui ne cesse de me rappeler tel ou tel détail du fameux voyage de noces. Il me semble que je m'en tire assez bien, mais elle me regarde avec un si drôle d'air que j'ai l'impression, quelquefois, qu'elle m'a devinée.

Mercredi, le 16 février 1876

Le Dr Mignault me considère en assez bon état pour que je puisse me rendre à Boston, vendredi, avec toute la famille. Tran s'y est opposé avec fermeté. Mais tante Hermine a tellement insisté pour que je les accompagne que, en fin de compte, je serai du voyage. Pourquoi a-t-elle fait cela? La chose m'inquiète. Je garde l'œil ouvert.

Samedi, 19 février 1876

Cher Calme, je n'ai que quelques minutes de solitude pour te parler. Léonie, la sœur de Tran, est assignée à ma garde, parce que le voyage de Boston, hier, m'a beaucoup fatiguée. Le baptême, c'est pour demain. Oh! Je l'entends qui monte l'escalier...

Deux heures plus tard

Ce n'était pas Léonie qui montait l'escalier. C'était Hermine qui est entrée chez moi après avoir frappé discrètement à la porte, comme si elle craignait d'être entendue. Une fois dans la place, elle a refermé derrière elle, sans bruit. Elle m'a regardée avec cet air mystérieux qu'elle a depuis qu'elle est arrivée ici.

Sans demander la permission, elle a tiré un fauteuil et s'est assise près de mon lit, afin, je suppose, de me parler à voix basse, pour qu'on ne nous entende pas.

Elle n'y est pas allée par quatre chemins. Elle était à peine assise qu'elle a penché son visage vers le mien et a posé sa première question sur un ton que je n'ai pas aimé.

— Alors, ma jolie, tu ne me sembles plus apprécier les joies du mariage autant que lors de ton voyage de noces. Est-ce que je me trompe? Tu sais, je ne suis pas née d'hier. J'en ai vu d'autres. Rien ne peut me surprendre. Alors tu peux t'ouvrir sans crainte.

J'étais éberluée par ses questions si directes. Pourquoi m'a-t-elle demandé tout cela? Où veut-elle en venir? Comme je ne répondais pas, mais que je la dévisageais avec un air sans doute inquiet, elle a continué de plus belle.

— Depuis que je suis là, il y maintenant une semaine, j'ai lu, à plusieurs reprises, de la frayeur dans tes yeux. Cela m'a beaucoup surprise, d'autant plus que, lors de ta visite chez moi, pas une seule fois tu n'as manifesté ce genre de sentiment. Que s'est-il

donc passé, depuis cette époque, qui t'ait tant changée?

Je ne répondais toujours pas.

— Écoute, Mélodie, me dit-elle... Oh, pardon! Je veux dire Modeste, si je te pose ces questions c'est que je crois que tu fais face à un grave problème et que tu ne le partages avec personne. Est-ce que je me trompe? Tu sais, c'est très lourd à porter ce genre de secret. Tu peux te confier à moi sans crainte.

J'étais horrifiée. Avait-elle fait exprès de m'appeler par le nom de ma bessonne ou s'était-elle réellement trompée? Je ne le saurai sans doute jamais. Mais ma réaction d'épouvante, que je n'ai pu empêcher malgré mon entraînement à la dissimulation, n'a pas dû lui échapper. J'étais beaucoup trop bouleversée pour prononcer une seule parole.

Ces questions une fois posées, elle est restée silencieuse, continuant de me regarder sans même battre des paupières. Cela m'a donné des frissons qui m'ont secouée de la tête aux pieds. Elle s'en est aperçue, bien sûr et n'a pas poussé son interrogatoire plus loin. Elle s'est alors levée, a replacé la chaise où elle l'avait prise. Après s'être approchée de ma couche à nouveau, elle a chuchoté: «Je reviendrai demain. Repose-toi bien.» Puis elle a quitté la pièce aussi discrètement qu'elle était venue.

J'ai alors pris une grande résolution.

Dimanche, le 20 février 1876

C'est le dernier matin du monde. Mes voix me l'ont dit, Je ne pourrais plus supporter une autre visite de la tante Hermine. Je suis maintenant persuadée que Tran est sur le point d'apprendre ma vérité, si ce n'est déjà fait.

Et moi, j'ai deviné celle de Joseph-Oscar Poirier. Comment ai-je pu être aussi aveugle pendant si long-

temps? Comment se fait-il que je n'aie jamais vu les signes pourtant révélateurs de ce que j'ai appris? Peut-être parce que je n'aurais jamais pu imaginer pareille chose: Jos Poirier, le père d'Ambroise, toute sa vie, a été amoureux de son ami, Tranquille Godfrey. L'enfant, c'est à Tran qu'il l'a fait, pas à moi.

Ces deux hommes, Tran et Jos, sont presque des bessons. Ils ne le savent pas, mais ils ont fait ce qu'il fallait pour cela.

J'ai tout gagné, peut-être; mais j'ai aussi tout perdu. Je vais maintenant m'étendre sous mes draps, et je te placerai, cher Calme, à côté de moi. Je vais bientôt retrouver Modeste. C'est d'elle que je n'aurais jamais dû me séparer.

ÉPILOGUE

Dès les premiers instants de l'existence de l'Acadie, le sang de Henri IV coula dans les veines de deux familles acadiennes, comme si le roi avait voulu donner l'exemple du peuplement en mettant lui-même la main à la pâte, ainsi qu'il aimait tant à le faire. Bon sang ne pouvant mentir, Clovis et Oscar avaient poursuivi avec ardeur l'œuvre pour laquelle le bon roi Henri leur avait donné l'exemple.

La descendance de Clovis s'est retrouvée à Québec. Celle d'Oscar, victime du Grand Dérangement, a échoué sur les côtes de la Nouvelle-Angleterre, au nord de Boston. Après plus d'un siècle, les souvenirs de la déportation se sont estompés dans les mémoires.

Pourtant, au cours de ce long repli sur eux-mêmes, les Acadiens ont continué de s'identifier comme tels partout où ils se trouvaient. En même temps, à Salem, par quelque mystérieux retour des choses, le sang des descendants de Clovis venait de se croiser avec celui des héritiers d'Oscar.

La conséquence principale du drame des Laverdure fut l'éclatement complet des familles Poirier et Godfrey.

Le lendemain de l'enterrement de Mélodie, Jos Poirier prit son fils Ambroise avec lui et quitta la Nouvelle-Angleterre pour n'y plus jamais revenir. Il n'emporta pour tout bagage que quelques vêtements pour l'enfant, ainsi que le sac contenant les papiers de famille. Puis, sans doute guidé par son instinct, il se dirigea vers l'ancienne Acadie, où il croyait trouver la paix qui semblait lui échapper.

Quant à Tranquille Godfrey, il retourna au Canada avec son fils Mathieu, quelques mois seulement après la mort de Mélodie. Il reprit le nom de Godefroy, tourna même le dos à Saint-Hyacinthe et à sa famille canadienne, et s'établit dans la région de Québec.

Tran et Jos, les deux amis/ennemis acadiens, jetés encore une fois sur le chemin de l'exil, avaient été si profondément blessés qu'ils ne se revirent jamais, ni ne tentèrent même d'entrer en contact l'un avec l'autre.

Jusqu'à ce que, par un beau jour d'automne de l'an 1991, c'est-à-dire plus d'un siècle plus tard, quelques Gaspésiens décident qu'ils s'en vont chassant...

Tournedos-sur-Seine, France
Toronto, Canada
Cherry Grove, États-Unis
Puerto Vallarta, Mexique

GÉNÉALOGIE SIMPLIFIÉE DE CLOVIS DE PONS

ANTOINETTE DE PONS (1560-1622) — HENRI IV (1553-1610)

|

ANTOINE-HENRI CLOVIS (1591-1645)
SÉSIP (1595-1613)

|

CLOVIS-AAKADÉ (1611-1645)
CLAUDE-SAINT-ESPRIT (1623-1696)
ÉPOUSE EN 1648 HUBERT GODEFROY DE NORMANVILLE

|

CLOVIS-ONÉMÉCHIN DE PONS/ÉVARISTE GODEFROY (1641-1732)
JEANNE DE PARIS BERNIER (1645-1720)

|

CLOVIS-HERMÉNÉGILDE (1663-1727)
FRANÇOISE DE CHÂTEAUFORT (1667-1751)

|

CLOVIS ANTOINE (1687-1770)
VALÉDA HAMEL (1696-1784)

|

CLOVIS-HENRI (1708-1795)
MARIE-ÉLISE SAINT-PIERRE (1712-1792)

|

CLOVIS-LAURENT (1736-1800)
HENRIETTE DU PIN (1742-1806)

|

JOSEPH-PASCAL (1758-1821)
ADELAÏDE FOURNIER (1763-1832)

|

JOSEPH-EDMOND (1781-1854)
THÉOTISTE LEBLANC (1786-1863)

|

JOSEPH-NAPOLÉON GODEFROY/GODFREY (1805-1865)
MARIE BUISSIÈRES (1807-1863)

|

JOSEPH-ÉMILE (1830-1896)
JEANNE MACDONALD (1834-1911)

|

JOSEPH-TRANQUILLE (TRAN) GODFREY/GODEFROY (1856-1922)
MÉLODIE LAVERDURE (1857-1876) —

|

JOSEPH-MATHIEU (1876-